Venessiani gran signori
Padoani gran dotòri
Vizentini magnagàti
Veronezi tuti mati
Trevizani pan e tripe
Rovigoti baco e pipe
e Belun, pora Belun
te si propio de nissun!

Venetians, great lords
Paduans, great scholars
Vicentini, cateaters
Veronesi, all crazy
Trevisani, eat bread and tripe
Rovigoti, tobacco and pipes
and Belluno, poor Belluno
no one really owns you!

Ogni volta che si rientra da un viaggio, si raccontano i paesaggi, le città e i monumenti che si sono visitati, ma ciò che completa e rende più piacevole il ricordo è sempre la gustosa mangiata nel buon ristorantino, dove si è scoperto un saporito piatto tipico. Del resto non si visita veramente Napoli se non si assaggia una pizza, Firenze se non si gusta una fiorentina o Vicenza se non si mangia il baccalà.

In Italia, e così in Veneto, la cucina è parte integrante del patrimonio culturale, per questo ritengo molto interessante il lavoro svolto dagli autori che, in questo libro, abbinano letteratura e cucina, storia e ricette, partendo proprio dai prodotti tipici e dal loro legame con la terra veneta.

Inoltre, l'idea di inserire la traduzione in inglese ne fa uno strumento moderno e internazionale, che permette non solo ai veneti di ritrovare i piatti della loro tradizione, ma anche i moltissimi discendenti dei veneti emigrati nelle diverse zone del mondo di riscoprire le loro radici, riassaporando ricette e leggendo racconti, notizie e curiosità sui prodotti tipici del Veneto del presente e del passato.

Anche i turisti potranno far tesoro di questo libro, usandolo come guida gastronomica e come souvenir del loro indimenticabile viaggio in Veneto.

Giancarlo Galan
Presidente della Regione del Veneto

Every time people return from a trip they talk about what they saw: the countryside, the cities, the monuments, but what makes their experience a complete and pleasurable memory is always that special meal in a small and cozy trattoria where one discovers special local dishes. In fact we cannot say that we have visited Naples if we haven't tasted a pizza, Florence if we haven't had a "Fiorentina", or Vicenza if we haven't eaten "Baccala'".

In Italy, as well as in the Veneto, the cuisine is an integral part of the cultural heritage. Therefore I find that the work done in this book is very interesting; a book in which literature and cuisine, history and recipes go together because of the use of typical products that are strongly tied to the Veneto region.

Furthermore, the idea of inserting an English translation makes it a modern and international tool that provides the opportunity to discover Veneto dishes and traditions to those outside the Veneto. This includes the many descendants of Veneti emigrated throughout the world, who can rediscover their roots by savoring recipes and reading stories, news and curiosities on the typical products of the Veneto, both of the present and the past.

It can also be a precious guide for visitors who will treasure this book as a gastronomic souvenir of their unforgettable stay in the Veneto

Giancarlo Galan
President of the Region of the Veneto

Prefazione

E' grande il piacere che provo nel presentare quest' opera, frutto di una sapiente e paziente ricerca in un campo che è vasto come un oceano, che è di difficile elaborazione e impostazione. La scelta di suddividere le ricette della cucina tipica veneta per provincia riflette la saggezza della curatrice: non deve essere stato facile selezionare così tante ricette tipiche e caratteristiche di una provincia in una realtà in cui gli "sconfinamenti" non sono rari e neppure i "meticciati". L'idea di corredare molte ricette di brevi note storiche, di brani letterari, di poesie, motti e filastrocche e di informazioni sulla storia e sulle proprietà di singoli alimenti è molto felice: rende un libro di ricette, destinato solitamente ad una consultazione occasionale, un'opera di piacevole e interessante lettura e mostra l'intima connessione esistente fra una civiltà, una cultura e la sua cucina.
Quest'opera si pone nella scia degli sforzi, che si manifestano nella nostra Regione, di presa di coscienza della propria identità culturale, che è fatta anche di piccole semplici cose di tutti i giorni.
Mi piace paragonare la lingua veneta alla cucina veneta. La lingua e la cucina rappresentano i più forti marcatori dell'identità culturale di un popolo. Nel caso del nostro Veneto alla ricca varietà delle lingue venete locali corrisponde la varietà delle cucine locali. Come non esiste in Veneto l'appiattimento linguistico su un'unica lingua, così non esiste la monotonia e l'uniformità culinaria. La cucina cambia da provincia a provincia, anzi da paese a paese, ed ogni festività tradizionale ha i suoi piatti tipici.
Come la lingua riflette le caratteristiche e le vicende delle genti stanziate su un territorio, così la cucina, con i suoi ingredienti e stili, ne riflette gli usi e le abitudini sociali e culturali.
Se leggiamo con attenzione le ricette proposte provincia per provincia, possiamo scorgere tra le righe, tra un ingrediente e l'altro, tra un modo di cucinare ed un altro, alcune caratteristiche del suo territorio, dei suoi prodotti, persino della sua storia sociale e culturale.
Anche se i moderni ritmi di vita costringono spesso ad una cucina standard senza carattere, i Veneti sono ancora fortemente legati alle loro tradizioni culinarie e quando possono le rivivono con gioia e passione nei momenti di festa. Infatti, uno degli elementi principali delle celebrazioni delle festività nei vari paesi del Veneto è la cucina tradizionale, che nei tempi lunghi delle feste, può esprimersi al meglio, senza i condizionamenti della frenetica vita lavorativa quotidiana.
La cucina veneta è testimonianza del carattere sobrio, ma gioviale della

gente veneta, che con quello che offre la propria terra o il proprio mare, sa elaborare ricette prelibate e sostanziose.
Vedo questo bel libro di ricette un po' come un viaggio nel tempo dei nostri nonni e bisnonni, come un risalire alle nostre vere radici, attraverso la semplice riscoperta di antichi odori e sapori.
Anche i nostri emigrati che da lungo tempo hanno lasciato il Veneto, ma che non hanno mai allentato i loro legami con la loro terra, potranno ritrovare in questo libro e far conoscere - grazie alla traduzione in inglese - ai loro conoscenti ricette antiche delle loro zone di origine. Ai più anziani forse torneranno in mente anche le occasioni in cui si preparavano certe pietanze e anche questo è un modo, semplice ma efficace, per rinsaldare i propri antichi legami, per rinverdire ricordi da condividere con gli amici.
La cucina è un potente veicolo di cultura, non solo perché la stessa letteratura veneta la cita in abbondanza - memorabile è la ricetta della polenta col burro e il formaggio ne "La donna di garbo" di Carlo Goldoni che Rosaura propone ad Arlecchino - ma anche perché è un elemento identificativo della personalità di ciascuno di noi. Come ci ricordiamo delle filastrocche che ci cantavano i nonni, così ci ricordiamo dei cibi della nostra infanzia: le parole come i sapori, la nostra bella lingua veneta e le gustose vivande dei nonni.

Marino Finozzi

Presidente del
Consiglio Regionale Veneto

Preface

It is a pleasure to have the opportunity to present this book, the result of a wise and patient research in a field as vast as the ocean, a work that is difficult to assemble. The choice of subdividing the recipes of the Veneto cuisine according to provinces shows the wisdom of the editor: it must have been a difficult task to select so many typical recipes that characterize each province from a reality that often sees provincial recipes overlapping. It is a good idea to add short historical notes, literary texts, poems, nursery rhymes, maxim, traditional sayings, and information on the history and properties of particular foods. This makes a book of recipes, usually consulted only occasionally, a pleasurable and interesting work to read: a book that shows the intimate connections between a civilization, its culture and its cuisine.

This book goes together with other initiatives that have taken place in our region and that show an increasing awareness of our cultural identity which is also made up of daily small things.
I like to compare the Veneto language to its cuisine. Language and cuisine are the most important aspects of a nation cultural identity. In our case the variety of dialects spoken in the Veneto region correspond to the variety of local cuisines. Just as there is no standard language, so there is no monotonous standard cuisine. The culinary traditions vary from province to province, and even from village to village, and every town festival has its own typical dishes.
As a language reflects the characteristics and history of the people of different territories, so a cuisine with its ingredients and its different styles of cooking reflects the social and cultural customs of specific areas.
If we read these recipes with attention, going through every province, we will see that among the ingredients and different styles of cooking there are specific characteristics that are just of that particular territory, of its products and of its social and cultural history. In our modern times we are usually confronted with a standard cuisine, a cuisine that has no feeling. But the people of the Veneto are still strongly attached to the traditions of their cuisine and they revive it with joy and passion during their festivities. In fact one of the most important aspects of these festivities are the traditional dishes that are presented in traditional ways in spite of the distractions of the fast pace of daily life.
The Veneto cuisine is the witness of the sober but happy character of the Veneto people: people that use the products that the land and the sea have to offer, and elaborate these products into delicious recipes.
I look at this beautiful book as a voyage back to our grandfathers' times, as a going back to our roots through the rediscovery of ancient tastes and aromas. Our emigrants who have left the Veneto region long ago but have never loosened their ties with their land will find old recipes of their native land through this book (thanks to the English translation), and will be able to share their heritage with other people. The older people will remember occasions when some of these dishes were prepared: a way, simple but efficient, to strengthen old connections and revive memories to share with friends.
Cuisine is a powerful means to spread culture: not only because the Veneto cuisine is rich in itself - memorable is the recipe of polenta with butter and cheese in " La donna di garbo" by Carlo Goldoni in which Rosaura suggests it to Arlecchino - but also because it is an element of identification of our own personality. As we remember the nursery rhymes that our grandparents sang to us, so we will remember the dishes of our childhood: words like tastes, our beautiful Veneto language and the delicious dishes of our ancestors.

Marino Finozzi

President
Regional Council of the Veneto

Introduzione

Fin da bambini la bocca è lo strumento privilegiato per l'esplorazione del mondo esterno, l'organo sensoriale a cui si portano tutte le cose estranee semplicemente per conoscerle. Mangiare è l'azione più importante della giornata non solo perchè ci permette di sopravvivere, ma perchè ci mette in contatto col mondo e con gli altri uomini. Ogni volta che mangiamo infatti, entriamo in relazione con l'Altro, con il diverso, in un continuo rapporto di comunione e comunicazione. Per questo abbiamo sempre riservato a quest'attività un ruolo fondamentale nella vita sociale: perchè ogni volta che, nella quotidiana intimità delle nostre cucine, elaboriamo i frutti della terra attraverso il sapere e la conoscenza, trasformiamo la natura in cultura, per servire in tavola agli altri uomini la nostra interpretazione del mondo.
Questo libro vuol essere proprio un viaggio nella cultura gastronomica veneta, alla scoperta dei sapori e dei valori, delle necessità e delle virtù che hanno trasformato l'istintivo bisogno di nutrirsi nell'espressione più profonda dello spirito del popolo veneto. Così, come i nostri avi crearono i piatti della tradizione sfruttando gli ingredienti che avevano a disposizione, il nostro percorso parte dai prodotti tipici riconosciuti dall'*Atlante dei prodotti tradizionali agroalimentari del Veneto*, e si snoda attraverso le ricette più o meno tradizionali proposte e collaudate dal cuoco Amedeo Sandri, i vini e i liquori suggeriti dall'enologo Maurizio Falloppi e le storie, gli aneddoti, i testi raccolti da Valeria Vicentini, studiosa di arte e teatro.
Questo libro non vuole essere un museo della cucina del passato, ma un ponte tra tradizione e innovazione, memoria e rielaborazione. Per questo le ricette proposte sono spesso originali o meglio nuove interpretazioni dei gusti tramandati dai padri, non certo allo scopo di snaturarli ma proprio per accompagnarne l'ingresso nell'alimentazione moderna, in una sana evoluzione dei sapori e dei saperi del passato. Ma questo libro non vuole nemmeno essere solo un semplice manuale di cucina, vuol essere anche un buon compagno di lavoro, capace di intrattenerci finchè aspettiamo che bolla l'acqua con racconti e poesie, curiosità e notizie sui piatti, sui loro ingredienti, e sul nostro rapporto con loro. Ogni provincia è infatti introdotta da un testo letterario di uno scrittore contemporaneo nato o vissuto in quel territorio, una poesia o uno stralcio di romanzo in cui emergano non solo i ricordi ma soprattutto i valori e i significati che il "mangiare" assume in una precipua visione del mondo: è dalle parole di Romano Pascutto (1907-1982), Gino Piva (1873-1946), Giuliano Scabia (1935-), Dino Coltro (1929-2009), Luigi Meneghello (1922-2007), Andrea Zanzotto (1921-) e Tina

Merlin (1926-1991) che possiamo trarre un'immagine vivida del rapporto che i veneti hanno avuto con il cibo, e attraverso lo specchio dell'arte riconoscere noi stessi.
La scoperta della propria identità del resto passa inevitabilmente attraverso l'incontro con l'Altro, e da questo incontro trae continua crescita. Non esiste una cultura gastronomica veneta vera o unica, non è possibile rinchiudere in una definizione sempre uguale a sé stessa il modo in cui di volta in volta l'uomo interpreta l'atto di mangiare, primigenio momento di interazione con il mondo che lo circonda. Una cultura è viva se si evolve mano a mano che mutano i soggetti della relazione, se è in grado di confrontarsi col suo passato e col suo futuro, con ciò che è simile e con ciò che è diverso, altrimenti resta solo un monumento da conservare gelosamente in un museo.
Così ci auguriamo che, ogni volta che vi siederete a tavola degustando uno di questi deliziosi piatti, ricordando le storie, le emozioni, i racconti che essi incarnano e condividendo questo piacere con amici veneti e non, possiate cogliere l'occasione per conoscere voi stessi, gli altri e il mondo facendo passare tutto, ancora una volta, per la bocca.

Valeria Vicentini

Introduction

Since childhood our mouth has been the instrument to explore the outside world. It is the sensory organ to which all foreign things are brought to know them. Eating is the most important act of the day, not only because it allows us to survive but through this action we get in touch with the world and with other people. Every time we eat, we enter into a relationship with the Other, and with the outside world. Through eating we feed our continuous relationship of communion and communication. For this reason this activity holds a key role in our social life; every time that, in the daily coziness of our kitchen, we process the fruits of the earth through knowledge and awareness, we transform nature into culture, thus serving our understanding of the world to our guests. This book is meant to be a voyage in the cuisine of the Veneto region; a discovery of tastes and values, of the needs and virtues that have transformed the instinctive need to feed oneself in a more profound expression of the spirit of the Veneto people. Thus, as our ancestors created these traditional dishes using the ingredients that were available, so our culinary voyage starts with typical products found in the Atlas of Traditional Veneto Food Products, and the route winds our route winds through traditional

and less traditional recipes proposed and tested by chef Amedeo Sandri, the wines and liqueurs suggested by wine expert Maurizio Falloppio, and stories, anecdotes and texts collected by Valeria Vicentini, scholar of art and theater.
This book is not intended to be a museum of the cuisine of the past but a bridge between tradition and innovation, memory and re-elaboration. Therefore the recipes are a collection of original ones and there are also new interpretations of the tastes handed down from our fathers. These interpretations do not distort the recipes. Rather they accompany them into modern eating habits, through a healthy evolution and knowledge of the past. This book does not even want to be just a simple guide to cooking. It also wants to be a good companion in the kitchen, capable of entertaining you with short stories and poems, interesting facts about food and their ingredients and our relationship to them. All this while waiting for the water to boil.
Each province is introduced by a literary text of a contemporary writer who was born or lived in that territory. It is either a poem or an excerpt of a novel, which reveals not only memories but contains the values and the meanings of food in a specific worldview. It is from the words of Romano Pascutto (1907-1982), Gino Piva (1873-1946), Giuliano Scabia (1935-), Dino Coltro (1929-2009), Luigi Meneghello (1922-2007), Andrea Zanzotto (1921-) and Tina Merlin (1926-1991) that we can draw a vivid image of the relationship we have had with food, and through the mirror of art recognize ourselves. The discovery of one's identity inevitably depends on the encounter with the Other and it continues to grow from this meeting. There is no such thing as a unified cuisine of the Veneto; the way we interpret the act of eating cannot be restrained to one definition; it is a primordial moment of interaction with the world around us. A culture is alive if it evolves with the changes of its subjects, if it is able to confront itself with its past and its future, with what is similar and what is different; if it were not so, culture would be a monument to be preserved in a museum.
So we hope that every time you sit at the table and sample one of these delicious dishes, remembering the stories and emotions they embody, you will be able to share this pleasure with friends, whether they are Veneti or not. You can seize the opportunity to learn more about yourself, others and the whole world by bringing food to your mouth.

Valeria Vicentini

Il Veneto
fra tolleranza e saggezza

Dice Maffioli nel suo *Ghiottone Veneto*: «Mi sbaglierò ma amo prevedere per il Veneto un avvenire felice anche da un punto di vista gastronomico, nonostante i supermercati e la pubblicità televisiva. C'è in tutti il desiderio del "focolare" non come luogo di condanna giornaliera di una massaia ma come "altare" di valori riconquistati, su cui si cuociono le migliori vivande di un nuovo benessere. Oggi il focolare, dopo essere stato distrutto nelle case dei "poveri", ritorna trionfalmente nelle case di campagna e di periferia dei benestanti, come elemento di prestigio e di nostalgica consolazione. Spero che questo mio libro raggiunga il suo scopo, dando un esatto panorama del Veneto, con tutto ciò che vi si può amare e gustare propagandandone quella particolare civiltà che è ancora uno degli esempi più alti di saggezza e di gusto del vivere, di felici rapporti umani, di tolleranza e di religiosa coscienza, l'unico posto in italia dove il rapporto tra padrone e contadino possa avvenire, almeno programmaticamente, in una specie di carità tolstoiana, con risultati di una feconda socializzazione.»
Maffioli è stato mio padre putativo e maestro di vita, oltre che "collega" di lavoro alla "Corte delle Gosetti" e a "La Cucina italiana", in quel di Milano. Lui veniva da una nobile famiglia di vetrai e da un'infanzia felice trascorsa in un seicentesco palazzo padovano, circondato da servitù e da ogni sorta di "nobile cibo", io invece da una famiglia di lavoratori che si erano costruiti da soli la casa di paese e che avevano sfruttato per tutta la vita gli animali di bassa corte e i prodotti ortofrutticoli allevati e coltivati in prima persona per autoconsumo. Ecco spiegata la "feconda socializzazione" di cui parla "Beppe" nel suo *Ghiottone*. Il Veneto è questo; civiltà, storia, cultura e nobiltà convivono e si mescolano "alla pari" con i lavori più umili, con le realtà più disagiate, con persone laboriose e devote che non hanno bisogno di carte francobollate per mantenere impegni e parole date. Al di là dei prodotti e delle ricette, quello che mi interessa "passi" attraverso questo umile lavoro editoriale è l'identità veneta, quella vera, legata al lavoro e al cibo che è frutto di questo lavoro e che rappresenta la sola, autentica "carta d'identità" di cui disponiamo.

L'agricoltura è una risorsa importante perchè rappresenta la vita della terra e dell'uomo, può far star bene o ammalare l'una e l'altro a seconda delle applicazioni e della ripartizione delle risorse. Non c'è alcun "buon senso" nel sotterrare e distruggere tonnellate di frutta e verdura nei paesi "ricchi" e contemporaneamente non sentire come propri i problemi di fame di altri paesi martoriati da guerre, siccità, catastrofi naturali e soprattutto dall'indifferenza. Tutti, indistintamente tutti gli uomini, hanno diritto ad una loro dignità e gran parte di mali del mondo derivano proprio dalla mancanza di questa dignità. Noi Veneti siamo fortunati, finora grazie ai secoli di civiltà e di duro lavoro che ci hanno preceduto abbiamo costruito una "regione esempio"; non dobbiamo lasciarci travolgere dalla globalizzazione, ma usare il denaro e la tecnologia per "costruire" e ripristinare la salute. Non dobbiamo cancellare con un colpo di spugna come "sorpassato" quello stile di vita che lo si voglia o no, ci ha portati all'attuale "modus vivendi", dobbiamo destinare energie e fondi per la salute della terra e conseguentemente dell'uomo e non dimenticarci mai che il cibo scaturisce dal lavoro dell'uomo su prodotti che sono figli della terra e della generosità di Dio. Tolleranza e saggezza queste sono le due qualità che tutti dobbiamo perseguire e sulle quali potremo costruire la dignità di ogni essere vivente.

Amedeo Sandri

The Veneto between tolerance and wisdom

In his Ghiottone Veneto Maffioli says: "I might be wrong but I like to see a happy future for the Veneto even from a gastronomic point of view, despite all the television advertising. We all have a desire for 'one's home' not as a place where a housewife performs her daily chores but as an 'altar' of conquered values on which meals are prepared. Today this 'home' after having been destroyed in the houses of the 'poor folks' comes back in triumph in the country homes and in the wealthy suburbs as an element of prestige and nostalgic consolation. I hope this book achieves its purpose by giving an accurate view of the Veneto, with everything that you can love and enjoy and let other people know of a civilization that is still one of the highest examples of wisdom and joy of living, of happy human relationships, of tolerance and religious conscience: the only place in Italy where the relationship between owner and tenant might happen, at least programmatically, much as a kind of Tolstoy charity, with the outcome being a fruitful socialization."
Maffioli was my foster father and life teacher, as well as "colleague" of work at the "Corte delle Gosetti" and the "Cucina Italiana" in Milan. He came from a noble family of glassmakers and spent a happy childhood in a seventeenth-century palace in Padua, surrounded by servants and every kind of "noble food". I, instead, came from a family of workers who had built themselves a house in town and who all

their life had used the farm animals and the products they raised and grew themselves. This is an example of the "fruitful socialization" of which Beppe talks in his Ghiottone. The Veneto is this: civilization, history, culture and nobility living and mingling on an equal basis with the most humble jobs, with the most disadvantaged realities, with industrious and devout people who do not need certified papers to prove they will keep their word. Beyond the products and the recipes that I want to go through in this humble editorial work is the Veneto identity, the real one, linked to work and the food that is the result of work and is the only authentic "identity card" that we have.

Agriculture is an important resource because it represents the life of the earth and of man: it can be good or bad for both earth and man depending on how man applies it and allocates its resources. It does not make sense to bury and destroy tons of fruits and vegetables in the "rich countries" and not feel as our own the problems of hunger in countries torn by wars, drought, natural disasters and indifference. All men without distinction are entitled to their dignity, and most of the world's ills stem from a lack of dignity. We Veneti are lucky. Up until now, thanks to centuries of civilization and hard work we have built an exemplary region. We must not let ourselves be overwhelmed by globalization, but use money and technology to build and restore health. We must not erase with the stroke of a sponge as "outdated" that style of life that, like it or not, led us to our "modus vivendi". We must devote energy and money for the health of the earth and therefore of mankind. We must not forget that food comes from the work of human hands: work done on products that are children of the earth and of the generosity of God. Tolerance and wisdom are the two qualities that we all have to pursue and on which we can build the dignity of every living being.

Amedeo Sandri

Il Veneto
terra di tradizioni enogastronomiche

Parlare di vino in Veneto è parlare di gioia, di convivialità quotidiana, di storie contadine che si perdono nei tempi antichi, di conclusioni di affari tra la gente contadina suggellate in una osteria fra una stretta di mano ed un bicchiere di vino, di questa terra veneta di gente laboriosa che dalle valli alle pianure ha sempre lavorato la terra producendo prodotti enogastronomici famosi oggi in tutto il mondo. Vedi il Radicchio di Treviso, l'Asparago di Bassano, il Formaggio di Asiago, la Grappa, l'Olio di oliva extravergine del Lago di Garda ma soprattutto, producendo Grandi Vini.
Dalle colline arrivando alla pianure, nella provincia di Verona si producono i maggiori quantitativi di vino della regione, cominciando con il Vino Bardolino che si produce vicino allo splendido Lago di Garda, il microclima ideale per la vite. Inoltre si produce il Valpolicella, il Recioto Rosso della Valpolicella, l'Amarone, il Soave, il Recioto di Soave ed il bianco di Custoza.
Entrando poi in provincia di Vicenza, terra del famoso architetto Andrea Palladio, troviamo altrettante significative D.O.C. quali i Colli Berici con il Cabernet ed il Merlot ed il Pinot bianco, i vini di Gambellara ed il Recioto di Gambellara, nei monti Lessini lo spumeggiante Brut di Durello, gran vino da aperitivo, e il Durello tranquillo da abbinare al piatto di Baccalà alla Vicentina, per poi arrivare alle colline di Breganze con i suoi Cabernet, il Merlot, il Vespaiolo D.O.C. ed il famoso Torcolato di Breganze, vino dolce da meditazione.
Entriamo poi in provincia di Padova, sui colli Euganei troviamo il famoso Moscato D.O.C., il Cabernet abbinato al "pollo ai ferri", piatto tipico delle osterie padovane e alla succulenta "Gallina imbriaga".
Passiamo quindi alla provincia di Treviso, dove nascono i vini della Marca Goiosa, quali il Raboso del Piave, il Prosecco di Valdobbiadene e dei colli di Conegliano, vino da aperitivo o da tutto pasto, che viene proposto in tutto il territorio trevigiano nei ristoranti e negli agriturismi della zona ma ormai noto in tutto il mondo come vino facile da abbinare perché fresco, brioso ed alcolico, adatto ai tempi moderni.
Infine la provincia di Venezia, dove in una campagna rigogliosa, la coltura dell'uva è favorita dal clima lagunare e marino, terreni molto sassosi, fanno si che troviamo l'interessante Tocai Bianco di Lison Prà Maggiore, vino che si accosta meravigliosamente con la cucina veneziana, ricca di piatti a base

di pesce, troviamo poi il Raboso, il Merlot ed il Cabernet.
I vini veneti stanno riscuotendo negli ultimi anni, come del resto in tutto il mondo, notevole interesse, ed ottenendo molto successo all'estero per la loro versatilià, vini freschi e giovani da abbinare in qualsiasi momento della giornata sia come aperitivi sia come vini da tutto pasto.
Un esempio, il Soave Classico, il Prosecco, il Durello Brut, vini che esprimono le caratteristiche dal territorio veneto, la gioia, la freschezza, il carattere del popolo veneto, la schiettezza e la gioia di vivere, la franchezza e il carattere forte, come l'Amarone.
Brindiamo dunque per tutti i popoli del mondo all'amicizia e alla fraternità comune, alla valorizzazione delle nostre tradizioni enogastronomiche per il bene comune di tutti noi e delle generazioni future.
Cin cin e buon vino a tutti,

Maurizio Falloppi

The Veneto: Land of enogastronomic traditions

Talking of wine in the Veneto is to talk of joy, of daily conviviality, of peasant stories that are lost in ancient times, of business deals between peasants that are sealed in a tavern between a handshake and a glass of wine; it is also to talk of the Veneto and its industrious people which, from the valleys to the plains, have always worked the land producing food and wine products now famous throughout the world. Examples of these products are the asparagus of Bassano, Asiago cheese, Grappa, olive oil from Lake Garda, but most importantly the production of great wines.
In the province of Verona, from the hills to the plains, the largest quantity of wine of the Veneto region is produced, beginning with the Bardolino wine that is produced near beautiful Lake Garda where the microclimate is ideal for this kind of vine. In the same area we find Valpolicella, Red Recioto from Valpolicella, Amarone, Soave, Recioto of Soave and the white wine of Custoza.
When we enter the province of Vicenza, home of the famous architect Andrea Palladio, we find equally significant certified (D.O.C.) wines as the Colli Berici with Cabernet, Merlot and Pinot Bianco; the wines and Recioto of Gambellara; the wines of the Lessini Mountains such as the bubbling Brut of Durello, a great wine for aperitifs, and the "quiet" Durello that goes with the traditional Vicentino dish of Stockfish. Then we come to the hills of Breganze with its Cabernet, Merlot, Vespaiolo D.O.C. and the famous Torcolato of Breganze, a sweet wine for

meditation.
As we enter the province of Padua, in the Euganean Hills we find the Moscato D.O.C., Cabernet, a wine that goes well with "grilled chicken" and the "gallina imbriaga" typical dishes of Paduan inns.
Let's then move to the province of Treviso where the wines of "Marca Gioiosa" such as Raboso of Piave, Prosecco of Valdobbiadene and Conegliano, wines for aperitifs as well as for meals, are born. Prosecco is offered throughout the province of Treviso in restaurants and "agriturismi". It is now known worldwide as a wine easy to combine because of its freshness and liveliness, suited to modern times.
Finally in the province of Venice, where in a lush countryside the cultivation of grapes is favored by the marine climate of the lagoon and the stony soil, we find the interesting Tocai Bianco of Lison Pra Maggiore, a wine that goes well with the beautiful Venetian cuisine rich with fish dishes. In this area we also find Raboso, Merlot and Cabernet.
The Veneto wines have met a great success in recent years throughout the world for their versatility. They are young and fresh wines to savor as aperitifs as well as wines to be served with your meals. For eample Soave Classico, Prosecco, Brut Durello are wines that express the characteristics of the Veneto, the joy and the freshness of the Venetian people, the sincerity and the joy of living, the openness and the strong character such as we find in Amarone.
So let's toast to all the people of the world to the friendship and brotherhood and to the appreciation of our enogastronomic traditions for our common good and of the future generations. CIN CIN and good wine to all,

Maurizio Falloppi

Il vino nella Bibbia

Sappiamo tutti come la tradizione della coltivazione della vite, e ancor più quella del consumo di vino, siano davvero molto antiche, e soprattutto sappiamo come in occidente il mito della nascita di queste tradizioni venga sempre associato ad un'idea di dono delle divinità agli uomini, quale grande significativo gesto d'amore.

Non solo: presso i greci, ad esempio, la conoscenza della vite e del vino era considerata indice di civiltà, spartiacque tra cultura e noncultura.

Nel mito greco, è Dioniso a far conoscere agli uomini quello che grazie a lui verrà definito il "nettare degli dèi" (e che resterà poi indissolubilmente legato al suo culto), ed è un fatto che i greci ritenessero usanza barbara il consumo di bevande diverse dal vino, che avveniva presso altri popoli: Omero ci racconta che il ciclope ingannato da Ulisse non conosceva il vino, prima che lo scaltro re di Itaca glielo offrisse.

Nella regione mediterranea in generale il vino fu, e resta ancora oggi, simbolo di amicizia fra gli uomini, di accoglienza e di ospitalità, sacra, come sappiamo, al punto che disonorare un ospite avrebbe causato l'ira degli dèi e quindi una potente sventura.

Sia nel Vecchio che nel Nuovo Testamento il vino non compare quasi mai in modo casuale.

E' interessante notare, ad esempio, come nel racconto biblico la sua apparizione nella vita dell'uomo coincida con il patto di alleanza tra Dio e Noè, al termine del diluvio universale: Noè è infatti il primo coltivatore della vite ed anche il primo a sperimentare gli effetti inebrianti della bevanda che dai suoi frutti si ricava.

Così, anche nel Nuovo Testamento, è a mio avviso importante che la rivelazione di Gesù ai suoi si compia attraverso il miracolo della trasformazione dell'acqua in vino, alle nozze di Cana, e che poi con l'ultima cena, il vino assuma, insieme con il pane, una valenza potentissima quale vero sangue di Cristo versato, ancora una volta, per suggellare un'alleanza con Dio.

Nella Bibbia le citazioni della vite e del vino sono molteplici e solitamente legate ad un'idea di abbondanza, di gioia, di piacere, di accoglienza e di pace: nell'Ecclesiaste troviamo "bevi il tuo vino con cuore lieto", e il Cantico dei Cantici pullula di riferimenti al vino legati alle tenerezze e agli scambi di effusioni degli sposi: "le tue tenerezze sono più dolci del vino", scrive il poeta, e in generale la soavità del vino è il paragone più usato per esprimere l'ebbrezza dell'amore.

Non mancano poi nelle Sacre Scritture parole di condanna per l'uso smodato del vino, e di rimprovero per coloro che si abbandonano ai piaceri del bere: nel libro dei Proverbi, il profeta biasima colui che "si lascia sopraffare dal vino", e in generale sono numerose le valutazioni negative sul tema dell'eccesso, che è abbastanza ricorrente nell'Antico Testamento.
Tuttavia il giudizio generale che la letteratura sacra ebraico-cristiana dà del vino è decisamente positivo, Gesù stesso fa spesso ricorso alla simbologia che rimanda alla vite, alla vigna e al vino nelle sue parabole: "Io sono la vera vite, e il Padre mio è il vignaiolo"; "Io sono la vite e voi siete i tralci" (Gv 15,1 e Gv 15,5).
Sono numerosi nei Vangeli i riferimenti alla vigna, oltre che direttamente al vino, e questo ci fa capire quanto la cultura della vite fosse insita nella popolazione, ai tempi di Gesù così come nei decenni successivi, quando cioè i Vangeli furono redatti.
E' noto, in Matteo 20, 1 – 16 , il paragone della vigna all'adesione a Cristo che, quand'anche fosse tardiva, sarà sempre meritevole di ricompensa; "Così saranno primi gli ultimi, ed ultimi i primi" dice Gesù, riferendosi agli operai chiamati a lavorare in tempi diversi ma tutti ricompensati in egual misura: un messaggio assolutamente straordinario e nuovo, un messaggio di misericordia e di perdono del tutto innovativo rispetto alla morale corrente in quell'epoca, che impianta un concetto nuovissimo in una società fondata essenzialmente sul principio del *do ut des* (ma anche dell' occhio per occhio….)
Ancora in Matteo (9,17) troviamo un passo in cui nel vino nuovo si identifica la nuova dottrina che Gesù è venuto ad insegnare: un vino nuovo che non può e non deve essere versato in otri vecchi (la vecchia dottrina), pena la perdita del vino e degli stessi otri, che finirebbero col rompersi.
A questo punto, è evidente che le citazioni, i rimandi, le allegorie che si rifanno al vino e alla coltivazione della vigna sono numerosissime, questo perché nelle intenzioni dei diversi redattori (per quanto riguarda il Vecchio Testamento) e nelle parole di Gesù (che gli evangelisti riportano) era urgente la necessità di raggiungere con un messaggio chiaro e semplice un numero ampio di fedeli, a cui bisognava parlare un linguaggio familiare, fatto di cose riconoscibili perché parte del loro quotidiano, caratterizzato da un rapporto forte e vitale con la terra, un legame da cui dipende la sopravvivenza stessa, fatto di sudore e di fatica ma anche fonte di gioia e di vita.
Oggi, a migliaia di anni di distanza, il rapporto dell'uomo con il vino non è cambiato: esso simboleggia ancora, in un archetipo comune a tutte le civiltà occidentali, l'amicizia, il calore, l'accoglienza, ed è immancabile presenza

in ogni momento importante della vita; non festeggeremmo mai un evento lieto senza un brindisi, e quando accogliamo un ospite il vino sulla nostra tavola non può mancare: persino il varo di una nave si ritiene fortunato a condizione che la bottiglia si infranga sullo scafo bagnandolo di vino!
Insomma il nostro immaginario collettivo non è dissimile da quello dei nostri padri, e il *topos* rappresentato dal vino è ancora validissimo, e con ogni probabilità lo resterà per sempre, proprio come il messaggio evangelico, davvero, per tutti i secoli dei secoli. Prosit!

Monsignor Liberio Andreatta

Wine in the Bible

We all know that the tradition of cultivating vines and the consumption of wine are very ancient practices. In the West the myth of the birth of this tradition has always been associated with the idea of a gift of the gods to man, as a gesture of great love. There is more, however: among the Greeks familiarity with vines and wines was a sign of civilization, a watershed between culture and non-culture. In the Greek myth it is Dionysus who shows humankind "the nectar of gods" and this remained inextricably linked to his cult. It is a fact that the Greeks considered drinking something other than wine a barbaric custom. Homer tells us that the Cyclops, tricked by Ulysses, did not know of the existence of wine, before the cunning King of Ithaca offered it to him. In the Mediterranean region in general wine was and still is the symbol of friendship, of welcome and hospitality, which was considered sacred to the point that to dishonor a guest would have caused the wrath of the gods.
Both in the Old and in the New Testament wine never appears just by chance. It is interesting to note for example how in biblical stories its appearance in the life of man coincides with the pact of alliance between God and Noah after the Great Flood: Noah is the first cultivator of the vine and also the first one to test the effects of the intoxicating beverage which its fruits produce.
Even in the New Testament, in my view, it is important that the revelation of Jesus to his followers is done through the miracle of the transformation of water into wine at the wedding in Cana. Furthermore, with the Last Supper, together with bread, it assumes a powerful value as the true blood of Christ, which will be spilt again to seal a covenant with God. In the Bible there are many quotations of wine and they are usually related to the ideas of abundance, joy, pleasure, acceptance and peace. In the Ecclesiasticus we read "drink your wine with a happy heart," and in the Song of Songs there are numerous references to wine in relation to the tenderness associated with the effusion of spouses: "your tenderness is sweeter

than sweet wine," writes the poet. In general the sweetness of wine is the most widely used comparison to express the exhilaration of love.
There are also words in the Sacred Scriptures that condemn the immoderate use of wine and that rebuke those who give themselves up to the pleasures of drinking. In the book of Proverbs, the prophet blames he who "can be overcome by wine." In general there are many negative ratings on the theme of excess, which comes up frequently in the Old Testament. However, the general opinion that sacred Judeo-Christian literature gives to wine is decidedly positive. In his parables Jesus himself often uses symbolism that refers to the vine and to wine: "I am the true vine and my Father is the wine-maker," "I am the vine and you are the branches" (Jn 15:1 and Jn 15:5).
There are numerous references in the Gospels to the vineyard and directly to wine as well, thus making us realize how the culture of wine was embedded in the population at the time of Jesus and in the following decades when the Gospels were written. We see in Matthew 20,1-16 the comparison of the vineyard to the union with Christ, which even if it begins late, will always be worth it: "Thus the last will be first, and the first, last," says Jesus, referring to the workers called to work at different times but all rewarded in equal measure. This is an absolutely extraordinary and new message, a message of mercy and forgiveness, innovative in its moral power, which introduces a new concept in a society based essentially on "do ut des" (somewhat equivalent to "an eye for an eye").
Again in Matthew (9:17) we find that new wine is identified with the new doctrine of Jesus: a new wine cannot and should not be poured into an old wineskin (the old doctrine) otherwise the wine could be lost and the old skins could break. At this point, it is clear that the wine references, quotations and allegories are many. This because the intention of the different editors was to reach a great number of faithful with a clear and simple message using a familiar language and referring to recognizable aspects of their daily life, which was characterized by a strong and vital bond with the earth, a bond on which life depends, made of sweat and labor but also source of joy and life. Today, thousands of years later, our relationship with wine has not changed: it still symbolizes an archetype common to all Western Civilizations friendship, warmth and hospitality; it is an unfailing presence in every important moment of life. We would never celebrate a happy event without a toast, and when we have guests there is always wine on our table. Even when launching a ship it is considered good luck to break a bottle of wine on the hull getting it wet. In the end, our collective imagination is not dissimilar to that of our fathers. And what wine represents is still very true and in all likelihood it will remain so forever, just as the Gospel message. Prosit!

Mons. Liberio Andreatta

VENEZIA

Bisogna menare el dente conforme uno se sente

Pan vin e zòca, lassa pur ch'el fioca!

Bisogna mangiare a seconda dell'appetito
You need to eat according to your appetite

Pane, vino e legna, lascia pure che nevichi!
Bread, wine and firewood, let it snow!

I vovi friti del paradiso

di Romano Pascutto

Tunin, stuf de magnar mezi vovi
conzadi co l'asèo, el se insogna
de i voveti friti del paradiso.

La mama, le àmie e anca le sorèe
par farlo star bon le ghe conta
de ' sto paradiso dove se magna
sempre vovi friti tuti intieri.
Lu li vede, lu li sinte frizzer
drento l' oio, co la ciara granda
che la se rosoea e la rossa tonda
che la noda de sora l'abondanza
come un Fior in acqua sentà sora
le foie che ghe fa da barcheta.

L'imagina el paradiso co milieri
de foghereti co sora 'na teceta
e tanti àngei che i ghe va drio
come coghi, pusade in un canton
le àe par no rovinarghe le pene.
L'è tut un frizzer, un va e torna
de àngei dafaradi, putèi contenti.
Cussì Tunin passa el tempo in let,
se desmentega squasi del so mal
e, squasi squasi, l'ha voi a de morir
par rivar in paradiso dove lo speta,
là, la so teceta co 'l so vovèt frit.

"Le uova fritte del paradiso" di Romano Pascutto

Tonino, stufo di mangiare mezze uova/ condite con l'aceto, si sogna/ degli ovetti fritti del paradiso./ La mamma, le zie e anche le sorelle/ per farlo star buono gli raccontano/ di questo paradiso dove si mangiano/ sempre uova fritte tutte intere./ Lui le vede, lui le sente friggere/ dentro l'olio, con la chiara grande/ che si rosola e la rossa tonda/ che nuota sopra l'abbondanza/ come un fiore in acqua seduto sopra/ le foglie che gli fanno da barchetta./ Immagina il paradiso con migliaia/ di piccoli focolari con sopra un tegamino/ e tanti angeli che gli vanno dietro/ come cuochi, posate in un angolo/ le ali per non rovinargli le piume./ È tutto un friggere, un andirivieni/ di angeli indaffarati, bambini contenti./ Così Tonino passa il tempo a letto,/ si dimentica quasi del suo male/ e, quasi quasi, ha voglia di morire / per arrivare in paradiso dove lo aspettano/ là, il suo tegamino con il suo ovetto fritto

"Fried eggs of Heaven" by Romano Pascutto

Tonino, sick of eating only half eggs/ dressed with vinegar, dreams/ of fried eggs of Heaven./ To keep him quiet, his mom, aunts and even his sisters/ had told him/ about a Heaven where you always eat/ whole fried eggs./ He sees the eggs, he hears them frying/ in oil, the big egg whites/ turning brown along the edges and the round egg yolks/ floating on this abundant mass/ like a flower in water sitting/ on a boat of leaves./ He imagines this Heaven with thousand/ little fires and little pans over the fires,/ and many angels looking after the pans/ like cooks – but only after having put aside/ their wings so as not to ruin the feathers./ It's one big frying event, with much coming and going/ of busy angels and happy children./ This is how Tonino spends his time in bed,/ almost forgetting his illness,/ and almost wanting to die/ so he too can go to Heaven where he knows/ his little pan and his little fried egg are waiting for him.

CAROTA DI CHIOGGIA

Gli orti chioggiotti, con i loro terreni sciolti e profondi, un po' sabbiosi un po' salini si prestano particolarmente alla coltura della carota, dalla novella di piccole dimensioni a quella extra con un peso medio di 150 grammi. L'influenza positiva del mare, il continuo rimescolamento dell'aria, i terreni leggeri che si riscaldano precocemente e già a febbraio danno i primi segni dell'incombente primavera, permettono in questa zona una precocità da ambiente mediterraneo e quindi un anticipo di produzione che consente alla Carota di Chioggia di essere la migliore e la più fresca disponibile sul mercato da maggio alla prima metà di giugno. L'originale provenienza della carota è l'Europa sud-orientale e l'Asia occidentale; in tempi lontani, Greci e Latini, estraevano da questo prodotto essenze medicinali. Ricca di vitamina A e sali minerali, la carota è infatti molto nutritiva, tonificante, diuretica e rinfrescante. I suoi zuccheri (fruttosio e destrosio) sono di facile assimilazione e quindi indicati anche nell'alimentazione dei diabetici. Ottimo alimento in caso di dissenteria infantile, cotta è decongestionante e regolarizza le funzioni intestinali, cruda favorisce le difese naturali dell'organismo, aumenta i globuli rossi nel sangue e l'emoglobina. Poiché i principali componenti sono contenuti soprattutto nei tessuti più superficiali, per il consumo si consiglia un lavaggio seguito da una leggerissima raschiatura.

The sandy and saline soil of Chioggia is especially suitable for the cultivation of the carrot, be it the small carrot or the extra-large one, which can weigh up to 150 grams. The influence of the sea and the airy property of the soil, which warms early and becomes spring-like in early February, allow Chioggia's carrot to be the first and best on the market from May to June. Carrots originally came from southeastern Europe and western Asia; in the past, Greeks and Romans would extract medicinal essences from the carrot. In fact it is rich in vitamin A and minerals; it's a nutritional, invigorating, diuretic and refreshing vegetable. Its sugars (fructose and dextrose) are easy to assimilate; even people with diabetes can eat carrots. It is a good food for children with dysentery; when it's cooked it has decongestant properties which have a positive effect on the digestive system; when it's fresh it strengthens the natural defense system, increases red cells and hemoglobin. Because most of the nutritional value is on the outside of the carrot, we suggest you wash it and scrape it only very lightly before eating.

Risotto alle carote

250 gr di riso Vialone Nano
5 carote di Chioggia
1 cipolla bianca di Chioggia
1 l di brodo vegetale
una noce di burro
una manciata di prezzemolo (facoltativa)
40 gr di Grana Padano
olio extravergine d'oliva
sale

Far rosolare la cipolla nell'olio, poi aggiungere le carote grattugiate finemente. Salare e lasciare cuocere per circa 5 minuti, fino a quando saranno ammorbidite, bagnandole eventualmente con dell'acqua. Aggiungere il riso e farlo tostare, unire il brodo poco alla volta e lasciar cuocere fino a fine cottura mescolando spesso. Pochi minuti prima di togliere dal fuoco aggiungere, se piace, il prezzemolo tritato finemente e mantecare con una noce di burro e il Grana grattugiato.

Carrot Risotto
Brown 1 Chioggia white onion in extra virgin olive oil. Add 5 grated Chioggia carrots to the onion. Add salt and cook 5 minutes for the carrots to become soft. If necessary, add a little water. Add 250g of rice and let it roast slightly. Gradually add 1 lt of vegetable broth, one ladle at a time, and let the rice cook, mixing often. If desired add minced parsley, heavy cream, butter and grated Grana Padano (40g) just before removing from heat.

Vino consigliato/*suggested wine*:
Pinot Grigio D.O.C.

Torta con carote e noce di cocco

180 gr di zucchero semolato
1,25 l di acqua

300 gr di carote di Chioggia
50 gr di cocco grattugiato
25 gr di farina bianca 00
25 gr di fecola di patate
½ bustina di lievito in polvere per dolci
1 uovo
3 tuorli
buccia d'arancia
burro
zucchero a velo
cannella

Far bollire l'acqua con lo zucchero fino a ottenere uno sciroppo denso e lasciarlo raffreddare. Cuocere le carote a pezzetti in acqua, scolarle e passarle al mixer. Incorporare questa purea di carote allo sciroppo, così come il cocco, la farina, la fecola setacciata e il lievito. Sbattere l'uovo insieme ai tuorli e aggiungerli al composto. Unire infine un cucchiaio di buccia d'arancia grattugiata e lasciar riposare per 30 minuti. Coprire il fondo di uno stampo dal bordo sganciabile con un disco di carta da forno, imburrarlo e spolverarlo con dello zucchero a velo, versarci l'impasto e infornare a 180°C. Una volta raffreddato, decorare la superficie con dello zucchero a velo mescolato a un po' di cannella in polvere.

Carrot and coconut cake
Boil 1,25 lt of water with 180g of sugar until it becomes syrup. Let chill. Dice 300 g of Chioggia carrots and soften the carrot cubes in boiling water. Strain the carrots and blend them in the mixer. Add the puréed carrots to the syrup along with 50 grams of grated coconut, 25g of flour and ½ packet of yeast. Beat one egg and 3 yolks and add to mixture. Finally add grated orange peel and let sit for 30 minutes. Place a rounded piece of oven paper into a cake pan, grease it with butter and sprinkle with confectioner's sugar. Ladle the mixture in the pan and bake in the oven at 180°C. When the cake is ready and chilled decorate it with confectioner's sugar and cinnamon.

Vino consigliato/*suggested wine*:
Colli Euganei Moscato D.O.C.

La carota d'Orange

In origine le carote erano principalmente viola o rosse ma intorno al 1500 gli agronomi olandesi sperimentarono un incrocio con un seme di carota gialla proveniente dal Nord Africa, nella speranza di nazionalizzare il vegetale più amato dal paese conferendogli il colore simbolo dell'imperatore Guglielmo I d'Orange, che in quel momento stava combattendo per ottenere l'indipendenza dalla Spagna. L'esperimento riuscì e la carota ottenuta oltre ad essere di color arancione era più dolce, più buona e più salutare perché ricca di beta carotene. La nuova carota arancione si diffuse rapidamente in Europa e nel resto del mondo, soppiantando le altre e diventando al giorno d'oggi la specie predominante.

Originally, carrots were either red or purple. However, in the XVI century Dutch agronomists experimented with the carrot's color by crossing it with yellow carrot seeds from North Africa. The goal was to give the nation's favorite vegetable the symbolic color of the emperor William I of Orange, who at the time was fighting for Dutch independence from Spain. The experiment was successful: not only was the new carrot orange, it was also tastier, healthier and rich of betacarotene. Soon the orange carrot spread to all of Europe and to the rest of the world, taking the place of all other species of carrot and becoming by far the most popular.

Torta di carote ricoperta di cioccolato

200 gr di carote di Chioggia
100 gr di farina di farro
100 gr di farina di riso
50 gr di noci e nocciole tritate
70 ml di olio di oliva
1 uovo
2 cucchiai rasi di malto di riso
1 bustina di lievito per dolci
100 gr di cioccolato fondente 70%

Grattugiare le carote, aggiungere le farine, le nocciole tritate, il lievito e mescolare bene. A parte sbattere un uovo ed incorporarlo assieme all'olio e al malto. Amalgamare tutti gli ingredienti fino ad ottenere un composto morbido e senza grumi. Versare il tutto in una teglia da forno leggermente oleata ed infornare finché la torta non risulterà dorata. Far raffreddare completamente prima di ricoprire di cioccolato. Sciogliere a bagnomaria il ciccolato fondente, poi con una spatola ricoprire la torta e fare raffreddare nuovamente prima di servire.

Chocolate covered carrot cake
Grate 200g of Chioggia carrots and mix with 100g of spelt flour, 100g of rice flour, 50g of chopped walnuts and hazelnuts and 1 small packet of yeast. In another bowl beat 1 egg and add 70ml of olive oil and 2 spoons of rice malt. Mix thoroughly until the mixture becomes soft; there should be no lumps. Pour the mixture into a greased cake pan and bake in the oven until the surface of the cake turns golden brown. Let chill. Melt 100g dark chocolate in a double saucepan. Cover the cake with the melted chocolate. Let chill again before serving.

Vino consigliato/*suggested wine*:
Recioto Rosso della Valpolicella D.O.C.

CIPOLLA BIANCA DI CHIOGGIA

Originaria dell'Asia del Nord e della Palestina, la cipolla è coltivata da oltre 5000 anni e sembra che sia stata introdotta prima in Egitto, da dove si diffuse in tutto il bacino del Mediterraneo. Le varietà coltivate sono numerose e differiscono per forma, stagionalità e colore. Una delle più diffuse è la cipolla bianca di Chioggia, che matura da aprile a settembre ed è caratterizzata dalla forma a trottola (tonda e leggermente schiacciata in alto), dal colore bianco lucido e dal sapore dolce, che la rende adatta al consumo fresco. La cipolla bianca di Chioggia è un ortaggio dai numerosi pregi, stimola la secrezione dei succhi gastrici, è diuretica e balsamica sull'apparato respiratorio superiore. Se lessata è leggermente lassativa e depurativa, favorisce l'eliminazione degli acidi urici ed è ricca, oltre che di vitamine e sali minerali, di principi attivi aromatici utili all' ipertensione e stimolanti per l' attività pancreatica.

The onion originates from Northern Asia and Palestine. It has been grown for over 5000 years; it is speculated that it was first planted in Egypt from where it spread throughout the Mediterranean. There are many varieties of onion which differ in shape, color and growth seasons. One of the most common onions comes from Chioggia; it is in season from April to September and can be recognized by its top-like shape (round and slightly compressed on top), its shiny white color, and sweet taste. It is ideally consumed fresh. Chioggia's white onion has many beneficial properties: it stimulates the secretion of gastric juices, is a diuretic and acts favorably upon the urinary tract and the upper respiratory tract. When boiled it is a slight laxative; it favors the elimination of uric acids and is rich in vitamins and minerals as well as in pancreatic stimulants and hypertension relief agents.

Polenta con cipolle di Chioggia e formaggio Vezzena

500 gr. di cipolle bianche di Chioggia
400 gr di farina gialla
1,5 l di acqua
100 gr di Vezzena

olio extravergine di oliva
sale e pepe

Mettere sul fuoco una casseruola con l'acqua salata e versandovi a pioggia la farina gialla, fare la polenta, come di consueto, lasciarla raffreddare, tagliarla a fette e farle abbrustolire. Scaldare in un tegame sei cucchiai d'olio, farvi rosolare un poco la cipolla affettata grossolanamente, senza che arrivi a scurire troppo, aggiungendo un pizzico di sale e uno di pepe. Coprire ogni fetta di polenta abbrustolita con una bella cucchiaiata di cipolla e cospargere con il Vezzena grattugiato.

Polenta with Chioggia white onion and Vezzena cheese
Prepare the polenta by adding 400g of corn flour to 1,5 lt of boiling water. Let the polenta cool, slice it and toast it on the grill. In a pan heat 6 spoons of extra virgin olive oil and sauté an onion, roughly chopped, without browning it. Add a pinch of salt and pepper. Spoon the onions over each slice of polenta and cover with grated Vezzena cheese.

Vino consigliato/*suggested wine*:
Merlot di Pramaggiore D.O.C.

Frittata di patate e cipolla bianca di Chioggia

3 patate medio-piccole
5 uova
2 cipolle bianche di Chioggia
olio extravergine d'oliva

Tagliare le patate nel senso della larghezza in fette piuttosto grandi e la cipolla a julienne. Salare entrambi gli ingredienti, metterli in una padella dai bordi alti e cuocere a fuoco vivo con olio d'oliva in quantità tale da coprirli appena. Quando sono ben dorati, dopo circa 15 minuti, toglierli dalla padella, sgocciolarli dall'olio e versarli in una ciotola, insieme alle uova precedentemente sbattute. Mescolare il tutto sino ad avere un composto spugnoso e omogeneo, versare quindi nella padella leggermente unta d'olio, quando questo sta iniziando a fumare. Dopo un minuto a fuoco vivo, girare la frittata con l'aiuto di un piatto di terracotta, continuare a cuocere a fuoco vivo per un altro minuto circa o un po' di più. La frittata deve risultare spessa un paio di dita, morbida e umida dentro ma dorata fuori.

Chioggia white onion and potato omelet
Cut 5 potatoes (cross-section) into fairly big slices. Finely chop 2 white onions. Place both the potatoes and the onion in a skillet, add salt and just enough extra virgin olive oil to cover them. Cook over medium-high heat for about fifteen minutes. When they are golden brown, remove them from the skillet, drain the excess oil and place them in a bowl. Beat 5 eggs and add them to the potatoes and the onion. Combine until the mixture is spongy and homogenous. Pour some olive oil into a pan and set on medium-high heat. Pour the mixture into the pan when smoke starts to form. After cooking for one minute on high heat turn the omelet – you can help yourself with a terracotta plate – and continue cooking for another minute or so. The omelet should be about two fingers thick, moist on the inside and golden on the outside.

Vino consigliato/*suggested wine*:
Tocai di Lison D.O.C.

Zuppa di cipolle al vino bianco

1,5.kg di cipolle bianche di Chioggia
0,5.l di vino bianco
0,5 l di brodo di carne
50 gr di olio di oliva
50 gr di burro
2 chiodi di garofano
1 spicchio d'aglio
Grana Padano
crostini di pane
sale e pepe

Pulire le cipolle togliendo le prime due foglie esterne e tagliarle non troppo sottilmente. Farle rosolare in una casseruola piuttosto capace a fuoco moderato con olio e burro. Quando cominceranno a prendere colore unire il vino, aspettare che si riduca un poco e aggiungere, anche il brodo, i chiodi di garofano, una presa di sale e una di pepe; portare avanti la cottura di modo che il fondo di nuovo si riduca e formi un sugo liscio ma piuttosto denso. Intanto far rosolare i crostini di pane nel burro, magari con uno spicchio d'aglio schiacciato che va tolto quando diventa scuro. Disporre questi crostini sul fondo di ciotoline da zuppa individuali, coprire con la zuppa di cipolle e cospargere con il Grana grattugiato. Servire così la zuppa o mettere per qualche minuto in forno a gratinare.

White wine onion soup
Rinse 1,5 kg of Chioggia white onions and remove the two outer layers. Chop thick slices. In a good size casserole dish add butter and extra virgin olive oil and sauté the onions on medium heat. When they turn golden brown, add 0,5 lt of white wine and let the mixture thicken; add 0,5 lt broth, 2 whole cloves, salt and pepper. Let cook until the mixture thickens again and acquires a smooth but dense texture. In the meantime, roast bread croutons in butter, adding (if desired) a crushed garlic clove, which should be removed when it starts to darken. Arrange the croutons in individual soup bowls, cover with the onion soup, and sprinkle with Grana Padano cheese. Serve immediately or place in oven a couple of minutes for an "au gratin" finish.

Vino consigliato/*suggested wine*:
Verduzzo del Piave

Sardele in saor

600 gr di sarde fresche
50 gr di pinoli (facoltativi)
50 gr di uvetta sultanina (facoltativa)
2 grosse cipolle bianche di Chioggia
farina bianca 00
aceto di vino bianco

alloro
olio extravergine d'oliva
vino bianco secco
pepe in grani e sale

Squamare le sarde e togliere loro testa, interiora e pinne, lavarle bene, sgocciolarle e infarinarle. Friggerle sino a doratura in abbondante olio ben caldo, sgocciolarle, metterle in carta assorbente e salarle. Porre sul fuoco una padella con mezzo bicchiere di olio e appassire le cipolle affettate a velo. ggiungere una foglia di alloro, quattro grani di pepe e irrorare con un bicchiere di vino e uno di aceto salando poco. Lasciare bollire per qualche minuto a recipiente scoperto. Sistemare le sarde a strati in una terrina, irrorando ogni strato con un pò del liquido bollente della marinata, cospargendolo con parte della cipolla affettata e, volendo, con pinoli e uvetta sultanina precedentemente macerata in acqua tiepida e strizzata. Completare gli strati, incoperchiare il recipiente e porlo in luogo freddo, ma non in frigo, lasciando marinare le sarde almeno 24 ore prima di servirle.

Sardines "in saor"
Clean 600g of sardines, remove the heads, guts and fins, wash them thoroughly, pat dry and roll in flour. Fry them in a hearty amount of very hot extra virgin olive oil until they turn golden brown, place them on absorbent paper towels and lightly salt them. Thinly slice 2 white Chioggia onions and place in pan with half a cup olive oil. Place on heat and cook until onions are wilted. Add a laurel leaf, four pepper corns, a glass of dry white wine, a glass of vinegar and a pinch of salt. Let it boil uncovered for a couple of minutes. Arrange the sardines in layers in a casserole dish, pouring some of the remaining liquid on each layer. Cover with the cooked onion and, if desired, with pine nuts (50g) and raisins (50g) which have been previouly soaked in warm water and pressed. Cover the casserole dish and place in a cold environment – not the fridge. Let the sardines marinate for at least 24 hours before serving.

Vino consigliato/*suggested wine*:
Tocai di Lison D.O.C.

Calende de San Paolo: o ano de anzolo, o ano de diavolo.

Secondo un'antica tradizione contadina la cipolla poteva essere usata per prevedere le condizioni metereologiche di tutto l'anno attraverso la divinazione detta *delle calende* La notte tra il 24 e il 25 gennaio si staccavano dodici tuniche (una per ogni mese) da una *séola* (cipolla) mondata si cospargevano di sale e si esponevano su una finestra rivolta ad oriente. Il mattino seguente gli esperti in base al grado di scioglimento del sale in ogni spicchio formulavano una previsione per il mese abbinato: il sale più sciolto indicava tempo secco e asciutto, mentre quello intatto preannunciava un mese piovoso. Questa credenza è molto antica e si ritiene che risalga ad un'epoca pagana, tuttavia dal medioevo in avanti viene legata alla figura di San Paolo,detto infatti anche San Paolo dei Segni, che secondo la tradizione si convertì proprio il 25 gennaio, il più decisivo tra i *zorni endegari* cioè i giorni indicativi per le previsioni, come ricorda il proverbio:

No me curo de l'endegaro, se'l dì de San Paolo
no xè nè scuro nè ciaro

According to an ancient farmer tradition, the onion could be used to predict meteorological conditions for the entire year thanks to a divination technique known as le calende. *The night between 24th and 25th January twelve "coats" were peeled from an onion (one coat for every month of the year). They were covered with salt and placed on a windowsill facing East. In the morning, the experts were able to forecast the weather for each month by observing how much the salt had dissolved. Dissolved salt indicated dry weather, whereas visible grains of salt meant that particular month would be rainy. This belief is very old and some sustain it goes back to pagan times. However, it was in the Middle Ages that it became associated with Saint Paul, also known as Saint Paul of the Signs, who converted to Catholicism on 25th January, the most important day in weather forecasting.*

FAGIOLINO MERAVIGLIA DI VENEZIA

I fagiolini, o cornetti o tegolini, sono i baccelli immaturi del fagiolo (*Faseolus vulgaris*), crescono su piante nane o rampicanti e vengono raccolti e consumati da maggio a novembre quando i semi sono ancora immaturi, per questo sono considerati un ortaggio piuttosto che un legume. Caratterizzato da un baccello piatto, tenero, senza filo, color giallo e da semi neri o marroni, il Meraviglia di Venezia, noto anche come Marconi Gialli, è chiamato "mangiatutto" dai contadini veneziani che lo coltivano sul litorale del Cavallino e in altre isole della laguna. In queste zone infatti il clima mite, l'aria salubre e il particolare miscuglio di terra e acqua provenienti dal mare e dalla montagna dolomitica ha creato terreni agrari unici che consentono la produzione di ortaggi dalle specifiche caratteristiche organolettiche e gustative. Al contrario delle altre varietà di fagiolini, in cui la qualità è sempre inversamente proporzionale alle dimensioni dei baccelli, i fagiolini meraviglia hanno un alto valore organolettico pur avendo baccelli molto grandi: sono ricchi di vitamine A e C, fibre, acido folico, potassio. Poveri di calorie, sono di facile digestione, diuretici, e rinfrescanti.

String beans are the unripe pods of beans (Faseolus vulgaris). *They are harvested between May and November when the seeds are still unripe. This is the reason why they are considered vegetables rather than legumes. The pod called Meraviglia di Venezia (the Marvel of Venice) is flat and tender; it is yellow with black or brown seeds It is also known as the "eat-it-all" by Venetians who cultivate it along the Cavallino coast and on other islands in the lagoon. The climate there is mild, the air is clean and the peculiar properties of the soil and water have contributed to create unique lands. Meraviglia di Venezia string beans are very nutritious and, unlike other string beans, the size of the bean is directly proportional to its nutritional value. They are rich in vitamin A and C, fibre, folic acid and potassium. Lacking in calories, they are easy to digest, diuretic and refreshing.*

Meraviglia di Venezia con code di mazzancolle

400 gr di code di mazzancolle
400 gr di fagiolini Meraviglia di Venezia

1 pomodoro maturo
1 cucchiaio di succo di limone
1 ciuffo di prezzemolo
carota
sedano
vino bianco
pepe in grani
alloro
sale

Mondare e lavare i fagiolini. Lavare il pomodoro, privarlo della pelle e dei semini e tagliarlo a cubetti. Portare ad ebollizione una pentola con abbondante acqua salata aromatizzata con cipolla , sedano ,vino bianco, pepe in grani e una foglia d'alloro. Sbollentare le code di mazzancolle per 1-2 minuti, dopo averle sgusciate e private del filo intestinale nero, quindi sgocciolarle e far lessare i fagiolini nella stessa acqua, mantenendoli croccanti.Una volta cotti, raffreddarli subito in acqua e ghiaccio. Scolarli, lasciarli asciugare e condirli leggermente con olio extra vergine d'oliva e un pizzico di sale e pepe. Nel frattempo, mondare il prezzemolo, lavarlo, asciugarlo, tritarlo grossolanamente e metterlo in una ciotola con il succo di limone ed il pomodoro a cubetti, salare e lasciar riposare per 10 minuti circa. Mettere quattro o cinque fagiolini sui piatti, disponendoli a semi-raggiera, e tagliare a pezzetti i rimanenti. Aggiungere i fagiolini a tronchetti alle code di mazzancolla ed ai pomodori, mescolare bene e servire, adagiando l'insalata sul piatto dove si era disposta la raggiera.

Meraviglia String beans with prawns
Prepare and wash 400g of string beans. Wash and peel a ripe tomato. Remove the seeds and slice the tomato in small cubes. Boil salty water to which you have added onion, celery, white wine, pepper corns and a laurel leaf. Shell the prawns (400g), remove the black intestinal line, and boil for 1-2 minutes. Drain them but retain the water. Boil the string beans in the same water but do not let them become too tender. Drain the string beans, let them dry and add some olive oil and a pinch of salt and pepper. In the meantime, clean, wash, dry, and coarsely chop a sprig of parsley. Place the parsley in a bowl and add lemon juice, the cubed tomato and a

pinch of salt. Let sit for ten minutes. Arrange four or five string beans in a half wheel shape on each plate and cut the remaining string beans into small pieces. Add the green beans to the prawns and the tomatoes, mix well and serve on the decorated plates.

Vino consigliato/*suggested wine*:
Pinot Grigio D.O.C.

Fagiolini Meraviglia al pomodoro

1 kg di fagiolini Meraviglia
2 cipolle medio-piccole
estratto di pomodoro o pomodori freschi
60 gr di olio extravergine di oliva
cipolla
semi di finocchio
sale e pepe

Pulire bene i fagiolini, spuntarli e tagliarli a pezzetti. Sbollentarli qualche minuto prima di metterli a cuocere nel soffritto di olio e cipolla. Dopo qualche minuto di cottura, aggiustare di pepe e sale e unire un cucchiaino di semi di finocchio pestati; mescolare ancora, aggiungere qualche cucchiaiata di estratto di pomodoro sciolto in acqua tiepida oppure della polpa di pomodori freschi passata al setaccio. Coprire e cuocere al "dente".

Meraviglia string beans with tomatoes
Wash 1 kg of string beans thoroughly, cut off the ends and chop in small pieces. Boil them a couple of minutes. Thinly slice an onion and place in a pan with 60g of extra virgin olive oil. Brown the onion and add the string beans. After a couple of minutes, add salt and pepper and add a teaspoon of crushed fennel seeds. Mix and add a couple of tablespoons of tomato extract diluted in warm water or add fresh tomato sauce. Cover and cook until "al dente."

Vino consigliato/*suggested wine*:
Pinot Bianco D.O.C.

Meraviglioso soufflé

700 gr di fagiolini Meraviglia di Venezia
50 gr di burro
50 gr di farina
250 ml di latte
1 cucchiaio di Grana Padano grattugiato
3 uova
sale

Lessare i fagiolini in acqua salata a bollore. Sgocciolarli, passarli al passaverdure e metterli da parte. In un tegame lasciar sciogliere il burro, unire la farina, mescolare, e quando ha preso colore, continuando a mescolare unire lentamente il latte. Quando la besciamella è pronta e piuttosto densa, unirvi i fagiolini passati, aggiungendo anche un cucchiaio di Grana. Lasciar raffreddare, quindi incorporare i tuorli e infine gli albumi montati a neve ben ferma con un pizzico di sale. Versare il composto in uno stampo abbondantemente imburrato e cuocere in forno preriscaldato a 170°C per circa quaranta minuti. Ritirare, sformare sul piatto da portata e servire subito.

Wonderful soufflé
Boil 700g of string beans in salty water. Drain, pat dry and press through a vegetable masher. Set aside. In a pan melt butter (50g), add flour (50g) and mix until it is no longer white, then slowly add milk (250ml) while continuing to stir When the besciamella is ready and rather dense, add the blended string beans and a tablespoon of Grana. Let the mixture cool and then add 3 eggyolks and 3 eggwhites which have been previously beaten until stiff. Pour the batter in a dish that has been copiously greased and cook in the oven at 170°C for approximately 40 minutes. When ready, place on a serving plater and serve immediately.

Vino consigliato/*suggested wine*:
Tocai del Piave D.O.C.

RADICCHIO ROSSO DI CHIOGGIA

Nell'economia gastronomica del basso Veneto le radichelle selvatiche, le radicine, e i radicchi coltivati nell'orto hanno sempre costituito un alimento fondamentale: d'inverno si consumavano cotti, soffritti con aglio, lardo e pancetta, in Quaresima contornavano l'aringa dell'astinenza e del digiuno; in primavera erano degno corollario di frittate e dei primi salumi affettati; d'estate, sempre in insalata, si univano ai cetrioli, per divenire piatto ambìto e salutare durante gli ardori della mietitura. Sembra che intorno al 1930 gli orticoltori di Chioggia, che conferivano le loro produzioni al mercato di Venezia, riuscirono a procurarsi il seme del radicchio variegato di Castelfranco e da questo, attraverso una lunga selezione nacque intorno agli anni 50 il radicchio rosso di Chioggia, caratterizzato da forma tondeggiante e compatta, colore rosso e sapore leggermente amarognolo. Esistono oggi due tipi di radicchio rosso di Chioggia: quello precoce, di pezzatura medio-piccola e quello tardivo di pezzatura medio-grande. Il loro pregio è quello di essere reperibili quasi tutto l'anno, anche in primavera e in estate, quando una buona insalata fresca e croccante abbinata a poco altro può rappresentare un felicissimo e salutare pasto completo. Il radicchio rosso di Chioggia è infatti ricco di fibre ed è per questo un ottimo regolatore intestinale; ha proprietà diuretiche, depurative, antiossidanti e antiradicali; è ricco di vitamine, calcio, fosforo e magnesio e, per queste sue caratteristiche è indicato a chi soffre di difficoltà digestive, insonnia, obesità e diabete.

In the lower part of the Veneto, wild radishes and garden grown chicory have always been a staple food: in winter they were cooked with garlic, lard and bacon; during Lent they accompanied the herring typical of privation and fasting; in springtime they were the dignified sidedish of omelets and the first salamis; in summer they were served in salads with cucumbers – a very welcome dish during the heat of the harvest. It seems that in 1930 vegetable growers in Chioggia were able to obtain the seed of the Castelfranco radicchio and from this seed, after a long selection, the red radicchio of Chioggia was born in the 1950s. It is red, round and compact with a slightly bitter flavor. There are two types of red radicchio in Chioggia: an early smaller one and a later medium-sized one. They are available all year round, even in springtime and summer when a fresh crisp salad can be a perfect and healthy complete meal.

Quiche Vegetariana

275 gr di pasta sfoglia stesa
25 gr di burro
350 gr di radicchio rosso di Chioggia
1 grossa melanzana
2 pomodori maturi
2 uova
150 gr di Grana Padano
50 ml di latte
sale e pepe

Preriscaldare il forno a 180°C. Tagliare a fette i pomodori, salarli leggermente e lasciarli riposare 10 minuti perché perdano un po' d'acqua di vegetazione. Lavare bene e tagliare a listarelle il radicchio di Chioggia. Farlo appassire con il burro in una capiente padella antiaderente per una decina di minuti a fuoco medio, salare, pepare e lasciar raffreddare. Tagliare a fette le melanzane, salarle e lasciare che perdano l'acqua amarognola che contengono. Quindi asciugarle con della carta da cucina e grigliarle. Sbattere le uova con un pizzico di sale, pepe, il Grana e il latte. Ricoprire una teglia di carta-forno e stendervi la pasta sfoglia. Fare uno strato con le fette di melanzana, salare leggermente, poi uno strato con il radicchio di Chioggia cotto. Versare sopra gli strati il composto con le uova e livellare bene. Finire con le rondelle di pomodoro sgocciolate. Cuocere ad una temperatura di 180°C per 35-40 minuti.

Vegetarian quiche
Preheat the oven to 180°C. Slice two tomatoes, sprinkle slightly with salt and let them sit ten minutes to lose excess water. Wash 350g of Chioggia red radicchio and slice in small strips. In a large teflon coated pan let the chicory wilt in 20g of butter on a medium flame for approximately ten minutes. Add salt and pepper and let cool. Slice one large eggplant, add salt and let the slices lose the bitter liquid they contain. Then pat them dry with a paper towel and grill them. Beat 2 eggs with a pinch of salt, pepper, 150g of Grana Padano cheese and 50ml of milk. Cover a baking dish with wax paper and stretch a sheet of phyllo dough (275g) on its

bottom. Form a layer of eggplant on the dough. Add salt and form a layer of cooked Chioggia red radicchio. Pour the egg mixture on the layers and level it out. Top with the tomato slices. Place in oven and cook for 35-40 minutes.

Vino consigliato/*suggested wine*:
Pinot Bianco D.O.C.

Ravioli ripieni di radicchio chioggiotto e tacchino

Per la pasta:
500 gr di farina bianca 00
5 uova
sale

Per il ripieno:
500 gr di radicchio rosso di Chioggia
500 gr di salsiccia di tacchino
(eventualmente ricotta, per addensare la farcitura e renderla più dolce)
5 cucchiai di olio extravergine d'oliva
2 cucchiai di erba cipollina tagliata sottile
1 cucchiaio di maggiorana tritata
1 cucchiaio di prezzemolo tritato
1 foglia di alloro secco
200 ml di vino bianco
2 uova
Grana Padano
sale

Preparare la pasta lavorando gli ingredienti sulla spianatoia fino ad ottenere una consistenza elastica. Farla riposare circa mezz'ora in un luogo fresco, coperta. Nel frattempo mondare, lavare e tagliare il radicchio a striscioline. Spellare la salsiccia e schiacciare la carne con una forchetta. Mettere salsiccia, olio d'oliva, e erbe aromatiche in una casseruola e far rosolare il tutto molto dolcemente. Bagnare con il vino e far evaporare. Aggiungere il radicchio, regolare di sale e continuare la cottura su fiamma moderata e a pentola coperta. Cuocere per circa 10-15 minuti o fino a quando il liquido di cottura si sia ritirato. Frullare il tutto aggiungendo un uovo intero e il Grana. Regolare di sale. Se l'impasto risultasse troppo morbido aggiungere un cucchiaio o due di ricotta. Successivamente tirare due fogli sottili di pasta facendo attenzione a non lasciarli asciugare. Se si usa la macchinetta per fare la pasta, preparare una striscia alla volta, sempre per non farla asciugare troppo. Ovviamente si faranno più fogli sottili ma di dimensioni ridotte. Con l'uovo rimasto, dopo averlo sbattuto in una ciotolina con l'aiuto di una forchetta, spennellare. una striscia di pasta. Servendosi di un cucchiaino o di un *sac à poche*, formare tanti mucchietti di composto grandi come nocciole e disporli sulla striscia alla distanza di un dito. Coprire quindi con l'altro foglio: con le dita premere la pasta intorno ai mucchietti per far aderire i due fogli, poi con una rotella tagliare i ravioli in forma quadrata. Metterli ad asciugare su una superficie cosparsa di semola per almeno un'ora, disponendoli in file e senza sovrapporli perché si potrebbero appiccicare. Infine bollirli in abbondante acqua salata.Questi ravioli sono ottimi conditi con un sugo leggero fatto con pomodoro fresco a pezzetti appena scottato con basilico, erba cipollina e olio extra vergine d'oliva, oppure semplicemente con del burro fuso e una generosa manciata di Grana Padano grattugiato.

Chioggia radicchio and turkey-stuffed ravioli
Working on a wide surface mix 500g of flour, 5 eggs and salt until the consistency of the pasta dough is elastic. Cover the dough and let rest for approximately 30 minutes in a cool place. In the meantime clean, wash and cut 500g of radicchio in thin strips. Peel 500g of turkey sausage and mash the meat with a fork. Place the sausage meat, 5 tablespoons extra virgin olive oil, 1 teaspoon chopped marjoram, 1 teaspoon chopped parsley and a laurel leaf in a casserole and brown over very low heat. Add 200ml of white wine and let evaporate. Add the radicchio, taste for salt, cover and continue to cook over medium flame. Cook for approximately 10-15 minutes or until the liquid has been absorbed. Blend the sausage mixture adding an egg and the Grana Padano. Taste for salt. If the mixture seems to soft, add a tablespoon or two of ricotta cheese. Roll out 2 sheets of pasta being careful not to let the dough dry. If using a pasta machine, prepare one sheet at a time to avoid the

second sheet drying out. In this case you will prepare thinner and smaller sheets. Using a fork, beat an egg in a small bowl and coat one of the pasta sheets. Using a spoon or a pastry tube, form many small mounds of filling (about as big as a walnut) approximately one finger apart. Cover with the other sheet of pasta and using your fingers press the pasta around the filling in order for the two sheets to stick. Then cut the ravioli in square shapes using a pasta cutter. Place them to dry for at least 1 hour on a surface covered with semola. Do not place them on top of each other because they could stick together. Boil them in salty water. These ravioli are excellent with a light tomato sauce (fresh tomatoes, basil, green onion and extra virgin olive oil) or simply with melted butter and Grana Padano.

Vino consigliato/*suggested wine*:
Riesling D.O.C.

Bruschetta con radicchio di Chioggia e tosella

12 fette di pane rustico
1 cespo di radicchio rosso di Chioggia
200 gr di formaggio tosella
2 spicchi di aglio
1 cucchiaio di aceto balsamico
olio extravergine d'oliva
sale e pepe

Sbucciare gli spicchi d'aglio e strofinarli sulle fette di pane, salare, pepare, irrorare con un filo d'olio, quindi tostare nel forno per cinque minuti. Tagliare la tosella a cubetti di 1 cm e farla dorare in una padella antiaderente a fuoco basso con un goccio di olio, finché il latticello che rilascia non viene riassorbito. Nel frattempo lavare e sgocciolare il radicchio, tagliarlo a striscioline sottili e metterlo in una ciotola. Condire con qualche cucchiaio d'olio, aceto, sale e pepe. Mescolare bene e distribuire sui crostini, coprire con la tosella e servire subito.

Bruschetta with red radicchio and tosella cheese
Peel 2 garlic cloves and rub on 12 rustic bread slices. Sprinkle with salt and

pepper, pour small amount of olive oil and toast in oven for approximately five minutes. Cut 200g of tosella cheese into small cubes and warm in teflon coated pan with a drop of extra virgin olive oil until the milky liquid it releases is reabsorbed. In the meantime clean and wash 1 head of radicchio, cut it into small strips and place in a bowl. Season it with a couple of tablespoons of extra virgin olive oil, 1 tablespoon of vinegar, salt and pepper. Mix well and place the seasoned chiocory on the toasted bread (12 slices), top with melted tosella and serve immediately.

Vino consigliato/*suggested wine*:
Tocai di Lison D.O.C.

Le radici del radicchio

Il radicchio rosso è un nobile parente della cicoria *(Cichorium intybus)*, già conosciuta dai Greci e dai Romani che la usavano cruda come insalata attribuendole proprietà terapeutiche, tra cui quella di curare l'insonnia e di depurare il fegato. Nel XV secolo era una pianta comunissima, che cresceva spontanea nelle campagne del Veneto, e per secoli le sue foglie vennero mangiate solo dai poveri e dalle bestie. Nel XVII secolo il medico padovano Prospero Alpini sperimentò a scopo teraupetico una bevanda derivata dalle radici seccate, tostate e macinate della cicoria, scoprendo così un buon surrogato del caffè, non sempre facilmente reperibile in Europa. Insomma una pianta semplice ma dalle mille risorse: secondo la tradizione popolare aveva addirittura il potere di indurre fortuna, amore e soddisfacimento del desiderio, non a caso una canzone popolare recita: "Cossa'ala magnà la sposa la prima sira? I radici co l'aseo da magnare ascotadeo"

Red chicory is a noble relative of chicory (Cichorium intybus), *known to the ancient Greeks and Romans who would use it raw in salads for its therapeutic properties, in particular for its ability to cure insomnia and purify the liver. In the 15th century it was a very common plant that grew naturally in the Veneto countryside, but its leaves were eaten only by the poor or by animals. In the 17th century the Paduan doctor Prospero Alpini experimented with chicory and derived a therapeutic drink from the plant's roots once they had been dried, toasted and crushed. It was a good substitute for coffee, which was not always easy to find in Europe. It is a simple plant with many uses: according to popular tradition it even had the power to bring good fortune, love and sexual satisfaction. A popular song recommends it to brides on their honeymoon.*

Bavettine con radicchio rosso di Chioggia in salsa alle noci

400 gr di Bavettine (pasta di semola di grano duro)
½ cespo di radicchio rosso di Chioggia
200 gr di panna fresca
50 gr di gherigli di noci
30 gr di burro oppure olio extravergine d' oliva
1 cucchiaio di prezzemolo tritato
Grana Padano
sale e pepe

In una padella larga e bassa sciogliere il burro e tostare i gherigli di noce tritati finemente. Salare, versare la panna fresca e lasciare sobbollire per un paio di minuti. Tagliare le foglie del radicchio sottilmente e aggiungerle alla panna. Nel frattempo lessare le Bavette in abbondante acqua salata, scolarle al dente, e condirle con la salsa di noci e radicchio, del Grana grattugiato, il prezzemolo ed una macinata di pepe.

Bavettine with red radicchio in nut sauce
In a large skillet melt 30g of butter or extra virign olive oil and toast 50g of finely chopped nuts. Add salt and 200g of fresh heavy cream and let boil for a couple of minutes. Finely chop the radicchio leaves (approximately half a head of radicchio) and add to the heavy cream. In the meantime, cook 400g of Bavette (durum wheat semolina pasta) in boiling salty water. Drain them when they are still "al dente", add the sauce and sprinkle with Grana Padano, a tablespoon of parsley and pepper.

Vino consigliato/*suggested wine*:
Merlot del Piave D.O.C.

CARCIOFO VIOLETTO DI SANT'ERASMO

Grande quanto la metà di Venezia e come Venezia attraversata da canali, l'isola di Sant'Erasmo fin dal cinquecento è praticamente un unico, grandissimo orto: i terreni argillosi, ben drenati e con una salinità molto alta consentono la coltivazione di verdure saporite e tra queste particolarmente rinomato è il carciofo, tanto che anche le varietà coltivate nelle altra località della laguna hanno preso il nome da quest'isola. Tenero, carnoso, spinoso e di forma allungata, il carciofo di Sant'Erasmo ha le foglie color violetto cupo e un cuore dal gusto inconfondibile. La sua stagione comincia a fine aprile, con la raccolta delle *castraure*, cioè il frutto apicale della pianta di carciofo che viene tagliato per primo in modo da permettere lo sviluppo di altri 18-20 carciofi laterali altrettanto teneri e gustosi che vengono raccolti almeno fino alla seconda metà di giugno. Le *castraure* sono famose per il loro gusto unico e particolare che esalta le proprietà organolettiche di questo alimento ricchissimo di sostanze nutritive importanti per l'organismo umano. Il carciofo infatti oltre a carboidrati, fibre, vitamine e sali minerali contiene una particolare sostanza, la cinarina, in grado di favorire la diuresi e la regolarizzazione dell'intestino. E' inoltre antisettico per il fegato, depurante, anticolesterolo e antiossidante.

The island of Saint Erasmus (big as half of Venice and with many canals) is one big vegetable garden: the salty clay earth is perfect for the cultivation of certain vegetables to include the artichoke. Tender, meaty, prickly and oblong, the artichoke of Saint Erasmus is a purplish color with an unforgettably delicious heart. Its season begins at the end of April when the castraure *are harvested. These are the first blossoms of the artichocke which is cut in order for twenty more lateral blossoms to grow. This second batch is cut in June. It is rich in nutrients: fibers, vitamins, minerals and a particular substance called cinarine which favors the regulation of intestinal tract. It is also a depurative, has anticholestoral properties and is antioxidant.*

Spaghettini con telline e castraure di sant'Erasmo

400 gr di spaghetti
600 gr di telline freschissime
8 castraure
200 gr di pomodorini Pachino
4 cucchiai di olio extravergine d'oliva
½ bicchiere di vino Sauvignon,
1 spicchio d'aglio
una macinata di pepe nero in grani
sale
prezzemolo
pochissimo peperoncino

In una padella capiente far rosolare l'aglio tritato nell'olio extravergine d'oliva, quindi aggiungere le castraure tagliate a fettine sottili, le telline e il vino. Coprire il tutto per qualche minuto. Quando le telline si sono schiuse aggiungere i pomodorini tagliati in quattro pezzi, il sale, il peperoncino e lasciar cuocere per altri due minuti. Nel frattempo cuocere la pasta al dente, scolarla e versarla nella padella con il sugo appena preparato. Spadellare il tutto a fuoco vivo per un minuto. Servire infine con una generosa macinata di pepe e una spruzzata di prezzemolo tritato.

Spaghettini with wedgeshells and Saint Erasmus artichoke blossoms
In a large pan brown the chopped garlic in olive oil, add 8 thinly sliced castraure (artichoke), 600g of telline and half a glass of Sauvignon wine. Cover for a couple of minutes. When the telline have opened add 200g of quartered cherry tomatoes, salt, red pepper and let cook for two more minutes. In the meantime prepare pasta "al dente," drain and add to pan. Cook over high flame for one minute. Serve with pepper and chopped parsley.

Vino consigliato/*suggested wine*:
Sauvignon D.O.C.

Vellutata di castraure con quenelles di scampi

150 gr di code di scampi pulite
150 gr di panna per le quenelles
100 ml di panna per la vellutata
½ cipolla
1 l di brodo di carne
5 castraure
1 patata di Chioggia
4 foglie di spinaci
2 tuorli d'uovo
30 gr di burro
1 bicchierino piccolo di cognac
succo di limone
sale e pepe

Per le quenelles mettere nel mixer le code di scampi, la panna, qualche goccia di limone, il cognac, sale e pepe. Frullare il tutto fino da ottenere una mousse omogenea.Con l'aiuto di due cucchiai formare delle polpettine allungate e appoggiarle su carta da forno leggermente oleata, di modo che sia più facile farle scivolare poi nell'acqua. Per la vellutata far imbiondire la cipolla affettata sottilmente in una casseruola con il burro, aggiungere le castraure tagliate a quarti, la patata a fettine e le foglie di spinaci. Far rosolare brevemente poi aggiungere il brodo e lasciar bollire per circa 30 minuti. Raffreddare velocemente e frullare con il frullatore ad immersione, quindi passare al colino. Far bollire per 3 minuti le quenelles di scampi in acqua salata, o meglio ancora in brodo di pesce. Portare a bollore la vellutata, aggiungere la panna e i rossi d'uovo, precedentemente sbattuti assieme in una ciotolina. Versare la vellutata in una zuppiera o in scodelle individuali e aggiungere le quenelles.

Artichoke blossom cream with prawn quenelles
To prepare the quenelles place 150g of scampi tails, 150g of heavy cream, lemon drops, 1 small glass of cognac, salt and pepper in the mixer. Blend to obtain a

homogenous mousse. Form small balls of mousse using two spoons and place on lightly greased wax paper (this will make it easier for them to slide in to the water). To prepare the vellutata, brown half an onion (thinly sliced) in a casserole with butter (30g), add 5 quartered artichoke, 1 sliced potato and four spinach leaves. Brown slightly and add 1 lt broth. Let boil for 30 minutes. Cool and blend, then press through a fine colander. Boil the scampi quenelles for three minutes in water or in fish broth. Boil the vellutata, mix 100ml of heavy cream and 2 egg yolks and add to mixture. Pour the vellutata in bowls and add the quenelles.

Vino consigliato/*suggested wine*:
Soave D.O.C.

Nel cuore del carciofo

Giunto sulle tavole dell'antica Roma dalla Grecia e dall'Egitto, il carciofo ha sempre avuto un forte legame con la sessualità, tanto da essere considerato afrodisiaco e portatore di figli maschi. Secondo la leggenda Giove, padre di tutti gli dei e noto seduttore, un giorno si invaghì di una bellissima ninfa dai capelli color cenere di nome Cynara, la fanciulla però non volle concedersi al dio e per vendetta venne trasformata in una pianta spinosa, il carciofo, tutt'oggi chiamato in botanica *Cynara scolymus*. Furono però gli arabi a diffondere il consumo della "pianta che punge" *(al-kharshuf)* in tutta l'italia meridionale lasciando nella lingua traccia indelebile del loro passaggio. Per gli Arabi il carciofo era un simbolo galante, com'è scritto nei versi del poeta dell'undicesimo secolo, Ben al-Talla:"Figlia dell'acqua e della terra, la sua abbondanza si offre a chi la sospetta chiusa in un castello di avarizia. Sembra, per il suo biancore e per l'inaccessibile rifugio, una vergine greca nascosta in un velo di spade". Il fascino ambiguo di questa pianta, addirittura vietata alla fanciulle in fiore poiché i suoi succhi potevano indurre alla tentazione del demonio. la allontanò dalle tavole del Medioevo fino al 1446, quando Filippo Strozzi recuperò dei semi portati dai Mori nel Regno di Napoli e ne sviluppò la coltivazione prima in Toscana e poi in tutta Italia. Nel Rinascimento il carciofo entrò nello *Herbario Novo* del medico e botanico Castore Durante, che lo consigliava come test di gravidanza:"Alla donna si dia da bere il succo di foglie di carciofo, se lo vomiterà è gravida". Caterina de Medici ne fu una golosa consumatrice, tanto da rischiare una volta l'indigestione, e quando divenne regina di Francia nel 1533 portò con se la preziosa pianta. Il carciofo e la sua fama di afrodisiaco si diffusero presto in tutta Europa: lo mangiava Enrico VIII prima di incontrare le sue amanti e lo apprezzava Luigi XIV perchè,secondo il consiglio del suo medico Framboisière:"il carciofo scalda il sangue e lo eccita ai combattimenti amorosi".

The artichoke arrived in ancient Rome from Greece and Egypt. It has always been considered an aphrodisiac and was thought to bring male children. According to legend, Jove, father of all gods and relentless seductor, became enamoured with Cynara, a young girl with ash blonde hair, who did not want to give herself to the god. She was thus transformed into a spiny plant, the artichoke, whose botanical name Cynara scolymus *still bears trace of the myth. It was thanks to the Arabs, however, that the vegetable became widely consumed in Southern Italy. It is from their designation of the artichoke plant (*al-kharshuf, *"the plant which stings") that the Italian word* carciofo *derives. For Arabs, the artichoke was a symbol of gallantry, as poetry of the eleventh century demonstrates. Ben al-Talla writes: "Daughter of water and earth, her abundance offers itself to those who suspected she was closed in a stingy castle. White and inaccessible, she is like a greek virgin hidden in a veil of swords". The ambiguous fascination, with this plant which young girls were prohibited to eat because it could lead into demonic temptation, kept it away from Medieval cuisine. In 1446, however, Filippo Strozzi brought some artichoke seeds from the Kingdom of Naples and spread the cultivation of the plant in Toscana and then in the rest of the Italian peninsula. In the Renaissance it became part of medicinal practice to administer artichoke juice as pregnancy test: "Give a woman artichoke juice, if she vomits, she is pregnant". Caterina de Medici was very fond of artichokes, to the point she once suffered serious indigestion, and she brought the precious plant with her to France in 1533. The artichoke and its aphrodisiac powers spread throughout Europe: Henry VIII would eat it before meeting with his lovers and Louis XVI appreciated it because, according to his doctor Framboisière: "the artichoke boils the blood and excites it for battles of love".*

ZUCCA MARINA DI CHIOGGIA

La zucca Marina di Chioggia appartiene alla famiglia della *Cucurbita Maxima*, ed è caratterizzata da una forma grossa, rotonda, schiacciata ai poli e da una scorza bitorzoluta color verde scuro e grigio. Probabilmente proveniente dal sud America questa pianta ha trovato il suo clima ideale nel veneziano, dove è tutt'ora coltivata per il largo consumo nei comuni di Chioggia, Cavarzere e Cona. Nel tempo questa tipologia di zucca si è diffusa in tutto il Veneto al punto che attualmente la produzione della zona tipica necessita della doppia specificazione "Marina di Chioggia", probabilmente derivata dalla parola "marinati" con cui vengono chiamati i chioggiotti dediti alla coltivazione degli orti piuttosto che alle attività di mare. Nonostante sia poverissima di calorie la zucca riempie la pancia e per questo ha rappresentato per secoli una riserva alimentare fondamentale nelle zone più povere, soprattutto contadine. Oggi appare invece nelle migliori proposte della nostra cucina e non solo per il suo gradevole sapore e per la sua versatilità nell'abbinarsi in mille ricette, ma anche per le sue proprietà mediche. Come tutti gli ortaggi gialli contiene infatti betacarotene, utilissimo nella prevenzione dei tumori, antiossidanti, che prevengono l'invecchiamento cellulare, carotenoidi, che difendono il cristallino dell'occhio dal rischio di cataratta, e l'acido fenolico, un potente anticancro che si lega alle sostanze cancerogene, evitando che vengano assorbite dall'organismo. Inoltre é rinfrescante e sedativa, ha proprietà diuretiche, disintossicanti e lassative, abbonda di vitamina A ed é particolarmente indicata per le diete ipocaloriche e per i diabetici. Insomma della zucca non si butta via niente: svuotata della polpa ed essiccata si trasforma in un contenitore leggero e impermeabile per il sale, l'acqua, il vino, l'olio, come si faceva a Roma e nell'antica Grecia, oppure in uno strumento a percussione o a fiato come testimonia la tradizione musicale dei più diversi Paesi, dall'Africa all'Estremo Oriente. Infine secondo la tradizione contadina tenere una zucca in casa è sempre auspicio di felicità, di abbondanza, e di fertilità

The Chioggia Marina *pumpkin belongs to the* Cucurbita Maxima *family, and is big, round, slightly compressed on each end and has a dark green/grey, pimply rind. It probably came from South America but has found an ideal climate in the Venetian region, where it is still cultivated particularly in the communes of Chioggia,*

Caverzere and Cona. Over time this type of pumpkin has spread throughout the Veneto to the point that the original pumpkin has had to add the name of its hometown to its name. Marina di Chioggia *probably derives from the word* marinati *(literally the shored ones), a term used to denote the people of Chioggia who chose agriculture over sealife. Although pumpkins are low in calories, they are very filling, a characteristic which has made them a staple in poor agricultural areas. Today the pumpkin is used in many Venetian recipes not only for its delicious flavor and ease of combination with other foods but also for its medicinal properties. Like all yellow vegetables it contains beta-carotene, antioxidant, carotenoids and folic acid, which is a powerful anti-cancerous. Rich in vitamin A, it is refreshing, diuretic and detoxifing. Not a single part of the pumpkin is thrown away: once it has been emptied and dried, it can serve as a waterproof container for salt, water, wine and oil, as it did in ancient Greek and Roman times. It can also be turned into a musical instrument, be it percussion or winds, as the musical tradition of many countries from Africa to the Extreme Orient testifies.*

Alici in pastella con crema di zucca

16 alici di media grandezza
4 uova
100 gr di farina bianca
10 gr di Grana Padano
200 gr di zucca Marina di Chioggia
50 gr di porro
10 gr di semi di coriandolo
200 gr di sedano rapa
50 ml di olio extravergine di oliva
foglie di coriandolo fresco
1 l di brodo vegetale
olio per frittura
basilico
sale e pepe

Spinare le alici lasciando uniti i filetti per la coda. Lavarle accuratamente e asciugarle. Preparare la pastella sbattendo le uova con la farina. Insaporirla con il Grana, sale, pepe e qualche fogliolina di basilico sminuzzata. Pulire la zucca e tagliarla in pezzi regolari. Lavare e tagliare a rondelle il porro. In una padella, stufare la zucca e il porro a fuoco moderato con un po' d'olio, coprire con il brodo vegetale e far cuocere, finché la zucca risulti tenera. Passare al mixer zucca e porri sgocciolati dal brodo e montare con olio extravergine di oliva. Tostare in forno per qualche minuto i semi di coriandolo, quindi macinarli e aromatizzare con essi la crema di zucca. Passare le alici nella pastella e friggerle in olio abbondante in modo che ne siano completamente immerse. Quando avranno assunto un bel colore dorato scolarle e appoggiarle su carta assorbente. Pulire il sedano rapa, affettarlo sottilmente e con un tagliapasta ricavare dei piccoli dischi. Infarinarli e friggerli sino a che non abbiano raggiunto la consistenza croccante di una sfoglia. Servire le alici fritte sulla crema di zucca, contornando con le fogliette di sedano rapa e guarnendo con delle foglioline di coriandolo fresco.

Fried anchovies with pumpkin cream
Debone 16 medium size anchovies leaving the filets united by the tail. Wash them thoroughly and pat dry. Mix 100g of flour and 4 eggs. Add salt, pepper, 10g of Grana Padano and coarsely chopped basil leaves. Cut 200g of pumpkin in equal pieces. Wash and slice the leeks (50g). In a large pan cook the pumpkin and leeks in a bit of olive oil. Add 1 lt of vegetable broth and let simmer until the pumpkin is tender. Drain the pumpkin and leeks and blend them adding extra virgin olive oil. Toast 10g of coriander seeds in the oven for a couple of minutes, crush them and add to the pumpkin purée. Immerse each anchovy in the egg and flour batter and fry in plenty of oil (the fish must be completely immersed). When they turn golden brown drain them and place on absorbent paper towels. Clean 200g of celeriac (celery-root), slice it thinly and using a pasta cutter make small discs. Flour the discs and fry them until they obtain the consistancy of a crunchy flake. Serve the fried anchovies on the pumpkin cream, surrounding them with celeriac leaves and garnishing the dish with fresh coriander leaves.

Vino consigliato/*suggested wine*:
Chardonnay D.O.C.

La zucca barocca

L'etimologia del termine "zucca" è incerta. Secondo il dizionario Zingarelli, potrebbe derivare dal latino *cocutia* che significa testa successivamente trasformato in *cocuzza*, *cozucca* e, infine zucca. Il termine *barucca* invece sembra avere origini nel ghetto ebraico di Venezia, l'isola della laguna dove vivevano ebrei provenienti da tutta europa. Secondo alcuni deriva infatti dalla parola ebraica *baruch* che significa santo, benedetto, come infatti veniva chiamata anche in veneziano, secondo altri deriva invece dallo spagnolo *berrueca* o *verrueca* che significa verruca o irregolare, e starebbe a indicare quindi il tipo di buccia bitorzoluta. La parola è anche all'origine del termine "Barocco" lo stile architettonico del seicento irregolare, arzigogolato e un po' bitorzoluto!

The etymology of the term zucca *(pumpkin) is uncertain. According to the Zingarelli dictionary, it could derive from the latin* cocutia *(head) which became* cocuzza *or* cozucca *and finally* zucca. *The term* barucca *seems to stem from the Jewish ghetto in Venice, the island of the lagoon where Jews from all Europe lived. Some believe that it derives from the Hebrew word* baruch *(saint, blessed), an epithet that Venetians also gave to the pumpkin; others claim it derives from the Spanish term* berrueca *or* verrueca *which means wart or irregular, and refers to the pimply rind of the pumpkin. It is from the same Spanish word that the term baroque derived – indicating the architectural style of the 17th century characterized by irregular and bizarre shapes.*

Torta di zucca

2 kg di zucca Marina di Chioggia
130 gr di zucchero di canna
200 gr di crema di latte
2 uova
½ cucchiaino di cannella
½ cucchiaino di zenzero secco
panna montata

Per la pasta brisée:
200 gr di farina
100 gr di burro
50 ml di acqua
sale

Preparare innanzitutto la pasta brisée: mettere la farina setacciata con un pizzico di sale in una ciotola capiente, aprirla a fontana e mettervi al centro il burro ridotto a pezzettini e ammorbidito, ma non fuso. Amalgamare bene il tutto con la punta delle dita e ridurre la pasta a briciole grosse. Allargarla e impastarla con acqua fredda fino a quando non si sarà ottenuto un impasto omogeneo. Si raccomanda di lavorare la pasta con acqua bella fredda ed in modo molto veloce per non scaldarla troppo. Formare quindi una palla, avvolgerla con della pellicola e lasciarla riposare per almeno due ore nello scomparto meno freddo del frigorifero. Dopo aver pulito per bene la zucca senza sbucciarla, tagliarla a spicchi medi, sistemarli su una teglia e cuocerli in forno a 180°C. Dopo averla fatta intiepidire, togliere la buccia, passare la zucca al passaverdura e metterla in una padella antiaderente. Cuocere a fuoco medio mescolando ripetutamente fino a quando non risulterà ben asciutta. Quindi pesarne 450 gr, metterli in una ciotola e lavorarli con lo zucchero e la crema di latte; aggiungerere le uova, lo zenzero e la cannella. Lavorare bene il composto fino a quando non risulti omogeneo e farlo poi riposare per una mezz'ora. Imburrare una tortiera e foderarla con la pasta stesa. Riempire con la crema di zucca e passare.in forno già caldo ad una temperatura di 220°C per un quarto d'ora, quindi abbassare a 180°C e cuocere per 45 minuti. Lasciare raffreddare la torta e servirla con della panna montata.

Pumpkin cake
Prepare the shortening pastry: place 200g of sieved flour and a pinch of salt in a large bowl, Create a crater and place 100g of softened - but not melted - butter pieces in it. Mix well with your fingertips until the dough forms large crumbs. Work the dough with cold water until it becomes homogenous. Use very cold water and work quickly so as not to warm the dough. Shape the dough into a ball, wrap in

cellophane and let it rest for at least two hours in the refrigerator. Clean the pumpkin (2 kg) but do not peel it, cut into medium slices, arrange them on a cookie tray and place in the oven at 180°C. After the slices have cooled, peel them and press them through a vegetable masher. Place the purée in a pan and cook over medium fire, stirring continuously, until the mixture has dried up. Measure 250g of the mixture, place it in a bowl and mix in 130g of sugar and 200g of cream of milk; add two eggs, half a teaspoon of ginger and half a teaspoon of cinnamon. Stir until the mixture becomes homogenous and let sit for 30 minutes. Grease a dish and place the flattened pastry on the bottom. Fill with the pumpkin mixture and place in the oven which has been preheated at 220°C for 15 minutes. Turn the temperature to 180°C and cook for 45 minutes. Let cool and serve with whipped cream.

Vino consigliato/*suggested wine*:
Recioto bianco passito di Gambellara D.O.C.

Le Baruffe Chioggiotte

LUCIETTA. Oe, Bondí, Tòffolo.
TOFFOLO. Bondí, Lucietta.
ORSETTA. Sior màmara, còssa sèmio nu altre?
TOFFOLO. Se averé pazenzia, ve saluderò anca vu altre.
CHECCA. *(da sé)* Anca Tòffolo me piaseràve
PASQUA. Còss'è, putto? No laoré ancùo?
TOFFOLO. Ho laorà fin adesso. So stà col battelo sotto marina a cargar de' fenocchj: i ho portài a Bróndolo al corrier de Ferara, e ho chiappà la zornada.
LUCIETTA. Ne paghéu gnente?
TOFFOLO. Sì ben; comandé.
CHECCA. *(a Orsetta)* Uh! senti, che sfazzada?
TOFFOLO. Aspetté. *(chiama)* Oe, zucche barucche.
CANOCCHIA. *(con una tavola, con sopra vari pezzi di zucca gialla cotta)* Comandé, paron.
TOFFOLO Lassé veder.
CANOCCHIA. Adesso: varé, la xé vegnua fora de forno.
TOFFOLO. Voléu, Lucietta? *(le offerisce un pezzo di zucca)*
LUCIETTA. Si bèn, dé qua.
TOFFOLO. E vu, donna Pasqua, voléu?

PASQUA. De diana! la me piase tanto la zucca barucca! Démene un pezzo.
TOFFOLO. Tolé. No la magné, Lucietta?
LUCIETTA. La scotta. Aspetto, che la se giazze.
CHECCA. Oe, bara Canocchia.
CANOCCHIA. So qua.
CHECCA. Démene anca a mì un bezze.
TOFFOLO. So qua mì; ve la pagherò mì.
CHECCA. Sior no, no vòggio.
TOFFOLO Mo per còssa?
CHECCA Perché no me degno.
TOFFOLO. S'ha degnà Lucietta.
CHECCA. Sì, sì, Lucietta xé degnévole, la se degna de tutto.
LUCIETTA. Coss'è, sióra? Ve ne avéu per mal, perché so stada la prima mì?
CHECCA. Mì co vù, siora, no me n'impazzo. E mì no tógo gnènte da nissùn.
LUCIETTA. E mì cossa tóghio?
CHECCA. Siora sì, avé tolto anca i trìgoli dal putto donzelo de bare Losco.
LUCIETTA. Mì? Busiàra!
PASQUA. A monte.
LIBERA. A monte, a monte.
CANOCCHIA. Gh'è nissun che vòggia altro?
TOFFOLO. Andé a bon viazo.
CANOCCHIA. *(gridando parte)* Zucca barucca, barucca calda.

Carlo Goldoni

Le Baruffe di Chioggia
LUCIETTA. Buongiorno Toffolo. TOFFOLO. Buongiorno, Lucietta. ORSETTA. Oh, mammalucco e noi chi siamo? TOFFOLO. Se avrete pazienza saluterò anche voi CHECCA. (a parte) Anche Toffolo mi piacerebbe. PASQUA. Che c'è ragazzo? Non lavorate oggi? TOFFOLO. Ho lavorato fin'ora. Sono stato col battello a Sotto Marina a fare carico di finocchi. Li ho portati a Bondolo al corriere di Ferrara e ho guadagnato la giornata. LUCIETTA. Non ci offrite niente? TOFFOLO. Si certo, cosa volete? CHECCA. (a Orsetta) Ooh! Senti che sfacciata? TOFFOLO. Aspettate. Hey, zucche barucche CANOCCHIA.Ditemi signore? TOFFOLO. Fatemi vedere. CANOCCHIA Adesso, guardate, è venuta fuori dal forno TOFFOLO. Ne volete, Lucietta? LUCIETTA. Si dai. Date qua. TOFFOLO. E voi Donna Pasqua ne volete? PASQUA. Per dio! Mi piace tanto la zucca barucca! datemene un pezzo!Give me a

piece! TOFFOLO. Prendete. Non la mangiate, Lucietta? LUCIETTA. Scotta, aspetto che si raffreddi CHECCA. Hey signor Canocchia. CANOCCHIA. Son qui! CHECCA. Datene anche a me un mezzo soldo. TOFFOLO Sono qua io, ve la pago io. CHECCA. Oh no signore, non voglio. TOFFOLO. Ma perchè? CHECCA. Non mi degno. TOFFOLO. Ma Lucietta si è degnata CHECCA. Oh si Lucietta è degnevole, si degna di tutto!. LUCIETTA. Che c'è signora? L'avete a male perchè iosono stata la prima? CHECCA. Io signora con voi non mi immischio. E non prendo nienete da nessuno. LUCIETTA. E io che cosa prendo? CHECCA. Si signora, avete preso anche i trigoli dal figlio di Messer Losco LUCIETTA. Io? Bugiarda! PASQUA. Lascia stare! LIBERA. Lascia stare, lascia stare!. CANOCCHIA. C'è nessuno che vuole altro? TOFFOLO. No, andate pure. CANOCCHIA. Zucca barucca, barucca calda!

Quarrels of Chioggia
LUCIETTA. Yo, goodday, Toffolo. TOFFOLO. Goodday, Lucietta. ORSETTA. And what about us, who do you think we are? TOFFOLO. Patience! Patience! I'll say hello to you too. CHECCA. (aside) I like Toffolo too PASQUA. What's up, little one? Still not working TOFFOLO. I just got done. I was out on the boat loading fennel. I brought them to Brondolo in Ferrara and got a day's pay out of it. LUCIETTA. And you're not going to offer us anything? TOFFOLO. But of course – what do you want? CHECCA. (to Orsetta) Oolala! Listen to how bold she is! TOFFOLO. Just a sec. (he calls out) Yo, zucca barucca CANOCCHIA. (with a table on which there are many pieces of cooked yellow pumpkin) Yessir, what will it be? TOFFOLO. Lemme see. CANOCCHIA Check it out: fresh from the oven. TOFFOLO. Want some, Lucietta? (he offers her a slice of pumpkin) LUCIETTA. Oh yes. Give here. TOFFOLO. And you, donna Pasqua, want some? PASQUA. You better believe it. I like this crazy pumpkin too much. Give me a piece! TOFFOLO. Here you go. You're not eating it,. Lucietta? LUCIETTA. It's hot. I'm waiting for it to cool off. CHECCA. Yo, Canocchia. CANOCCHIA. Here I am! CHECCA. Give me an half coin too. TOFFOLO I'm here – I'll pay for it. CHECCA. Oh no sir. I don't want that. TOFFOLO. But why? CHECCA. I'm not going to allow it. TOFFOLO. But Lucietta allowed it. CHECCA. Oh, yes. Lucietta allows all sorts of things. LUCIETTA. What did you say? Are you upset because I was the first? CHECCA. I am not getting involved with you. And I'm not taking anything from anybody. LUCIETTA. And just exactly what did I take? CHECCA. You took plenty, my dear. You even took the trigoli from Losco's kid. LUCIETTA. Me? You liar! PASQUA. Forget about it. LIBERA. Forget about it, forget about it. CANOCCHIA. Anybody want anything else? TOFFOLO. No, go on. CANOCCHIA. (crying out as he leaves) Zucca barucca, barucca calda! (Carlo Goldoni)

FARINA DI MAIS BIANCOPERLA

Nelle cucine del Veneto, soprattutto nelle province di Venezia, Treviso e Padova, quasi quotidianamente fino a poche decine d'anni fa si celebrava il rituale della preparazione della polenta, dove per polenta si intendeva esclusivamente la polenta bianca. E' questo uno dei misteri gastronomici che non hanno ancora trovato una risposta, infatti in tutta Italia e anche in parte del Veneto, quando si dice polenta non è neanche necessario specificare se gialla o bianca, data la predominanza della prima. Ottenuta attraverso la macinazione della parte vitrea della cariosside del mais bianco, una varietà più rara e più costosa di quello giallo, la polenta bianca perse probabilmente popolarità proprio perchè era meno vantaggiosa da coltivare rispetto alla gialla che dava una resa praticamente doppia. La polenta bianca rimase nella tradizione ma veniva preparata solo quando l'occasione richiedeva un accompagnamento di maggior prestigio della comune polenta gialla: uno dei suoi tipici accostamenti era, ed è tutt'ora, quello con il Bacalà. La polenta bianca, oltre ad avere un profumo meno deciso, è più delicata e più rispettosa del piatto che a lei viene accompagnato e ne esalta pienamente il sapore. Mentre dal punto di vista nutrizionale i valori quasi si equivalgono, un'altra differenza si riscontra nel tipo di grana, che è solitamente più fine nella farina di mais bianco.

In the cuisine of the Veneto, in particular in the provinces of Venice, Treviso, and Padua, it was customary, at least until twenty years ago, to celebrate the ritual of preparing polenta. The peculiarity lies in the fact that this polenta was white, made from white corn flour as opposed to the much more common yellow corn flour. It is a gastronomic mystery that has not yet been solved. In fact, in the rest of Italy and in most of the Veneto, it is not even necessary to specify whether polenta is yellow or white due to the absolute predominance of the former. White polenta is made with white corn flour, a variety of flour more precious and more expensive than yellow corn flour. White corn flour probably fell out of use precisely because of its less advantageous yield – yellow corn yields twice as much. It survived in the tradition only for special occasions: the typical dish associated with white polenta was, and still is, steamed Bacalà *(codfish). Compared to yellow polenta, white polenta has a less distinctive smell and is more delicate and respectful of the dish it accompanies. It brings out the accompanying food's flavor. Nutritionally the two types of polenta are almost identical,but white polenta has a much finer grain.*

La polenta dei polentoni

1,5 l d'acqua
15 gr di sale
400 gr di farina di mais

Far bollire l'acqua con il sale, e versarvi a pioggia la farina, sfarinando con la frusta per evitare che si formino grumi. Cucinare per circa 40 minuti mescolando con un mestolo di legno.

Veneto's polenta recipe
Add 15g of salt to 1,5 lt of water and bring to a boil. Add 400g of yellow cornflour and mix to avoid lumps from forming. Cook for forty minutes mixing with a wooden spoon.

Frittelle biancoperline

100 ml di latte
polenta bianca avanzata
zucchero
farina bianca 00
olio extravergine di oliva
limone

Sbriciolare la polenta, unire quattro cucchiaiate di zucchero (più o meno secondo i gusti), la scorza di limone grattugiata e il latte. Si deve ottenere un impasto di consistenza simile alla pasta frolla perciò aggiungere più latte o più farina secondo i casi. Da questo impasto ricavare dei dischi alti circa 0,5 centimetri e larghi tanto da coprire il fondo di un piattino da cappuccino. Cuocere un disco alla volta, con olio e strutto, facendolo dorare da una parte e dall'altra. Si mangiano subito, con le mani. ripiegandoli in due o in quattro eventualmente farcendoli secondo i gusti: con marmellata o crema di cioccolato.

White pearl frittelle (fried pastries)
Make crumbs from leftover white polenta, add 4 tablespoons of sugar (you may add more or less sugar depending on your sweet tooth), the lemon zest and 100ml of milk. The dough should have the consistency of short pastry so add milk or flour accordingly. From this dough form discs approximately 0,5 cm thick and as wide as a medium saucer. Cook the discs one at a time in oil and lard, slowly browning each side. They are to be eaten immediately, preferably with your hands. You may fold them twice or in four parts and fill with jelly or cream of chocolate.

Vino consigliato/*suggested wine*:
Colli Euganei Moscato D.O.C.

La panocia

No so se benedirte come la pioveta
in maio co te tira fora la lengueta
o maledirte come fa el seco in luio
e le to radise scoverte le par zate
che vol scampar da la tera crepada
Co se gera putei intorno al foghèr
gera un ziogo far siore in farsora
co i grani latarioi, vederli saltar
come balerine co le cotoe par aria.
S-ciocava co ti la nostra alegria.
T'ha un penacio grando da general,
cavei longhi da piavola, scartozz
che d'istà se verze come 'na rosa,
ma el to nome vero el gera peagra.
Saparte co tut el sol su la goba
e tirarte zò co 'l caivo in boca
l'è ' na fadiga granda che recorda
schene rote, pie descalzi, zornade
de fame pi' longhe de le nevegade.
Co milioni de grani, gera peagra

Romano Pascutto

La pannocchia
Non so se benedirti come la pioggerella/ in maggio quando tiri fuori il germoglio/ o maledirti come fa il secco in luglio/ e le radici scoperte sembrano zampe/ che vogliono fuggire dalla terra arsa./ Quando eravamo bambini attorno al focolare/ era un giuoco far signore in padella/ con i grani novelli, vederle saltellare/ come ballerine con le sottane per aria./ Schioccava con te la nostra allegria./ Hai un grande pennacchio da generale,/ lunghi capelli da bambola, cartoccio/ che d'estate si apre come una rosa,/ ma il tuo nome vero era pellagra./ Zapparti con tutto il sole sulla schiena/ e raccoglierti con la nebbia in bocca / è una grande fatica che ricorda/ schiene rotte, piedi scalzi, giornate/ di fame più lunghe delle nevicate./Con milioni di grani, era pellagra.

Ear of corn
I don't know whether I should praise you like the soft rain/ in May when it brings out your buds/ or curse you like the drought in July,/ your uncovered roots like feet/ trying to escape from the scorched earth./ Sitting around the fireplace as children,/ we would make ladies in the pan/ with new kernels, watching them jump/ like ballerinas, their skirts in the air./ Our happiness would pop and crackle with you./ You have a big feather, like a general,/ long blond hair, like a doll,/ and a cornet of leaves that opens like a rose in summertime,/ but your true name was pellagra./ Hoeing the earth for you, the heavy sun on my back,/ and harvesting you with the taste of fog in my mouth,/ is great work it reminds me of/ broken backs, bare feet and hungry days/ lasting longer than the snowfall./ With millions of kernels, it was pellagra. (Romano Pascutto)

Polenta bianca con seppioline

500 gr di farina di mais Biancoperla
1 kg di seppioline
4 acciughe salate
4 pomodori ben maturi
½ bicchiere di vino bianco secco
2 spicchi d'aglio
olio extravergine d'oliva
prezzemolo
sale e pepe

Far rosolare in un po' d'olio d'oliva alcuni spicchi d'aglio, quindi aggiungere le acciughe diliscate e dissalate pestandole bene nell'olio finchè si sciolgono, infine unire le seppioline accuratamente pulite. Bagnare con il vino bianco e alzare per 2-3 minuti la fiamma per farlo evaporare. Poi abbassare, aggiungere la polpa sfilettata dei pomodori e il loro succo filtrato dai semi. Salare, pepare e lasciar cuocere per circa 45 minuti. Nel frattempo preparare una polenta tenera e quando è cotta versarla in un piatto capace di forma circolare. Distribuirvi sopra le seppioline, cospargere con prezzemolo tritato e servire ben caldo.

White polenta with squid
Brown a couple of garlic cloves in extra virgin olive oil. Remove the fish-bones from 4 anchovies and add the anchovies to the oil, crushing them until they dissolve. Add 1 kg of cuttlefish which have been thoroughly cleaned. Add half a glass of dry white wine and turn up the flame for 2-3 minutes until the wine has evaporated. Return to low heat and add four tomatoes (previously chopped and cleansed of seeds). Add salt and pepper and let cook for approximately 45 minutes. In the meantime prepare white polenta with 500g of Biancoperla flour and when it is ready pour into a large circular plate. Spread the cuttlefish on the polenta, sprinkle with parsley and serve warm.

Vino consigliato/*suggested wine*:
Soave D.O.C.

MOÉCHE E MAŚENÉTE

Moéca è il nome che i veneziani hanno dato al granchio marino comune, detto anche granchio ripario *(Carcinus Mediterraneus)* quando esso è al culmine della fase di muta, cioè dopo che ha perso la sua corazza e prima che in poche ore se la ricostruisca. Questo avviene in due periodi dell'anno, in primavera ed in autunno. Con il termine *maśenéta* si indica invece la femmina del granchio provvista di guscio, particolarmente apprezzata in cucina quando alla fine dell'estate, dopo la muta e l'accoppiamento, è matura e piena di uova. La *molechicoltura* è un'attività strettamente locale, il cui insegnamento si tramanda di padre in figlio, la tradizione è presente soprattutto a Burano e alla Giudecca, ma sembra che fino alla seconda metà del secolo scorso la produzione di questo stranissimo granchio fosse un segreto professionale dei molecanti di Chioggia. La pesca del granchio viene effettuata con reti da posta dette *seràie da seca* (*trezze*) costituite da lunghi sbarramenti di pali e reti (piantati ad ogni inizio di stagione) a cui sono collegate le trappole ad imbuto (*cogòlli*). I pescatori, una volta presi questi granchi nei *cogòlli* delle serraglie, li separano dal pesce cui sono mischiati, li portano dentro sacchi di iuta nei *casòni* e li selezionano, mettendo quelli prossimi alla muta, detti *spiàntani*, in grandi cassoni di legno semisommersi chiamati *vièri*. I granchi cui invece mancano una o due settimane per la muta sono detti *gransi boni* e vengono immessi appunto nei *vieri dei gransi boni*, da cui vengono trasferiti, quando è ora, nei *vieri da moéche*. Il lavoro sarà poi quello di verificare un paio di volte al giorno le fasi della muta ed estrarre velocemente gli *spiàntani* che hanno perso la corazza e sono diventati *moéche*, perché se rimanessero nei vieri, verrebbero mangiati dagli *spiàntani* ancora in possesso della corazza. A questo punto le *moéche*, naturalmente ancora vive e vitali, arrivano al mercato e sono pronte per il consumo. Per le femmine il ciclo evolutivo è diverso: esse infatti mutano solo alla fine della primavera, tra maggio e luglio, quando si preparano all'accoppiamento. Teoricamente in questo periodo potrebbero diventare *moéche* ma pescarle nel momento giusto è arte assai difficile: sembra che l'unico metodo sicuro sia quello di catturarle mentre sono attaccate ai maschi nell'accoppiamento! Tuttavia in autunno, quando hanno *il coràl a vòva*, cioè sono piene di uova e non mutano più, diventano una leccornia molto ricercata dai buongustai e in laguna vengono chiamate *maśenéte col coral*. Come tutti i crostacei, le *moéche* e le *maśenéte* sono ricche di proteine e povere di grassi, anche se rispetto al pesce hanno un contenuto più alto di colesterolo, inoltre sono una buona fonte di zinco, magnesio, iodio e ferro.

Moéca *is the term Venetians gave to the common sea crab* (Carcinus Mediterraneus) *when it is at the peak of its changing phase, that is in the few hours after it has lost its shell and before it grows it back. This happens in spring and in autumn.* Masenéta *indicates the female crab (with shell), which is particularly valued at the end of summer when, after having changed and having mated, she is mature and filled with eggs. Raising crabs is a strictly local activity, passed down from generation in generation. The tradition is especially present in Burano and in the Giudecca but it seems that until the second half of last century the raising of this strange crab was a secret known only to the crab farmers of Chioggia. Fishing crabs is accomplished by placing nets with funnel shaped traps in the water at the beginning of the season. The fishermen separate the crabs from the fish and bring them back to big warehouses where they select the crabs about to undergo their seasonal change and place them in a particular tub. The other crabs are put in a separate tub until they too are about to change. Every day the farmer will check for crabs who have lost their shell and quickly extract them from the tub. If they did not extract the naked crab he would be eaten by the others. At this point the shell-less crabs are brought to market, ready to be eaten. For the female crabs the cycle is different: they change only at the end of spring, between May and July, when they are preparing to mate. In theory they could also be fished as* moéche *(shell-less crabs) but catching them just at the right time proves to be very difficult: it seems like the only time they can be caught is when they are attached to the males during copulation. However they are most prized in autumn, when they are heavy with eggs and will no longer change.* Moéche *and* masenéte *are rich in protein and low in fats. They are higher in cholesterol than fish, but are a good source of zinc, magnesium, iodine and iron.*

Maśenéte in insalata con sedano verde di Chioggia

1 kg di maśenéte
2 spicchi di aglio
2 coste di sedano verde di Chioggia
cipolla
sedano

vino bianco
foglia di alloro
pepe nero in grani
1 ciuffo di prezzemolo
olio extravergine d'oliva
sale

Lavare più volte le maśenéte, poi lessarle in abbondante acqua bollente leggermente salata e aromatizzata con cipolla, sedano, vino bianco, una foglia d'alloro e alcuni grani di pepe nero. Si dovrebbero mettere in pentola ancora vive per essere certi che siano freschissime. Farle cuocere per sette, otto minuti, non di più, poi spegnere il fuoco e lasciarle intiepidire nel brodo di cottura. Scolarle, staccare le zampe e con una forbicina tagliare il carapace. Mettere le maśenéte in un'insalatiera, condirle ancora tiepide con un trito di aglio e prezzemolo, olio, sale e pepe. Aggiungere il sedano verde di Chioggia tagliato sottile dopo averlo ben lavato. Lasciarle riposare almeno un'ora perché assorbano il condimento, quindi servirle, magari accompagnate da fette di polenta bianca abbrustolita.

Female crab salad with Chioggia celery
Bring lightly salted water to boil with onion, celery, white wine, a laurel leaf and a few pepper corns. Clean 1 kg of masenéte (female crabs) thoroughly and boil them in the water. In order for them to be fresh, they should be added to the water alive. Let them cook for 7-8 minutes – no longer – remove from heat and let them cool down in the broth. Drain, remove the legs and cut the shell with small scissors. Place in salad bowl and season them while they are still warm with chopped garlic and parsley, olive oil and salt and pepper. Wash celery, slice thinly and add to salad bowl. Let sit for at least one hour in order for the crabs to absorb the seasoning, then serve with a slice of grilled white polenta.

Vino consigliato/*suggested wine*:
Pinot Grigio

Veneziano in moéca

La testimonianza della familiarità che i veneziani hanno con questo strano granchio, con la sua produzione e il suo consumo in cucina si trova come sempre nella lingua, basti pensare che il leone di San Marco, quando viene raffigurato di fronte avvolto nelle ali, è detto *leon in moéca*. Inoltre esisitono diversi modi di dire legati alle moéche e alle maśenéte: per esempio quando uno si dimentica sempre di portare qualcosa ad un altro, come un regalo promesso, quest'ultimo può ricordarlo sottolineando *"anca se'l deventa gransio no importa!"*, come dire che se anche è passato troppo tempo, tanto che la moéca ha rimesso la corazza, il regalo è ancora apprezzato! *"Andar in brodo de masenete"* si dice invece quando qualcuno o qualcosa viene a mancare, sparisce o si dilegua, come le maśenéte cotte troppo a lungo, tuttavia il veneziano non dispera mai: *"in mancansa de maśenéte, bone anca e sate!"*.

There are many liguistic testimonies of the familiarity the Venetians had with this strange crab. Saint Mark's lion, for example, when represented frontally framed by its wings is called leon in moéca *(the crab lion). Also there are many popular sayings related to* moéche *and* masénete*: when a person repeatedly forgets to bring a promised gift to another person, one can say: "even it becomes a crab, it doesn't matter", in other words even if too much time has gone by and the* moéca*'s shell grew back, the gift would still be appreciated. Also the expression "to become brothy crabs" is used when something disappears, like* masenéte *when they are cooked too long. However, Venetians never despair, as yet another crab-related saying testifies: "if we have no crabs, well, the legs are good too!"*

Moéche abbuffate "col pien" e asparagi bianchi di Bibione fritti

500-600 gr di moéche
2 uova
500 ml di latte
olio per friggere
farina bianca
sale

Per gli asparagi:
1 kg asparagi bianchi di Bibione
75 gr farina bianca
75 gr fecola di patate
1 cucchiaio e mezzo d'olio extravergine d'oliva
1 cucchiaio e mezzo di grappa
2 uova
acqua (secondo la consistenza desiderata)
sale
olio per friggere

Lavare le moéche, assolutamente vive e disporle in una capace terrina. Amalgamare al latte le uova con un pizzico di sale e coprire con questo composto le moéche. Lasciar riposare per almeno due ore. Nel frattempo, pulire gli asparagi con il pelapatate eliminando le parti esterne più fibrose, pareggiarli staccando la parte inferiore più dura e bollirli per 10 minuti in una pentola, legandoli con uno spago e avendo l'accortezza di lasciar le punte fuori dall'acqua. Per fare la pastella mescolare la farina con l'acqua, i tuorli d'uovo e la grappa; sbattere con una frustina finchè il composto non risulti liscio. Quindi, montare a neve gli albumi, incorporarli delicatamente all'impasto e infine regolare di sale. Sgocciolare gli asparagi e farli asciugare stendendoli su un telo. Infarinarli leggermente e passarli nella pastella. Scaldare bene l'olio in una padella per fritti e friggervi gli asparagi. Quando saranno ben dorati, metterli sulla carta assorbente per eliminare l'olio in eccesso. Quindi, scolare le moéche, infarinarle e friggerle in abbondante olio caldo. Servire caldo, accompagnando con gli asparagi bianchi fritti e con un buon vino frizzantino. Un piatto di rara crudeltà, ma di grande bontà.

Stuffed male crabs and fried white Bibbione asparagus
Wash 500-600g of moeche while they are alive and place them in a large baking dish. Mix ½ lt of milk, 2 eggs, a pinch of salt and cover the crabs with the mixture. Let sit for two hours. In the meantime, clean 1 kg of Bibione asparagus with a potato peeler by eliminating the tougher exterior fiber, cut them to the same size by cutting off the end, tie them with a string and boil for ten minutes keeping the tips

out of the water. Mix 75g flour, water, 2 egg yolks and 1 and a half tablespoons of grappa. Beat the egg whites and add to the mixture. Taste for salt. Drain the asparagus and let them dry on a cloth. Bring the oil to boiling, dip asparagus in mixture, and fry. When they are golden brown, remove from oil and place on paper towels to eliminate excess oil. Then drain the crabs, dip in flour and fry in hot oil. Serve warm with the fried white asparagus and a good white wine. This is certainly a cruel dish, but it is delicious.

Vino consigliato/*suggested wine*:
Verdiso D.O.C.

La madonna del molécante

Nella chiesa di San Francesco, a Chioggia verso la fine dell'ottocento era stato collocato un quadro raffigurante una tenera Madonna çol bambino. I *molécanti* nel tempo l'avevano eletta loro protettrice, come era tradizione tra i pescatori chioggiotti che da sempre affidano alla madonna le preghiere per il loro lavoro. Tanto era l'affetto per quest'icona che ad un certo punto i *molécanti* decisero di donarle il simbolo delle loro fatiche: una piccola *moéca* d'argento che fu incastonata nella tavola che reggeva la tela. Purtroppo nel tempo le due opere sono state separate in due cornici distinte, ma sono tutt'oggi conservate una accanto all'altra nel Museo Diocesano di Chioggia.

A painting of the Madonna with Child was placed in the church of Saint Francis in Chioggia at the end of the nineteenth century. Following tradition, the crab fishers chose her as their protector. They were so devoted to her that the crab fishers decided to offer her the symbol of their work: a small silver crab which was set into the frame of the painting. Unfortunately the two works of art were eventually separated but they hang side by side at the Museo Diocesano in Chioggia.

MOSCARDINO DI CAORLE

Nelle acque del mare antistante Caorle, dalla foce del Piave al Tagliamento, vive un mollusco cefalopode di dimensioni ridotte rispetto a quelle del classico polpo *(Octopus vulgaris)*, dalla colorazione grigio brunastra e con macchie nere sul dorso, che appena pescato emana un caratteristico odore di muschio e per questo viene chiamato moscardino *(Eledona moscata)*. A differenza del polpo, questo mollusco possiede un unica fila di ventose per ogni tentacolo e raggiunge una lunghezza massima complessiva di 35 cm per un peso di 700 grammi, anche se le dimensioni medie sono 15-20 cm per un peso di 100- 300 grammi. Vive sui fondali sabbiosi e fangosi dell'alto adriatico, si riproduce tra gennaio e maggio e viene pescato con reti a strascico in tutto l'arco dell'anno, specialmente in primavera ed inverno. Da uno studio scientifico è stato scoperto che il moscardino di Caorle contiene un'elevata percentuale di collagene, la sostanza che rende elastica la pelle umana. Dal punto di vista nutrizionale inoltre il moscardino di Caorle da un buon apporto di micronutrienti, sali minerali e vitamine fondamentali; è povero di calorie e di grassi ma ricco di proteine e per questo è particolarmente indicato nelle diete ipocaloriche.

In the sea off of Caorle, between the mouth of the Piave River and the Tagliamento, there is a small grey cephalopod with black spots on its back that emits a musk-like smell as soon as it's fished, a characteristic which gives it the name "moscardino". Each tentacle has only one line of suction cups and it can grow to be 35 cm long and weigh 700 grams. On average, however, it is 15 to 20 cm along and weighs 300 grams. It lives on the sandy and muddy bottom of the northern Adriatic and is fished with special nets throughout the year, especially in winter and springtime. A scientific study has proven that these mollusks contain high quantities of collagene and can thus prevent the wrinkling of the skin and loss of tone. Rich in mineral salts, vitamins and protein, it lacks in calories and fats,therefore it's good for diets.

Moscardini in umido con patate di Chioggia e zucchini

800 gr di moscardini di Caorle
300 gr di patate di Chioggia
300 gr di zucchine
1 cipolla piccola
1 peperoncino
2 spicchi di aglio
1 mazzetto di prezzemolo
300 gr di pomodori perini oppure 1 cucchiaiata di purea di pomodori secchi
olio extravergine d'oliva
½ bicchiere di vino bianco
basilico
cerfoglio
crostoni di pane

Scottare i pomodori in acqua bollente, pelarli, dimezzarli, privarli dei semi e tagliarli a filetti. Mettere sul fuoco una casseruola di terracotta con l'olio e quando è ben caldo farvi imbiondire l'aglio e la cipolla tritati. Unire i pomodori, cospargerli con il basilico e il cerfoglio tritati finemente, quindi insaporire con una presa di sale e un pizzico di pepe. Aggiungere i moscardini e quando sono ben insaporiti, aromatizzare con il peperoncino. Dopo qualche minuto, sfumare col vino e coprire la casseruola. Mescolare di tanto in tanto e quando mancano circa 20 minuti alla fine della cottura, aggiungere i pomodori e le patate pelate e tagliate a cubetti di due centimetri. Controllare che ci sia sugo sufficente per la loro cottura, altrimenti aggiungere acqua calda. Dopo circa 10 minuti, aggiungere le zucchine a pezzettoni e appena prima di servire il prezzemolo tritato finissimo. Servire nei piatti irrorando col sughetto i crostoni di pane.

Moscardini Chioggia potatoes and zucchini
Quickly boil 300g of tomatoes in water, and then peel, halve, remove seeds and slice. Place a terracotta casserole dish on a low flame, add oil and when it is warm

add a thinly sliced small onion and garlic. Add tomatoes, cerfoglio, salt and pepper. Add 800g moscardini and red pepper. Add half a glass of white wine. Stir occasionally and twenty minutes before removing from heat add the tomateos and 300g potateos that have been peeled and cubed. If mixture becomes too dense, add water. After 10 minutes, add 300g zucchini cut in big chunks. Before serving sprinkle with finely chopped parsley. Place bread on bottom of bowls and spoon the soup on it.

Vino consigliato/*suggested wine*:
Brut di Prosecco Valdobbiadene D.O.C.

Moscardini alla scapece

1 kg di moscardini di Caorle
2 cipolle bianche di Chioggia
2 spicchi d'aglio
olio extravergine d'oliva
aglio
1 l di aceto
menta
alloro
sale

Dopo averli puliti dalle interiora e privati degli occhi e della bocca, lessare i moscardini in 6 parti di acqua e 1 di aceto con una cipolla e mezza tagliata a pezzi e una presa di sale. Intanto far soffriggere in qualche cucchiaiata d'olio la mezza cipolla rimasta tagliata sottile, i due spicchi d'aglio schiacciati, le foglie di alloro e di menta; unire un litro di aceto e portare a bollitura. Passare al setaccio questo miscuglio: con la sola parte liquida coprire i polpetti lessati dopo averli sistemati in un contenitore di vetro chiudibile ermeticamente. Così preparati, dopo almeno una settimana, i moscardini sono deliziosi.

Scapece moscardini
Clean 1 kg of moscardini, remove eyes and mouth. Boil in 6 parts water and 1 part vinegar one and a half onion cut into big pieces and salt. Brown the remaining half onion in oil with two garlic cloves, the laurel leaves and a mint leaf. Add 1 lt of vinegar and bring to a boil. Press this mixture through a fine sieve. Retain the liquid. Drain the mollusks, place in a glass dish (it needs to be sealable), and cover with the liquid obtained. After a week the mollusks will be delicious.

Vino consigliato/*suggested wine*:
Pinot Bianco D.O.C.

Scapece o in saor?

Lo scapece, nelle sue diverse varianti locali, è la preparazione che si fa del pesce (e talora di alcune verdure) fritto o lessato e marinato in aceto con varie erbe aromatiche. La parola "scapece" è arrivata nel sud Italia con la dominazione aragonese dallo spagnolo *escabèche* che a sua volta proviene dalla latinizzazione *askipitium* dell'arabo *as-sikbāj* che designava una preparazione molto apprezzata di quella cucina abbastanza simile allo scapece, ma riservata di solito alle carni bollite. In Veneto questo tipo di preparazioni agrodolci vengono solitamente dette *in saòr*, parola che deriva dal medievale italiano *savore* e dal latino *sapor*, portando con sè una vocazione al "recupero" oltre che alla conservazione dei cibi. Del resto in una cucina dove non si butta mai via niente è fondamentale poter rinnovare il gusto di un cibo avanzato o non freschissimo con qualche intingolo, e come sempre i veneziani han saputo fare di necessità virtù.

Scapece *is a particular way of preparing fish (and sometimes vegetables) according to which you fry or boil it and then let it marinate in a vinegar juice. The word* scapece *was first introduced in Southern Italy during the reign of the Aragon family. The Spanish word* escabeche *derived from the Latin variant* askipitium *of the Arabic* as-sikbaj, *a word which designated a very similar preparation reserved noramlly to boiled meats. In the Venetian dialect this type of preparation that mixes sweet and sour flavors is usually called* in saor, *a word deriving from medieval Italian* savore *and from the Latin* sapor. *Not only does this type of preparation aid in the preservation of the food, it makes it possible to "recuperate" leftovers. In a cuisine where you don't throw away anything it is important to be able to renew the flavor of leftovers – as usual Venetians make a virtue out of necessity.*

SCHIE DELLA LAGUNA

Le *schìe* sono dei piccoli gamberetti grigi della famiglia *Crangonidae* che vivono sui fondali sabbiosi della laguna di Venezia e del Delta del Po. Presentano una tipica colorazione grigio-bruna, con fitta e sottile maculatura a puntini neri, e possono raggiungere la lunghezza di 9 centimetri anche se la taglia media si aggira sui 3-5 centimetri. La pesca di questo crostaceo, come di tutta la fauna ittica lagunare, affonda le sue radici ai tempi remoti risalenti all'epoca della fondazione dei primi insediamenti in laguna. Al giorno d'oggi viene effettuata in vari modi: in area costiera si utilizza un'apposita rete a strascico chiamata *schiler*, in laguna vengono usate invece reti da posta chiamate *traturi* o *bertovelli* e infine nella pesca sportiva si usa un particolare retino a mano chiamato paravanti, dalla forma triangolare, dotato di un ampio sacchetto a maglia stretta, che viene spinto camminando sul basso fondale. Una volta pescate le *schìe* vengono commercializzate ancora vive dentro apposite cassette di polistirolo o materiale plastico, refrigerato con scaglie di ghiaccio. Rappresentano una delle specie ittiche un tempo considerate poco pregiate e snobbate dalle tavole più raffinate perchè considerate *magnar da poareti*, ma ora rivalutate a livello gastronomico e conseguentemente a livello economico. Per gustarle veramente alla veneziana bisogna mangiarle non curate, con le mani e accompagnate da una morbida polentina.

Schíe *are small shrimp that live on the seafloor of the Lagoon of Venice at the Mouth of the Po River. They are usually greyinsh-brown with many black spots. They can grow to be 9 cm long but usually are 3 to 5 cm long. The first inhabitants of the lagoon began fishing these shrimp. Today there are many ways to fish them depending on the net used. These shrimp are sold alive, in special containers with ice cubes. They used to be looked down upon as "poor man's food," but have been rediscovered. You should use your hands to eat this shrimp and serve it with polenta if you want to be authentically Venetian.*

Schìe all'olio con crema di mais

400 gr di schìe della laguna

200 gr di farina di mais Biancoperla
aglio
prezzemolo
olio extravergine d'oliva
sale e pepe

Preparare una polenta alquanto morbida e tenerla in caldo. Lavare le schìe, farle bollire in acqua già calda per pochi minuti, scolarle e sgusciarle. Tritare l'aglio e il prezzemolo, aggiungere un po' d'olio, sale e pepe. Mettere le schìe lessate ad insaporire in questo condimento, oppure farle soffriggere in olio d'oliva con aglio e prezzemolo tritati, bagnandole con del vino bianco. A fine cottura guarnire con altro prezzemolo tritato e regolare di sale e pepe. Servire in un piatto fondo, caldo, sopra una fontana di polenta.

Schìe with oil and corn cream
Prepare a soft polenta (with 200g of Biancoperla flour) and keep warm. Wash 400g of schìe, boil, drain and remove the shell. Chop the garlic and the parsley, add a bit of oil, salt and pepper. Place the boiled schìe in this marinade or fry them in oil with chopped garlic and rosemary, pouring white wine over them. After they have been cooked, garnish with parsley and salt and pepper. Serve in a warm bowl over the polenta.

Vino consigliato/*suggested wine*:
Verduzzo del Piave Bianco D.O.C.

Schìe fritte con polentina Biancoperla

400 gr di schìe della laguna
200 gr di farina di mais Biancoperla
farina 00

Lavare molto bene le schìe, asciugarle, infarinarle e friggerle in olio bollente. Nel frattempo preparare una polentina di farina di mais

Biancoperla, stenderla calda nei piatti e sopra sistemare le schìe fritte calde e croccanti. Servire subito.

Fried schìe with white polenta
Wash 400g of schìe thoroughly, dry, roll in flour and fry in boiling oil. Prepare the polenta with 200g of Biancoperla flour. Ladle warm into bowls and place the fried schìe on top. Serve immediately.

Vino consigliato/*suggested wine*:
Tocai di Lison D.O.C.

Riçeta

Calarle in acqua freda e saladina,
a fogo lento fin che leva el bogio,
scolarle ben e dopo zo in farina,
zontandoghe parsemolo , agio e ogio.
Nel so consier lassarle riposar,
un per de ore, che le ciapa gusto,
e co ve par che sia 'l momento giusto
meteve la polenta a cusinar.
Menando sempre senza mai molar
E stando 'tenti che no la fassa gnochi,
trenta minuti, forse i xe 'nca pochi,
e su 'l tagier la xe da rebaltar
adesso zente zo meteve a tola
tireve su le maneghe e magné
sto piato prelibato e vedaré
che 'l ve farà restar senza parola
lasselo pur da parte el galateo,
se volé farghe onor a sto disnar,
no serve ne piron e ne corteo
anzi, le man gavé da doparar,
solo cussì le podaré gustar
parché, a Venessia fin da l'ano mile,
xe questa la maniera de magnar
la celebre "polenta co le schie"!

Francesco Cavasin

Ricetta
Metterle in acqua fredda e salata,/ a fuoco lento finchè non bolle/ scolarle per bene e dopo giù nella farina,/ aggiungendo prezzemolo, aglio e olio./ Nel loro condimento lasciarle riposare,/ un paio d'ore che prendano gusto,/ e quando vi pare che sia il momento giusto/ mettetevi a cucinare la polenta./ Mescolando di continuo senza smettere mai/ e stando attenti che non faccia grumi,/ trenta minuti forse sono pochi,/ e sul tagliere è ora di rovesciarla/ adesso gente avanti mettetevi a tavola/ tiratevi su le maniche e mangiate/ questo piatto prelibato e vedrete/ che vi farà restar sena parola/ mettete pure da parte il galateo, se volete fare onore a questo cibo,/ non serve ne forchetta ne coltello/ anzi, le mani dovete usare,/ solo così le potrete gustare/ perchè a Venezia fin dall'anno mille,/ è questo il modo di mangiar/ la celebre "polenta con le schie"

Recipe
Place in cold water and add salt/ over a low flame until it boils/ drain well and then in the flour/ adding parsley, garlic and oil./ Let sit in the marinade/ for a couple of hours so they absorb the flavor/ and when you think the time is right/ start preparing the polenta./ Keep stirring without ever stopping/ and don't let lumps form,/ maybe thirty minutes is not enough/ pour it all onto a board/ and everybody should come to the table/ roll up your sleeves and/ eat this great dish/ you will see that you will remain speechless/ don't worry about table manners, if you want to honor this food/ you don't need fork and knife/ in fact, you should just use your hands/ that is the only real way to enjoy them/ because in Venice since the year 1000/ this is how they've eaten "polenta with schìe"!
(Francesco Cavasin)

ROVIGO

Polenta nova e oséi de riva, vin de grota e zente viva

Un pasto magro e un bon, mantien l'omo in ton

Polenta nuova e uccelli di passo, vino di cantina e gente contenta
Fresh polenta and birds from the river banks, wine from the cellar and happy people

Un pasto leggero e uno abbondante mantengono l'uomo in forma
A light meal and a large one keep a man in form

Quando a Rovigo mezogiorno sona

di Gino Piva

Quando a Rovigo mezogiorno sona,
fasoi che boie e mescole che mena:
soto el parolo- e sbingola cadena!-
bronze de fasso e fiame de fassina.

I xe fasoi de 'na più bela tega
e 'l xe el più 'legro fogo che ghe sia
e Gesù sia lodato e pò Maria,
la xe polenta de la meio laga.

Quando a Rovigo mezogiorno canta,
le bine de pan moro de Stanao
i lo sa tuti che le riva in cao
e che le pinze se le crompa a spenta.

Quando a Rovigo i sona a la Rotonda,
segno che San Bortolo gà finio,
San Agostin, pistando, ghe va drio;
e 'na volta i sonava a la Comenda...

San Rocco, el povarin, no' ghe n'à voja
scampana inveçe in pressia i Capuçini,
ghe manca a San Francesco dó cantini
el campanon de Piaza l'è 'na sveia.

El Domo pò, 'l se dà de l'importanza,
San Domenego el xe 'na racoleta;
a la Madona d'i Sabioni i speta
il mezogiorno i morti e i ga pazienza.

Quando a Rovigo mezogiorno passa
no' ghè scodela che la resta svoda
e de scondon sul ponte de la Roda,
se pò catare la più mora dressa.

Ghè per le bionde el Ponte de la Sale
ma per quel ponte ghe ne passa poche;
in Piaza se fa védare le cioche
e le più furbe va per le Zemele.

E se le va sui ponti o su la strada,
n'esser de mi gelosa o Ciara Stela,
ma inasiame anca a mi la to scodela
e daghe al me sculiero 'na forbida

Destira su la tôla la tovaja
ordia da ti col cáneo de Belfiore
o Ciara Stela, vissere mie, amore,
boca de rosa e vita de paveja!...

T'impenirò de vin la bocalina,
de quelo che ne piase, de golena;
te basarò, pò dopo, a boca piena
sul bianco petesin come la pana.

Ma questo, Ciara Stela, l'è 'n bel sogno
e ti non te si che la mia sognada
quando d'andare solo per la strada
son stufo come un re che n'abia regno,

Quando a Rovigo mezzogiorno sona
e ti per caso te si sperso fora,
varda de ritornar a la fersora
de Ciara Stela e a mescole che mena...

"Quando a Rovigo mezzogiorno suona" di Gino Piva

Quando a Rovigo mezzogiorno suona,/ fagioli che bollono e mestoli che girano:/ sotto il paiolo- e penzola la catena!-/ braci di fascio e fiamme di fascina./ Sono fagioli della più buona qualità/ ed è il più allegro fuoco che ci sia/ e Gesù sia lodato e poi Maria,/ questa è polenta del miglior raccolto/ Quando a Rovigo mezzogiorno canta,/ le piccie di pane nero di Stanao/ lo sanno tutti che vanno in calo/ e che le pinze[1] si comprano a spintoni./ Quando a Rovigo suonano alla Rotonda/ segno che San Bortolo ha finito,/ San Agostino, battendo, gli va dietro/ e una volta suonavano alla Commenda.../ San Rocco, il poveretto, non ne ha voglia/ scampanano invece in fretta i Cappuccini,/ gli mancano a San Francesco due cantini/ il campanone della Piazza è una sveglia./ Il Duomo poi, si da dell'importanza, San Domenico è come un'anatra;/ alla Madonna dei Sabbioni aspettano/ a mezzogiorno i morti hanno pazienza./ Quando a Rovigo mezzogiorno passa/ non c'è scodella che resti vuota/ e di nascosto sul ponte della Roda/ si può trovare la più mora treccia./ Per le bionde c'è il ponte del Sale/ ma per quel ponte ne passano poche;/ in Piazza si fanno vedere le chioccie/ e le più furbe vanno per le Gemelle./ E se vanno sui ponti e sulla strada,/ non essere gelosa di me oh Chiara Stella,/ma preparami anche a me la tua scodella, e dai al mio cucchiaio una strofinata/ stendi sulla tavola la tovaglia/ tessuta da te con la canapa di Belfiore/ oh Chiara Stella, viscere mie, amore,/ bocca di rosa e vita di libellula!.../ Ti riempirò di vino il boccale,/ di quello che ci piace, di golena;/ ti bacerò, poi, a bocca piena/ sul petto bianco come la panna./ Ma questo, Chiara Stella, è un bel sogno/ e tu non sei che la mia sognata/ quando di andar solo per la strada/ sono stufo come un re che non abbia regno,/ Quando a Rovigo mezzogiorno suona/ e tu per caso ti sei perso fuori, vedi di ritornare alla padella/ di Chiara Stella e ai mestoli che girano...

"When the bell tower sounds noon in Rovigo" by Gino Piva

When the bell tower sounds noon in Rovigo,/ beans are boiling and ladles turning:/ under the pot and hanging-chain -/ embers of heat and flames beaming charm./ Beans of the best quality/ and the most cheerful fire there is/ and Jesus be praised and then Mary,/ this is the best polenta harvested/ When in Rovigo noon sings,/ a piece of Stanao black bread/ everybody knows it is going down/ and that the tongs are jostling the last embers./ When the bells sound in the Rotonda/ it means those of San Bortolo are finished/ San Augustine, pealing, follows next/ and then plays the Commenda .../ Poor San Rocco doesn't want to sound,/ so the Cappucini jumps in first and chimes in a hurry,/ still missing are the two San Francesco Cantini/ and the tower in the Square is not yet awake./ The cathedral peals, importantly,/ while San Domenico sounds like a duck;/ waiting for Madonna dei Sabbioni to sound/ the dead are patient./ When in Rovigo noon passes/ no bowl remains empty/ and hidden on the bridge of Roda/ you can find the darkest braids./ For blondes go to

1 Pane dolce tipico del periodo Natalizio

the bridge of Sale/ but over that bridge pass very few,/ in Piazza they are showing their hens/ and the most cunning go for the Gemelle./ And if they go on the road and bridges,/ don't be jealous of me, Chiara my star,/ but prepare me your bowl,/ and give my spoon a rub/ Stretch out the table cloth/ woven yourself with hemp from Belfiore/ oh Chiara my star, my stomach, love,/ with lips so pink and a waist like a dragonfly!.../ I will fill your cup with wine,/ of that we like so well,/ then kiss you, with a mouth full/ on your chest white as cream./ But this, Chiara my star, is a beautiful dream/ and you don't know that my dream/ when I am on the road alone/ I am like a king with no kingdom,/ When in Rovigo noon sounds/ and you by chance are not at home/ return to the pan/ of Clare my star, and get the ladles turning ...

RADICCHIO BIANCO DI LUSIA

Il radicchio Bianco di Lusia appartiene alla famiglia delle cicorie *(Cichorium intybus)*, e come tutti gli altri radicchi veneti è un discendente del Rosso di Treviso, deriva infatti da una selezione massale avvenuta negli anni quaranta del secolo scorso del Variegato di Castelfranco, che a sua volta è un incrocio tra radicchio di Treviso e scarola. Caratterizzato da foglie tondeggianti, di colore dal bianco al verde chiaro brillante, percorse da screziature rosso-violacee, e riunite in un germoglio semiserrato leggermente allungato, il Bianco di Lusia ha sapore fresco, delicato e livemente amarognolo. Viene seminato tra giugno e l'inizio di agosto, la raccolta inizia dopo la metà di settembre e viene svolta manualmente per non rovinare il prodotto. Quindi si procede con l'imbiancatura: i cespi vengono riposti nella sabbia ricoperti da paglia o altro materiale vegetale e mantenuti inumiditi con annaffiate quotidiane. Dopo circa 8-10 giorni sono pronti per il mercato locale, dove sono reperibili solo per pochi mesi. Prodotto pregiato e gradevole dal punto di vista organolettico, il radicchio bianco di Lusia è particolarmente ricco in calcio, ferro, fosforo, magnesio e vitamine; è indicato per la cura di diversi disturbi, dalla demineralizzazione, alla stipsi, e, grazie alle sue sostanze sedative, anche contro l'insonnia. Infine possiede proprietà diuretiche e depurative.

The white radicchio of Lusia belongs to the chicory family (Cichorium intybus), *and like all other Venetian radicchi it descends from the red radicchio of Treviso. In fact it is the end result of a mass selection which occurred in the 1940s of the Variegato Castelfranco variety, which is in turn a cross between the radicchio of Treviso and scarola. Characterized by round leaves, a pale white to bright green color, reddish purple hues, the white radicchio of Lusia has a fresh, delicate and slightly bitter taste. It is planted between June and the beginning of August, and harvested after mid-September and is performed manually in order not to ruin the product. Then you proceed with the bleaching: the units are placed in sand covered with straw or other natural material and moistened with watered daily. After about 8-10 days they are ready for the local market, where they are available only for a few months. It is particularly valuable for its taste, rich in calcium, iron, phosphorus, magnesium, and vitamins. It is indicated for the treatment of various disorders: demineralization, constipation, and even against insomnia. Finally it has diuretic and depurative properties.*

Marmellata di radicchio bianco di Lusia

1,2 kg di radicchio bianco di Lusia
250 gr di acqua
300 gr di zucchero
la buccia grattugiata di 1 limone e 1 arancia biologici
un pizzico di cannella in polvere

In una casseruola a fondo spesso preparare uno sciroppo di base con l'acqua, lo zucchero e la buccia grattugiata del limone e dell'arancia. Lasciare ridurre quasi a metà. Nel frattempo far appassire in una padella con un goccio d'acqua il radicchio mondato, lavato e tagliato a striscioline finissime. Coprirlo con lo sciroppo, unire la cannella e lasciar bollire a fuoco alto mescolando continuamente fino a quando la marmellata si addensa e comincia quasi a caramellare sul fondo della casseruola.

White Lusia radicchio jam
In a casserole dish prepare syrup made with 250ml water, 300g sugar and 1 orange and 1 lemon zest. Let reduce to almost half. Meanwhile in a pan sauté 1,2 kg of washed and thinly sliced radicchio in a drop of water. Cover with syrup, add a pinch cinnamon and let boil on high flame, stirring continuously until the jam thickens and starts to caramelize at the bottom of the casserole.

Crostata di mandorle e bianco di Lusia

260 gr di farina bianca 00
200 gr di burro
120 gr di zucchero a velo
30 gr di mandorle macinate finissime
2 tuorli d'uovo
1 pizzico di sale

alcune gocce d'essenza di vaniglia
500 gr di marmellata di radicchio bianco di Lusia
30 gr di mandorle a scaglie

Mescolare la farina alla polvere di mandorle, formare la fontana e mettere al centro il burro tagliato a tocchetti e ammorbidito a temperatura ambiente, lo zucchero a velo, i tuorli d'uovo, il sale e l'essenza di vaniglia. Impastare il tutto non troppo a lungo e porre in frigo a riposare per un'oretta o più. Passato il tempo necessario stendere la pasta con un mattarello e foderare il fondo di una tortiera; farcire con la marmellata di radicchio e cospargere con le scaglie di mandorla, quindi cucinare per circa 30 minuti in forno a 180°C. Lasciar raffreddare, spolverizzare di zucchero a velo e servire.

Almond and white Lusia radicchio pie
Mix 260g flour with 30g finely ground almond. Form a fountain shape and at the center put 200g butter cut into pieces and softened to room temperature, 120g confectioner sugar, 2 egg yolks, a pinch of salt ad a few drops of vanilla essence. Knead, but not too long, and put in fridge to rest for an hour or more. Afterwards spread the dough with a rolling pin and line the bottom of a pie dish with it. Fill with 500g white radicchio jam and sprinkle with almond slivers. Then cook for about 30 minutes in oven at 180°C. When cool, sprinkle with icing sugar and serve.

Vino consigliato/*suggested wine:*
Moscato Rosa Colli Euganei D.O.C.

COZZA DI SCARDOVARI

Il Delta del Po è un territorio unico, frutto dell'opera sia della natura, in particolare della sedimentazione del fiume, sia dell'uomo, che nel corso dei secoli ha regolato il flusso delle acque e bonificato i terreni. In questa terra, dove natura, storia, tradizione e cultura si intrecciano in un ambiente naturale sorprendente, l'attività della pesca rappresenta il comparto trainante dell'economia locale e in particolare la molluschicoltura, con l'allevamento delle cozze, chiamate "l'oro nero del delta". E' infatti la peculiarità dell'ambiente salmastro delle lagune del Delta del Po, a conferire alla cozza di Scardovari una qualità decisamente superiore, un sapore particolarmente delicato ed una velocità di accrescimento sorprendente: racchiuso tra due valve simmetriche di forma ovale allungata e di colore nero o nero violaceo all'esterno e madreperlaceo all'interno, il mollusco della cozza è turgido e di colore giallo intenso nella femmina, biancastro nel maschio, ha odore e gusto delicati che richiamano intensamente il salmastro e cresce fino a 6-7 cm di lunghezza. Secondo il metodo di allevamento tradizionale, iniziato nella Sacca di Scardovari nella fine degli anni 60, i semi selvatici delle cozze vengono posizionati all'interno di *reste,* lunghe calze di rete di plastica appese a pali di legno impiantati su fondali profondi 3-5 m; all'interno delle *reste* i mitili si fissano tra di loro e sulla rete, che deve più volte essere sostituita durante l'accrescimento dei molluschi per consentirne uno sviluppo ottimale. Il ciclo di allevamento dura 10-12 mesi, e si procede alla raccolta, sempre manualmente, durante il periodo primaverile. Caratterizzata, come tutti i molluschi bivalvi, da una carne magra con un buon contenuto proteico, la cozza è ricca di vitamine, ferro, calcio, fosforo, selenio, iodio e zinco, è pertanto antiossidante e utile al buon funzionamento della tiroide, della circolazione sanguigna e del sistema immunitario. Riconosciute sono infine le sue proprietà digestive e stimolanti.

The Po Delta is a unique territory, the result of both the work of nature, with the flow and sedimentation of the river, and the work of man who over the centuries has regulated the flow of water and reclaimed land. In this land, where nature, history, tradition and culture are interwoven in a remarkable natural environment, the activity of fishing is the driving compartment of the local economy, particularly shellfish, with the farming of mussels, called "the black gold of the delta." The environment of the brackish lagoons of the Po Delta give the mussel of Scardovari a high quality, a very delicate flavor and a surprising rate of growth. The outside is symmetrical elongated oval in shape, colored black or purplish black on the outside and mother of pearl on the inside. The shellfish meat is large and swollen, yellow in the female and whitish in the male, has a delicate scent and an intensely salty flavor, is grows up to 6-7 cm length. According to the traditional method of farming, which started in the Lagoon of Scardovari in the late 1960s, the seeds of wild mussels are placed within reste, *long socks made of plastic netting hung on wooden poles planted at depths of 3-5 m; within the* reste *mussels are attach to each other and the netting, which must be replaced several times during the growth of the shellfish to allow optimal development. The breeding cycle lasts 10-12 months, and collection is by hand during the spring. Characterized, like all bivalves, by a lean meat with good protein content, the mussel is rich in vitamins, iron, calcium, phosphorus, selenium, iodine and zinc, is antioxidant and therefore useful for the proper functioning of the thyroid, blood movement and the immune system. Finally, it is recognized for its digestive and stimulant properties.*

Cozze alla maniera di Scardovari

5 kg di cozze di Scardovari
100 ml di vino bianco
70 gr di burro
500 ml di panna fresca
1 cipolla grossa
3 scalogni
1 spicchio d'aglio
1 foglia d'alloro
timo
prezzemolo tritato
sale e pepe (o peperoncino)

Affettare la cipolla e gli scalogni separatamente e pestare l'aglio. Raschiare le cozze pulirle bene e lavarle più volte in acqua fredda. Metterle in una casseruola con metà del burro, la cipolla, la metà del prezzemolo, una macinata di pepe oppure un peperoncino, un pizzico di sale, l'aglio, l'alloro, un pizzico di timo secco o un rametto di quello fresco e il vino bianco. Coprire con un coperchio e lasciar aprire le cozze. In un'altra casseruola sciogliere un poco di burro, farvi appassire gli scalogni, poi aggiungere la panna. Togliere le valve a cui non sia attaccato il mollusco e disporre le cozze sui piatti fondi di portata. Versare il liquido delle cozze, filtrandolo con un telo bianco, nella casseruola degli scalogni e far ridurre quasi a metà. Spegnere il fuoco e incorporare il resto del burro e del prezzemolo, versare sulle cozze e servire.

Mussels in the manner of Scardovari
Slice 1 large onion and three shallots separately and crush 1 clove of garlic. Scrape clean 5kg of Scardovari mussels and wash them well several times in cold water. Put them in a saucepan with 35g of butter, the sliced onion, some chopped parsley, ground black or red pepper, salt, the crushed garlic, 1 bay leaf, a pinch of dried thyme (or a sprig of fresh thyme) and 100ml of white wine. Cover with a lid and cook until the mussels open. In a large pan melt some butter and sauté the shallots, then add 500ml of fresh cream. Remove the shells from any mussels that are not already detached, then put them in the a bowl. Pour the liquid of the mussels through a filter of white cloth into the shallots pan and cook until it is reduced almost in half. Turn off the fire, add 35g of butter and some parsley, pour over the mussels and serve.

Vino consigliato/*suggested wine:*
Soave D.O.C.

Minestra "Cozza by"

2 kg di cozze grosse di Scardovari
2 cipolle bianche
2 ciuffi di prezzemolo tritato
1 costa di sedano tritata
1 bicchiere di vino bianco secco
2 tazze di brodo di pesce
250 ml di panna liquida
Grana Padano
sale e pepe

Mettere le cozze dopo averle ben pulite in una casseruola con le cipolle affettate finemente, il prezzemolo, il sedano, il pepe macinato e pochissimo sale. Aggiungere il vino bianco ed il brodo di pesce. Quando le cozze si saranno aperte, far riposare 5 minuti e poi toglierle; con l'aiuto di una tela molto fine passare il brodo e farlo ridurre un pò; quindi aggiungere la panna, far bollire e riunire le cozze private delle valve. Spegnere il fuoco e servirle accompagnate da scagliette di Grana Padano.

Soup "by Cozza"
Clean 2 kg of large Scardovari mussels well, then put in a saucepan with the 2 finely sliced white onions, 2 tufts of chopped parsley, 1 stick of chopped celery, ground pepper and salt. Add 1 glass of dry white wine and 2 cups of fish broth. When the musselsl open, and allow to stand 5 minutes and then remove them. With the help of a very fine canvas cloth, drain the stock and cook it a bit to thicken it, then add 250ml of cream, then add the shelled mussels back in and bring to a boil. Turn off the fire and serve accompanied by flakes of Grana Padano.

Vino consigliato/*suggested wine:*
Pinot Grigio Lison Pramaggiore

Virtuose cozze

Meno pregiate delle sorelle ostriche, le cozze sono comunque annoverate fra i cibi afrodisiaci dai tempi antichi. L'origine di tale credenza va forse rintracciata nel simbolismo femminile della conchiglia, che nell'esegesi biblica veniva collegata alla figura di Maria e al concetto di virtù nascosta, perchè la sua parte commestibile, saldamente chiusa dalle valve, può rappresentare il sentimento dell'amore celato nell'intimo dell'essere umano. Magari non sarà questione di virtù, ma il modo di mangiare le cozze con le mani, cercando con la bocca la polpa soda nascosta al loro interno, è sicuramente molto intimo e può facilmente fungere da simbolo erotico. Forse per questo le cozze sono state da sempre ritenute in grado di stimolare l'attività sessuale, ma a quanto pare non è solo questione di suggestioni: i molluschi bivalvi infatti sono ricchi di zinco, un minerale fondamentale per la maturazione sessuale perchè aiuta a produrre il testosterone; inoltre contengono un'elevata quantità di dopamina, che produce le endorfine, le sostanze regolatrici del senso del piacere.

Less esteemed than their sisters the oysters, mussels have still been considered aphrodisiac since ancient times. The origin of this belief may be traced in the female symbolism of the shell, which in biblical studies was even connected to the figure of Mary and to the concept of hidden virtue: infact their edible part is firmly encased in the shell, like the feeling of love is hidden within the human being. Perhaps not so virtuous, but the way to eat mussels is with the hands, trying to suck out the soft flesh soda hidden within them, an intense activity that can easily serve as an erotic symbol. Perhaps this is why mussels were always considered to stimulate sexual activity, and apparently this is not just folklore: mollusks are rich in zinc, a mineral essential for sexual maturity because it helps to produce testosterone, and also contain high amounts of dopamine, which produces endorphins, substances that regulate the sense of pleasure.

VONGOLA VERACE DEL POLESINE

Originaria dei mari tropicali, la vongola verace *(Tapes phlippinarum)* è stata introdotta nella laguna Veneta negli anni settanta, affiancandosi alle specie autoctone *(Tapes decussantus)*. Adattatasi magnificamente alle condizioni ambientali locali, la vongola verace ha colonizzato ampie aree lagunari e la pesca di questo mollusco ha subito trasformazioni radicali in quasi tutta la zona costiera, con attrezzi selettivi, efficienti e di alta meccanizzazione. Nella zona del polesine invece, dove la nuova varietà venne introdotta subito, il processo di raccolta è rimasto semplice e quasi esclusivamente manuale, praticato con attrezzi tradizionali come rasche e rastrelli, dal bassissimo impatto ambientale: il risultato ottenuto è un prodotto integro, non stressato, che rimane vitale molto più a lungo. Localmente chiamata *caparosolo*, la vongola verace del Polesine è un mollusco bivalve di forma ovale, leggermente squadrato; la colorazione esterna della conchiglia è generalmente biancastra o bruno chiara, talvolta giallastra, con presenza di macchie e striature più scure. A differenza della specie indigena, i due sifoni sono tra loro uniti e la polpa appare turgida e abbondante. Come tutti i molluschi bivalvi, ha carni molto magre, contiene una discreta quantità di proteine ed è ricca di vitamine, ferro, calcio, fosforo, selenio, iodio e zinco: E' antiossidante e utile al buon funzionamento della tiroide, della circolazione sanguigna e del sistema immunitario. Infine, le sono riconosciute proprietà digestive e stimolanti.

A native of tropical seas, the verace *clam* (Tapes phlippinarum) *was introduced into the Venetian lagoon in the seventies, joining the native species* (Tapes decussantus). *Having adapted magnificently to local environmental conditions, the* verace *clam has spread to large areas and fishing in the lagoon for shellfish has undergone radical changes in almost the entire coastal zone, with the introduction of selective, efficient and highly mechanized techniques. In the area of Polesine however, where the new variety was introduced immediately, the process of collection was simple and almost entirely manual, practiced with traditional tools such as rakes with low environmental impact. The result is a pure product, which lasts much longer. It is locally called* caparosolo, *the Polesine* verace *clam is a bivalve shellfish with an oval, slightly squared shape. The coloration of the external shell is usually brown or white, clear, sometimes yellowish, with some darker spots. Unlike the indigenous species, the two siphons are united and the flesh is firm and ample. Like all bivalves, it has very lean meat, contains a good amount of protein and is rich in vitamins, iron, calcium, phosphorus, selenium, iodine and zinc. It is antioxidant and useful for the proper functioning of the thyroid, for proper blood circulation and for the immune system. Finally, it also has digestive and stimulant properties.*

Risotto veramente verace

400 gr di riso Carnaroli
500 gr di vongole veraci del polesine
1 spicchio d'aglio
½ bicchiere di vino bianco
1 peperoncino secco intero
pochissima cipolla tritata finissima
poco olio extravergine d'oliva
poco burro
brodo di pesce o di verdure
prezzemolo tritato
sale e pepe

Saltare in padella le vongole con l'olio d'oliva, l'aglio e il peperoncino (che poi va tolto). Quando si saranno aperte, estrarre i molluschi dal guscio e filtrare il brodo di cottura tenendolo da parte in caldo. Imbiondire con un goccio d'olio la cipolla tritata e farvi rosolare il riso; versarci il vino bianco, farlo evaporare, quindi aggiungere il brodo delle vongole, continuando a bagnare il risotto con un brodo leggero di pesce o di verdure. Aggiungere le vongole 5 minuti prima di togliere dal fuoco. Quindi mantecare a fuoco spento con una bella noce di burro, aggiungere il prezzemolo, regolare di sale e pepe e servire.

Polesine verace clam risotto
Stir-fry 500g of Polesine clams in olive oil, 1 clove garlic and 1 while dried chili pepper (which then must be removed). When the clams open, remove the shellfish from the shell, filter the broth and keep warm. Sauté one small onion finely chopped in a drop of oil, add 400g Carnaroli rice, pour in ½ cup white wine. Let

evaporate, then add the clams to the broth, continuing to cook the rice adding fish broth or vegetable broth. Add the clams 5 minutes before removing from heat. After removing from heat, continue mixing with a pat of butter. Add parsley, salt and pepper and serve.

Vino consigliato/*suggested wine:*
Lugana D.O.C.

Favola cinese

Una volta una vongola che giaceva sulla spiaggia aprì il guscio per scaldarsi al sole, quando un beccaccino, rapidissimo, infilò il becco tra le sue valve e cercò di mangiarsela. La vongola, allora, si richiuse di scatto, stringendo forte il becco del beccaccino, che non riuscì a liberarsi: "Attenta vongola" borbottò allora il beccaccino "Se ti ostini a startene attaccata al mio becco,domani sarai morta" "E se tu non riesci a liberarti di me" rispose la vongola "morirai anche prima". Nessuno dei due, però, aveva intenzione di cedere e, mentre stavano discutendo un pescatore che passava li acchiappò e se li cucinò entrambi per cena.

Chinese Fable
Once upon a time a clam that was lying on the beach opened its shell to warm up in the sun, when a very fast sandpiper put its beak between his valves and tried to eat it. The clam immediately shut itself trapping the sand piper's beak, which could not free itself: "Look clam" muttered the sand piper "If you persist in clamping down on my beak, by tomorrow you will be dead" "And if you can not get rid of me" said the clam "you'll die even earlier."Neither of them, however, wanted to give up and, while they were bickering a fisherman who was passing by caught both of them and had them for dinner.

ANGUILLA DEL DELTA DEL PO

L'anguilla del Po assomiglia più ad un serpente che a un pesce, ha il corpo filiforme e tondeggiante, testa lunga, bocca provvista di piccoli denti, occhio rotondo, pinna dorsale fusa con la pinna codale, e pinne pettorali corte e tondeggianti; la pelle è viscida per la presenza di abbondante muco e con la maturità sessuale assume un colore bruno verdastro, quasi nero, con ventre argenteo. Abitante tipica delle valli da pesca del delta del Po, salmastre, poco profonde, in parte di origine naturali in parte dovute all'intervento dell'uomo, l'anguilla viene pescata tutto l'anno esclusivamente con sistemi tradizionali, come i *bertovelli,* usati durante l'autunno e i *tressi*, ovvero attrezzi da posta fissa per i periodi primaverile, estivo ed autunnale. Pesce dalla carne gustosa ma molto grassa e poco digeribile, che contiene molte vitamine e fosforo, l'anguilla ad un certo punto della sua vita abbandona i fiumi e si dirige verso il mare fino ad una stessa zona dell'oceano Atlantico, il Mar dei Sargassi, per deporvi le uova in primavera. Dalla fecondazione di quest'ultime nascono le larve, lunghe pochi millimetri, trasparenti e a forma di foglia di salice. Sono necessari tre anni a queste larve per percorrere gli 8000 chilometri che separano il Mar dei Sargassi dalle coste europee dove, nella primavera del loro quarto anno di vita, si trasformano in piccole anguille ancora molto trasparenti, le ceche. Spinte dall'istinto ad andare verso l'interno, risalgono i fiumi e raggiungono addirittura laghi isolati, percorrendo vene d'acqua sotterranee e attraversando prati umidi. Giunte nelle dolci acque, dove i maschi passeranno altri 9 anni e le femmine 12, acquisiscono abitudini notturne, stando tutto il giorno nascoste in tane, e nutrendosi di notte con larve di insetti, anellidi, molluschi, crostacei, pesci e piccoli anfibi. Raggiunta la maturità sessuale si verifica una nuova metamorfosi: gli occhi si ingrossano, il colore verdastro del dorso e giallastro del ventre cambiano in scuro e argenteo. A questo punto, le anguille cessano di nutrirsi e il loro tubo digerente si atrofizza; quindi nelle notti estive, abbandonano le acque interne per raggiungere, dopo un anno e mezzo, il Mar dei Sargassi, dove depongono le uova e muoiono.

The eel of the Po looks more like a snake than a fish; it has a rounded body, a long head, a mouth with small teeth, round eyes, a dorsal fin connected to the tail fin and short and rounded pectoral fins. The skin is slimy due to abundant mucus;

when it reaches sexual maturity it turns into a greenish brown, almost black, color and has a silvery belly. The eel, a typical inhabitant of the Po delta, where the water is brackish and slightly deep, is caught throughout the year exclusively with traditional systems, such as bertovelli *used during the fall, and* tressi, *used in the spring, summer and autumn. The eel has tasty but very greasy meat which is not easily digestible. It contains many vitamins and phosphorus. At a certain point in his life the eel leaves the rivers and heads towards the sea, in particular to one area of the Atlantic Ocean, the Sargasso Sea where it lays its eggs in spring. Once fertilized larvae are born; they are a few millimeters long, transparent and the shape of a willow leaf. It takes three years for these larvae to travel the 8,000 km that separate the Sargasso Sea from the European coast. In the spring of their fourth year of life, they turn into small eels, which are still very transparent and known as* le ceche. *Their instinct is to head inland, so they travel up rivers and reach even very isolated lakes, traveling along underground veins of water and through moist meadows. Once they arrive in sweet water, where the males will spend 9 years and the females 12, they acquire nocturnal habits, hiding all day hidden in burrows, and larvae of insects, crustaceans, fish and small amphibians at night. Once they reach sexual maturity they go through a metamorphosis: the eyes swell, the back from green becomes brown and the belly from yellow becomes silver. At this point, the eels stop eating and the digestive tract atrophies. In summer nights, they leave the inland waters to reach the Sargasso Sea (it takes a year and a half) where they lay their eggs and die.*

Tronchetti d'anguilla in ragù di porri e piselli

2 anguille da 600-700 gr l'una
400 gr di porri
200 gr di pomodori pelati
150 gr di piselli

olio extravergine d'oliva
1 peperoncino (facoltativo)
sale e pepe

Togliere la pelle alle anguille, pulirle e tagliarle a tronchetti di 2 centimetri. In una padella mettere a scaldare l'olio con una macinata di pepe e i porri tagliati a rondelle, far appassire unendo i pomodori pelati leggermente schiacciati. Far cuocere circa 6 minuti e unire l'anguilla. Coprire tutto con l'acqua e cucinare per 10 minuti. Poi unire i piselli e lasciar cuocere altri 10 minuti da quando riprende a bollire. Servire cospargendo il tutto con prezzemolo tritato e, se piace, con un pizzico di peperoncino piccante.

Eel chunks in leak and pea sauce
Remove the skin from the 2 eels (600-700g each), clean and cut chunks 2 centimeters in size. In a frying pan heat oil with ground pepper and 400g of leeks, cut into thin rounds; combine 200g of peeled crushed tomatoes. Let cook about 6 minutes and add the eel. Cover with water and cook for 10 minutes. Then combine 150g peas and let cook amother 10 minutes after boiling resumes. Sprinkle with chopped parsley and, if desired, with a hint of chili pepper.

Vino consigliato/*suggested wine:*
Durello Brut D.O.C.

Pranzo polesano

«"Il bianco riservalo agli infanti," proclamò aulicamente l'avvocato mentre Dirce già s'affacciava con la zuppiera fumante di brodetto, "e a noi amore, mandaci quel vero nettare degli dei che si chiama Lambrusco di Sorbara". Lo approvò un fitto applauso, ma frettoloso e sotto sotto impaziente. Distogliemmo infatti lo sguardo dal piatto solo al momento di affondare la forchetta nella polpa bianca della coda di rospo, accompagnata da un intingolo saporitissimo e da un gran cesto di radicchi rossi. "Rossi come il cuore e la bandiera rossa" sbottò fuori l'oste adagiandoli trionfalmente in mezzo alla tavola. Poi fu la volta dell'anguilla in umido e del branzino arrosto, che però venne acclamato con finto entusiasmo. La sazietà cominciava a disegnarsi sui volti, inturgidendo ai più anziani le vene del collo, mentre la stanza s'impregnava gradatamente di odori. Qualcuno allora propose di spalancare la finestra, ma il freddo penetrato dentro, consigliò di richiuderla precipitosamente. I vetri erano già ghiacciati ai bordi, e guardando fuori si vedeva l'erba dell'argine piegarsi rabbrividendo sotto le sferzate del vento, che caricava a testa bassa la nebbia in un' altalena continua di schiarite e di ritorni opachi. Mentre in tavola veniva portata la frutta, udimmo salire dal basso il suono sgangherato d'una fisarmonica. Doveva trattarsi di un suonatore girovago, perché lo accolsero delle grida che poi si trasformarono in un coro generale, sempre in ritardo di qualche battuta sul motivo accennato dalla tastiera. Il repertorio comprendeva canzoni di ogni genere, ma in fondo il ritornello dominante era costituito dalle parole di Bandiera rossa, che i braccianti scandivano marcando con forza le parole, quasi in atto di sfida.»

Gian Antonio Cibotto

«"Reserve the white for the children" the noble lawyer proclaimed, while Dirce was already on the doorsill with the steaming bowl of soup, "and for us, Love, send the true nectar of the gods which is called Lambrusco di Sorbara". A loud applause approved his words, but it was somewhat hasty and betrayed impatience. In fact we diverted our gaze from the pot only when we sank a fork into the white flesh of the monkfish, its tasty sauce and the large basket of red radicchio. "Red as the heart and as the red flag" muttered the landlord triumphantly setting the basket in the middle of the table. Then it was the eel's turn and roasted sea bass, which was acclaimed with false enthusiasm. It was obvious from people's faces that they were getting full; the veins on the elderly's necks were stiffening, while the room gradually soaked in the odors. Someone then proposed to open the window, but the cold seeped in, and so it was suggested to quickly close it again. The windowpanes were frozen around the edges, and looking out you could see the grass of the riverbank bending and shuddering with each lash of the wind, which doggedly battled the fog in a continuous come and go of clearing up and dull returns. While fruit was brought to the table, we could hear from below the rickety sound of an accordion. It had to be a wandering player; he was welcomed by cries which then turned into a general chorus, which was always a couple of bars behind the tune played on the keyboard. The repertoire included songs of all kinds, but the basic dominant refrain were the words of Red Flag, the words of which the laborers were marking strongly, almost as a challenge.» (Gian Antonio Cibotto)

GALLINA ERMELLINATA DI ROVIGO

Nata nella Stazione Sperimentale di Pollicoltura di Rovigo nel 1959, incrociando polli *Sussex* e *Rhode Island*, la gallina Ermellinata di Rovigo fu selezionata prevalentemente per scopi economici: negli anni '50 si cercava di risollevare l'avicoltura immettendo sul mercato ceppi che potevano fare concorrenza agli incroci americani; fu data quindi la precedenza a caratteristiche importanti come crescita e impennamento veloce, resistenza alle comuni malattie e buona deposizione di uova grosse e di colore bruno chiaro, senza rinunciare a carni sane e di qualità. Razza rustica con buona attitudine al pascolo, l'Ermellinata di Rovigo è infatti in grado di adattarsi ai diversi ambienti agrari, dall'allevamento all'aperto, a quello con metodo biologico ed è utilizzata per incroci di prima generazione con razze da carne. I pulcini alla nascita hanno un piumino giallo e soffice; da adulti sia il maschio che la femmina portano il tipico piumaggio con disegno ermellinato e coda perfettamente nera; la pelle e i tarsi sono di colore giallo. I maschi si distinguono facilmente dalle femmine a partire dall'ottava settimana di vita, perchè più grandi e con postura più eretta. La carne di pollo, come tutte le carni bianche, è caratterizzata da un basso contenuto di grassi e da un elevato contenuto proteico, che è indispensabile per rinnovare i tessuti e per la formazione di ormoni, enzimi e anticorpi. Avendo minor tessuto connettivo e fibre muscolari più corte e sottili rispetto alle altre carni, è molto digeribile, inoltre è ricca di ferro e di acido oleico, monoinsaturo, un elemento a cui è attribuita notevole importanza nel ridurre l'impatto negativo sulla salute del colesterolo e dei lipidi in genere.

The Ermellino Chicken of Rovigo was born in an experimental chicken farm in Rovigo in 1959. It resulted from a cross breeding of Sussex *and* Rhode Island *chickens. It was cosen primarily for its economic advantages: in the 1950s the goal eas to raise poultry to compete with the American chickens; priority was therefore given to important features such as growth rate, resistance to common disease, strong production of big light brown eggs; all this without giving up on quality of the meat. The Ermellino chicken of Rovigo is a rustic breed ideal for pasture; it adapts to different agricultural environments, indoors and outdoors or using the biological method. It is used for first-generation crosses with chickens bred for meat. The chicks at birth have a soft yellow plumage; as adults both the male and the female have a typical ermine plumage and a perfectly black tail. The skin and feet are yellow. The males are easily distinguished from females at the eighth week of life, because they are bigger and more erect. Poultry, like all white meat, is characterized by a low fat and high protein content, which is essential for tissue renewal and the formation of hormones, enzymes and antibodies. Having less connective tissue and shorter, thinner muscle fibers than other meats, it is very digestible and rich in iron and oleic acid.*

Cosce ermellinate farcite

4 cosce di gallina ermellinata di Rovigo
80 gr di pancetta
130 gr di fegatini di pollo
160 gr di petto di pollo
60 gr di spinaci bolliti
100 gr di salsa di pomodoro
1 scalogno
200 gr di champignon (prataioli)
½ bicchierino di brandy o cognac
vino bianco secco
1 tuorlo d'uovo
100 gr di burro
sale e pepe

Per il ripieno far sciogliere il burro in una casseruola, aggiungere la pancetta tagliata a dadini e farla rosolare. Togliere la pancetta e metterla da parte, nella stessa casseruola cuocere al sangue i fegatini, salando e pepando. Togliere anche i fegatini e metterli insieme alla pancetta. Sempre nella stessa casseruola rosolare i petti di pollo tagliati a pezzettini, salarli, peparli e quando sono cotti, metterli assieme alla pancetta e ai fegatini. Gettare l'eventuale grasso rimasto nella casseruola, mettere una noce di burro e soffriggervi lo scalogno tritato. Rimettere la pancetta, i fegatini e il pollo nella casseruola e lasciar insaporire; bagnare con il brandy e poco vino bianco, far evaporare, quindi passare tutto al tritacarne, assieme agli spinaci precedentemente bolliti e lasciar raffreddare. Aggiungere il tuorlo d'uovo, mescolare e aggiustare di sale e pepe. Pulire le cosce di gallina e, se è necessario, passarle sopra il fuoco per bruciare le piume; disossarle, salarle internamente, quindi farcirle col ripieno, richiuderle con uno stuzzicadente, e salarle esternamente. Metterle a cuocere nella solita casseruola con una noce di burro. Alla fine, eliminare il grasso di cottura, bagnare con il vino bianco e far evaporare. Aggiungere i funghetti mondati e lavati e regolare di sale e pepe; quindi versare poca salsa di pomodoro, regolando di sapore. Servire la coscia, per metà scaloppata, con sotto la salsa di pomodoro e funghi e accompagnare con delle chips di patate cotte al forno e profumate con rosmarino.

Stuffed chicken thighs
To make the filling melt 100g butter in a saucepan, add 80g bacon cut into cubes and brown it. Remove the bacon and set aside; in the same pot to cook 130g chicken liver, keeping it rare, and add salt and pepper. Remove the liver and add it to bacon. In the same pan brown 160g chicken breasts, cut into small pieces, add salt and pepper, and when they are cooked, add them to bacon and livers. Discard any fat left in casserole, place a pat of butter and sauté 1 small shallot that has been chopped. Replace the bacon, liver and chicken in saucepan and let simmer, moisten with ½ cup brandy and some white dry wine until it evaporates. Put in meat grinder, along with previously boiled spinach (60g) and let cool. Add one egg yolk, mix and adjust with salt and pepper. Clean four chicken thighs and, if necessary, pass them over the fire to burn off the feathers, debone them, add salt internally, and then fill with stuffing. Close with a toothpick, and add salt externally. Cook in the same saucepan with a pat of butter. Finally remove fat, sprinkle with more white wine and let evaporate. Add the mushrooms (220g), washed and trimmed, add salt and pepper and add 100g tomato sauce. Serve the thigh on a bed of tomato sauce and mushrooms accompanied with oven-baked potatoes scented with rosemary.

Vino consigliato/*suggested wine:*
Cabernet Sauvignon Colli Euganei D.O.C.

SALSICCIA TIPICA POLESANA

Un tempo in prossimità delle feste natalizie, nelle case contadine si uccideva il maiale, la cui carne era la sola che veniva parsimoniosamente consumata dalle famiglie più povere del Polesine. Del prezioso porco non si doveva buttare via niente, pertanto si utilizzavano varie preparazioni allo scopo di conservare la carne più a lungo e di utilizzare anche le parti più grasse e meno pregiate. Mentre si aspettava che maturasse il salame si poteva così mangiare la salsiccia (da "sale" e "ciccia" cioè carne), un impasto di carni suine grasse e magre lungamente macinate, insaporite con sale, pepe e aromi vari e insaccate in budello di maiale naturale. Rivendicata dai veneti come invenzione originale, in realtà questo tipo di lavorazione è diffuso in tutto il mondo e pare che almeno in Italia i precursori siano stati i lucani. Scrittori come Cicerone, Marziale e Marco Terenzio Varrone parlano nelle loro opere della lucanica, specialità introdotta nell'antica Roma dalle schiave lucane, da cui deriva *luganega*, termine che i lombardi, i trentini e i veneti tutt'oggi danno alla salsiccia.

It used to be that near Christmas, farmers would kill their pig, whose preciously meat would be carefully eaten by the poor families throughout the year. Nothing was to be discarded, so it was tradition to use different techniques in order to preserve the meat longer and even the fattier and less valuable cuts were used. While waiting for the salami to dry one could eat sausage (in Italian salsiccia *from* sale *"salt" and* ciccia *"meat"), a mixture of monced fat and lean pork flavored with salt, pepper and various spices and bagged in the stomach sack of the pig. Claimed by the Venetian as their invention, this type of work is actually popular worldwide and it seems that in Italy the precursors were the Lucani. Writers such as Cicero, Martial, Marco Terenzio Varrone speak in their works of lucanica specialties introduced in ancient Rome by the slvaes of Lucania. From this derives the term for sausage* luganega, *that is still used in Lombardy Trentino and the Veneto.*

Ravioli di patate con salsiccia e pomodorini

Per la pasta:
500 gr di patate

3 uova
600 gr di farina (400 gr di 00 e 200 gr di manitoba 0)
1 cucchiaio d'olio extravergine d'oliva
sale

Per il ripieno:
600 gr di spinaci
200 gr di ricotta vaccina
1 scalogno
1 uovo
Grana Padano
sale e pepe

Per la salsa:
500 gr di pomodorini tagliati a quarti
200 gr di salsiccia polesana
5-6 foglie di basilico
⅓ di bicchiere di vino bianco
sale e pepe

Cuocere al vapore le patate intere lavate e pelate. Una volta cotte schiacciarle, lasciarle raffreddare un pò e unire la farina, le uova, l'olio e il sale. Impastare fino ad ottenere un composto sodo ed omogeneo, quindi lasciar riposare in frigo almeno mezz'ora. Tritare lo scalogno e farlo appassire in padella con dell'olio. Aggiungere gli spinaci lavati e scolati, salare, pepare e portare a cottura. Lasciare poi raffreddare, tritare gli spinaci e amalgamarli alla ricotta, unendo l'uovo, il Grana grattugiato e regolando di sale e pepe. Tirare la sfoglia di pasta di patate e formare dei ravioli, riempiendoli col composto di ricotta e spinaci. In una padella far sudare la salsiccia, eliminando il grasso che si forma, bagnarla con il vino bianco e far evaporare. Unire quindi i pomodorini tagliati a quarti ed il basilico, spezzettandolo con le mani. Cucinare i ravioli in acqua bollente salata ed infine, saltarli in padella con la salsa.

Potato ravioli with sausage and tomatoes
Steam 500g whole potatoes which have been washed and peeled. Once cooked, mash coarsely, let cool and add 400g of 00 flour and 200g of Manitoba 0 flour, 3 eggs, 1 tablespoon oil and salt. Knead until you have hard and homogeneous dough, then let stand in refrigerator at least half an hour. Chop 1 shallot and sauté in a pan with oil. Add the washed and drained spinach (600g), salt and pepper and cook. Then let cool, chop the spinach and mix with 200g ricotta, add 1 egg, some grated Grana Padano and salt and pepper to taste. Flatten the sheet of potato sough and form ravioli, filling them with the ricotta and spinach stuffing. Place 200g of Pula sausage in a frying pan until it releases excess fat. Remove the excess fat and sprinkle with ½ cup white wine and let evaporate. Add 400g quartered tomatoes and chopped basil. Cook the ravioli in boiling salted water, drain and stir-fry with the sauce.

Vino consigliato/*suggested wine:*
Raboso del Piave D.O.C.

La salsiccia di Ulisse

"Come quando un uomo volta e rivolta sulla fiamma ardente una salsiccia piena di grasso e di sangue, impaziente che sia presto arrostita, così da una parte all'altra si volgeva Ulisse e meditava..."

Omero

"Just like when a man turns a fat- and blood-laden sausage over and over a burning fire, impatiently waiting for it to roast, Ulysses would turn back and forth and meditate..." (Homer)

MIELE DEL DELTA DEL PO

Nella zona del polesano il miele viene prodotto sin dai tempi dell'antica Roma: Plinio il Vecchio infatti scrive: *"gli apicoltori si muovevano per mesi lungo il corso del Po per sfruttare gli ambienti delle sponde del fiume lussureggianti di piante, fiori e radure."* Sembra che persino il toponimo Melara, Comune dell'alto Polesine, derivi da "*Mellaria a melle colendo*", una frase di Plinio il Giovane che significa: luogo dove si raccoglie il miele. Per le sue caratteristiche climatiche, la particolare vegetazione e la vicinanza con il mare, il polesine è infatti habitat ideale per le api, che possono raccogliere il nettare da diversi fiori, producendo ottimi mieli non solo d'acacia o di Millefiori, ma anche di erba medica, tiglio, girasole, radicchio, e melone. Elaborando il nettare le api producono una sostanza semiliquida, vischiosa, di colorazioni diverse a seconda dei fiori da cui proviene e incredibilmente ricca di enzimi e fermenti : è il miele, le api lo mettono a maturare nei favi dell'alveare, proteggendolo con un sottile velo di cera, ma l'uomo, che ne è ghiotto, raccoglie i favi e dopo averli disopercolati (cioè liberati dall'opercolo di cera messo dalle api) ne estrae il miele utilizzando lo smielatore, cioè una specie di centrifuga. Immagazzinato quindi per circa 15 giorni in appositi contenitori d'acciaio detti maturatori, il miele è pronto per essere confezionato in vasetti di vetro. Essendo un conservante naturale, dovrebbe non avere problemi di scadenza ma è consigliabile consumarlo entro tre anni affinchè non perda le sue preziose caratteristiche organolettiche. Prodotto facilmente assimilabile dall'organismo, perchè predigerito dalle api che lo integrano di enzimi vivi, il miele è composto in gran parte da zuccheri semplici e da altre sostanze utili come le vitamine e i sali minerali.

Honey has been produced in Polesine since ancient Roman times: in fact, Pliny the Elder writes: "Beekeepers moved for months along the Po to take advantage of the environments of the river banks, the lush plants, flowers and glades." *It seems that even the name of the town Melara in Polesine comes from a phrase of Pliny the Younger that means "place where people gather honey." Because of its climate, vegetation and the particular closeness to the sea, Polesine is the ideal habitat for bees, which collect the nectar from different flowers, producing not only excellent acacia honey or Millefiori, but also gathering alfalfa, linden, sunflower, radish, and melon. While processing the nectar the bees produce a semi-liquid sticky substance of different colors depending on the flowers from which it comes. It is incredibly rich in enzymes and yeasts. It is honey. The bees let it mature in the combs, protecting it with a thin layer of wax, but man collects these honeycombs and after having broken the wax seal he extract the honey using a particular tool, that is a kind of centrifuge. After having been stored for about 15 days in special steel containers it is ready to be packed in glass jars. Being a natural preservative, it should not expire, but it is better to consume it within three years so that it does not lose its valuable properties. The product is easily assimilated by the organism, because it has been "pre-digested" by bees that integrate it with enzymes. Honey is composed mainly of simple sugars and other useful substances such as vitamins and minerals.*

Gelato di miele con frittelle di fichi

1 kg di fichi belli sodi
3 cucchiai
di zucchero
1 pizzico di cannella
100 gr di farina
2 tuorli d'uovo
2 albumi
125 ml di birra bionda
1 cucchiaio di olio extravergine d'oliva
poco Porto o Passito o altro vino dolce
sale
olio per friggere

Per il gelato:
200 ml di miele del Delta del Po
250 ml di panna freschissima
250 ml di latte intero
3 uova
4 tuorli

Pelare i fichi e tagliarli a quarti, farli marinare con un pò di zucchero, una spolveratina di cannella ed il Porto. Preparare la pastella con la farina, un pizzico di sale, un poco di zucchero, un cucchiaio d'olio, la birra e i tuorli, incorporare delicatamente gli albumi montati a neve mescolando con un cucchiaio di legno. Mettere in frigo per 15 minuti, quindi immergere i quarti di fico nella pastella e friggerli in olio ben caldo. Per fare il gelato bollire il latte e la panna, unire le uova montate con il miele, rimettere sul fuoco e mescolando con un cucchiaio di legno, far addensare la salsa, stando attenti a non farla bollire. Far raffreddare e mettere nella macchina per il gelato. Servire le frittelle caldissime, accompagnandole con le palline di gelato al miele.

Fig frittelle with honey ice cream
Peel 1 kg figs and cut them into quarters, marinate them with 3 tablespoons sugar and a sprinkle of cinnamon as well as some port or other sweet wine. Prepare batter with 100g flour, a pinch of salt, a little sugar, a tablespoon of oil, 125ml blonde beer, 2 egg yolks, and gently incorporate 2 egg whites which have been previously beaten stiff. Put in fridge for 15 minutes. Then immerse the fig quarters in batter and fry in hot oil. To make the ice cream boil 250ml whole milk and 250ml fresh cream, add 3 eggs and 4 egg yolks previously beaten with honey, replace on fire and stirwith a wooden spoon thickening the sauce and being careful not to boil. Let cool and place in ice cream machine. Serve the fig frittelle and garnish with honey ice cream.

Vino consigliato/*suggested wine:*
Vin Santo di Gambellara D.O.C.

PADOVA

Chi no g'ha fame o l'è malà o l'ha magnà

Anara lessa e bigolo tondo, à la sera contenta el mondo

Chi non ha fame o è ammalato oppure ha mangiato
Who is not hungry or is sick or has already eaten

Anatra lessa e bigoli, alla sera non c'è di meglio
Boiled duck and round spaghetto, in the evening there is nothing better

da “Farsa di Orlando e del suo scudiero Gaína alla ricerca della porta del Paradiso”

di Giuliano Scabia

VOCE DI ORLANDO: Gaína, Gaína!

GAÍNA: *(affacciandosi alla finestra· della sua capanna, sita in ponte Tadi)* Chi xe che me ciama?

ORLANDO: Sono io, Orlando.

GAÍNA: Dove xéo?

ORLANDO: Guarda in su, sono in cielo.

GAÍNA: Cussi basso? Credevo che '1 fusse più alto, '1 Paradiso.

ORLANDO: Non sono in Paradiso. Credo di essermi perduto. Vado per qua e per là senza trovare niente. Così ho pensato di passare per Pava e, - se ti trovavo, - di chiederti se venivi con me alla ricerca della porta del Paradiso.

GAÍNA: Mi no so propio dove chea sia sta porta. E pò no go voja de caminare in cieo. E pò pa 'ndare in Paradiso bisogna essare morti.

ORLANDO: E non pensi che sia giunta la tua ora, finalmente?

GAÍNA: Gnanca par sogno. Qua stago benón. Par merito de Carlo Magno no ghe xe piu sachegi. Ea matina vago pescare nel Bachilión, ea sèra se zuga briscoea e tressete, e pò se magna, pasta e fasoi, risi e bisi, risi e patate, risi e suca, poenta e pesse, poenta e fegato, pesse gato, bacaeà in umido, rane, pan e formajo, pan e late, pan e vin, panàda, saeàta, fruti. Co ju, invesse, se ga sempre magnà poco.

ORLANDO: Mi deludi Gaina - ma verrà la tua ora. Ti aspetto.

GAÍNA: El spèta pure. Intanto el continua a çercare. Speremo che 'l trova.

da “Farsa di Orlando e del suo scudiero Gaína alla ricerca della porta del Paradiso” di Giuliano Scabia

VOCE DI ORLANDO Gaína, Gaína! GAÍNA (affacciandosi alla finestra· della sua capanna, sita in ponte Tadi) Chi è che mi chiama? ORLANDO Sono io, Orlando. GAÍNA Dov'è? ORLANDO Guarda in su, sono in cielo. GAÍNA Cosi basso? Credevo fosse più alto il paradiso! ORLANDO Non sono in Paradiso. Credo di essermi perduto. Vado per qua e per là senza trovare niente. Così ho pensato di passare per Pava e, - se ti trovavo, - di chiederti se venivi con me alla ricerca della porta del Paradiso. GAÍNA Io non so proprio dove sia questa porta. E poi non ho voglia di camminare in cielo. E poi per andare in Paradiso bisogna essere morti. ORLANDO E non pensi che sia giunta la tua ora, finalmente? GAÍNA Neanche per sogno. Qui sto benissimo. Per merito di Carlo Magno non ci sono più saccheggi. Alla mattina vado a pescare nel Bacchiglione, alla sera si gioca a briscola e a tresette, e poi si mangia, pasta e fagioli, riso e piselli, riso e patate, riso e zucca, polenta e pesce, polenta e fegato, pescegatto, bacalà in umido, rane, pane e formaggio, pane e latte, pane e vino, minestra di pane, insalata, frutta. Con lei invece si è sempre mangiato poco. ORLANDO Mi deludi Gaina - ma verrà la tua ora. Ti aspetto. GAÍNA Aspetti pure, intanto continui a cercare. Speriamo che trovi.

from "Farsa di Orlando and his squire Gaìna in search of the door of Paradise" by Giuliano Scabia

VOICE OF ORLANDO Gaína, Gaína! GAÌNA (looking at the window of his hut, located in bridge Tadi) Who calls me? ORLANDO I am he, Orlando. GAÌNA Where are you? ORLANDO Look up, I am in heaven. GAÌNA so low? I though heaven was higher! ORLANDO I am not in paradise. I thought I was lost, since I went here and there without finding anything. So I thought to go to Pava, and - if I found you, - to ask you if you would come with me in search of the gate of Paradise. GAÌNA I do not know where this leads. And I do not want to walk in the sky. And to go to heaven you must be dead. ORLANDO And you don't think that your time has come, finally? GAÌNA Not in the least. Here I'm fine. Thanks to Charlemagne there is no more sacking. In the morning I go in to fish in the Bacchiglione, in the evening to play briscola and tresette, and then we eat, pasta and beans, rice and peas, rice and potatoes, rice and pumpkin, polenta and fish, liver and polenta, catfish, baccalà (salted dried cod) in broth, frogs, bread and cheese, bread and milk, bread and wine, bread soup, salad, fruit. With you on the other hand I always ate very little. ORLANDO You disappoint me Gaína - but your time will come. I will wait for you.GAÌNA Go ahead and wait, and meanwhile continue to search. We hope you find it.

ASPARAGO DI PADOVA

Probabilmente originari della Mesopotamia, gli asparagi furono introdotti dai Romani verso la fine del I sec. a.C. nei territori della pianura padana, anche se le prime notizie certe di coltivazione si trovano nei registri di acquisto per conto dei Dogi veneziani della prima metà del '500. Nella provincia di Padova in origine venivano coltivati unicamente gli asparagi bianchi mentre i verdi selvatici, di forma più lunga e sottile ma dal sapore più deciso, nascevano spontanei in primavera nei boschi e sulle colline. Appartenente alla famiglia delle *Liliaceae*, l'*Asparagus officinalis* è una pianta di lunga durata resistente e amante dei terreni sabbiosi e ben drenati, è costituita da un fusto sotterraneo che si allunga all'inizio dell'estate e tende a portarsi verso la superficie del terreno. Tali fusti, detti turioni, sono di colore bianco finché non spuntano in superficie, a contatto con la luce diventano dapprima di colore rosa e violaceo, e poi verde più o meno intenso. Teneri, carnosi e di sapore dolciastro, i turioni vengono raccolti tra aprile e giugno con incisioni in profondità (asparago bianco) o quando spuntano per circa 30 cm (asparago verde). Gli asparagi sono ricchi di fibra, vitamina C, carotenoidi e sali minerali (calcio, fosforo, potassio), stimolano l'appetito e hanno notevoli proprietà diuretiche. Contenendo asparagina, che conferisce all'urina il tipico odore, sono dei buoni diagnosticatori del sistema renale: infatti se il sistema è efficiente l'odore si sente nella minzione immediatamente successiva all'ingestione di asparagi.

Asparagus probably originated in Mesopotamia, and was introduced to the Po Valley by the Romans towards the end of the first century BC. However, the first documentation of its cultivation is found in records of purchase on behalf of the Venetian Doges in the first half of 1500. In the province of Padova originally they grew only white asparagus, the wild green version, longer and thinner with a stronger flavor, spread spontaneously during the spring in the woods and hills. Belonging to the family of Liliaceae, *the* Asparagus officinalis *is a hardy plant, fond of sandy and well-drained soils. It consists of an underground stem that grows in early summer and tends to move towards the surface. Those shoots, called* turioni, *are white until they sprout forth from the ground. Once they make contact with light they become first pink and purple, and then a more or less intense green. The shoot is tender, meaty and with a sweet flavor. It is harvested between April and June, either by cutting underground (white asparagus) or when it is about 30 cm above ground (green asparagus). Asparagus is rich in fiber, vitamin C, carotenoids and minerals (calcium, phosphorus, potassium), and it stimulates the appetite and has diuretic properties. Since it contains asparagine, which gives a typical odor to urine, it makes for a good diagnostic of the renal system: in fact if the system is efficient the urine carries the scent immediately after ingestion of asparagus.*

Sformatino di asparagi padovani

600 gr di asparagi di Padova già puliti
3 uova
5 cucchiai di panna liquida fresca
20 gr di burro
1 rametto di basilico fresco
1 scalogno
noce moscata, sale e pepe

Scottare gli asparagi per 5-6 minuti in acqua bollente salata, quindi scolarli. Tagliarne un terzo a rondelle, tenendo qualche punta per decorare, e frullare i rimanenti ancora caldi con il basilico e un pizzico di sale e pepe. Pelare lo scalogno, tritarlo finemente e farlo appassire in un tegame con il burro; aggiungere gli asparagi frullati, quelli a pezzetti e lasciar insaporire per alcuni istanti. Togliere dal fuoco e far raffreddare il più velocemente possibile. Unire le uova sbattute leggermente, la panna, qualche grattatina di noce moscata, sale e pepe. Distribuire il composto in 8 stampini a tronco di cono leggeremente imburrati e cucinarli a bagnomaria in forno a 170°C per 35-40 minuti, fino a quando inserendo la lama di un coltello, questa non esca pulita. Toglierli quindi dal forno, farli riposare 5 minuti, quindi capovolgerli sopra i singoli piatti, decorando con le punte di asparagi tenute da parte.

Sformatino with Paduan asparagus
Scald the 600g of Paduan asparagus for 5-6 minutes in boiling salted water, then drain. Cut one third of them into thin rounds, keeping the tips to decorate later, and then whip the remaining two thirds while still warm with 1 sprig of fresh basil and a pinch of salt and pepper. Peel 1 shallot, chop finely, then heat in a saucepan with

20g butter, then add both the whipped asparagus and that in pieces and let cook for a while. Remove from heat and let cool as quickly as possible. Combine three slightly beaten eggs, 5 tablespoons fresh cream, some ground nutmeg, salt and pepper. Distribute the mixture into 8 lightly buttered molds of truncated cones and cook in a double boiler in the oven at 170°C for 35-40 minutes, until the blade of a test knife comes out clean. Then remove from the oven, let stand 5 minutes, and then flip over the individual dishes, decorating with the asparagus tips kept aside.

Vino consigliato/*suggested wine:*
Pinot Bianco D.O.C. Colli Euganei

Profumo d'asparagi

«M'indugiavo a guardare, sulla tavola, dove la sguattera li aveva appena sgusciati, i piselli allineati e numerati come bilie verdi in un gioco; ma sostavo rapito davanti agli asparagi, aspersi d'oltremare e di rosa, e il cui gambo, delicatamente spruzzettato di viola e d'azzurro, declina insensibilmente fino al piede - pur ancora sudicio del terriccio del campo - in iridescenze che non sono terrene. Mi sembrava che quelle sfumature celesti palesassero le deliziose creature che s'eran divertite a prender forma di ortaggi e che, attraverso la veste delle loro carni commestibili e ferme, lasciassero vedere in quei colori nascenti d'aurora, in quegli abbozzi d'arcobaleno, in quell'estinzione di sete azzurre, l'essenza preziosa che riconoscevo ancora quando, l'intera notte che seguiva ad un pranzo in cui ne avevo mangiati, si divertivano, nelle loro burle poetiche e volgari come una favola scespiriana, a mutar il mio vaso da notte in un'anfora di profumo.»

Marcel Proust

«I slowed to look on the table, where the scullion had just prepared peas aligned and numbered as green balls in a game, but stopped rapt before the asparagus, sprayed all over, pink, with stems imperceptibly changing from purple to blue in color as they near the base, still dirty with soil from the field, with an iridescence that is not earthly. It seemed to me that these celestial hues revealed delightful creatures that wanted to have fun taking the form of a vegetable and that, through their edible and firm meat, allowed us to see those colors of the nascent dawn, in those blanks in a rainbow, in that swath of blue silk, the precious essence that lasts the whole night after a lunch in which I had eaten and enjoyed them, in their poetic and vulgar jokes like a Shakespearean fable, to transform my chamber pot into an amphora of perfume.» (Marcel Proust)

PATATA AMERICANA DI ANGUILLARA

Originaria dell'America centrale, la patata americana venne introdotta inizialmente in Toscana attorno al 1630, rimanendo però solo una curiosità botanica fino al 1880, quando il Duca Antonio Donà dalle Rose ne iniziò una coltivazione intensiva nei propri terreni, in provincia di Rovigo, a ridosso del fiume Adige. Da questa zona la coltura si estese al di là dell'Adige in territorio padovano e in particolare nella zona di Anguillara e nella frazione Stroppare. Qui la patata americana entrò nel consumo popolare, grazie alla sua completa utilizzabilità: le radici migliori venivano infatti consumate a tavola, quelle di scarto e la parte restante della pianta, utilizzate per l'alimentazione del bestiame. L'importanza della coltura è testimoniata dai parroci del luogo che nel maggio 1955 registrano: *"ogni sera il fioretto in chiesa, [...] non molto frequentato:[...] la popolazione è molto occupata per la piantagione delle patate"*. La Patata Americana di Anguillara e Stroppare ha una forma molto allungata e regolare,la buccia di colore bianco o bianco crema e una polpa carnosa color bianco crema, che con la cottura diventa dolce, profumata, tenera e mai farinosa. A causa dell'alto contenuto in carboidrati, il suo apporto calorico (140 kcal per 100 gr) è superiore a quello delle normali patate, e per questo viene molto apprezzata nelle prime giornate autunnali insieme a caldarroste e vino novello.

A native of Central America, the American potato was introduced initially in Tuscany around 1630, but remained only a botanical curiosity until 1880, when the Duke Antonio Donà dalle Rose began intensive cultivation on his land in the province of Rovigo south of the river Adige. From this area, cultivation extended to the Adige river area in Padua, specifically in the areas of Anguillara and Stroppa. Here the potato entered into popular consumption, thanks to its complete usability: the roots were consumed at the table, and the leftovers and the remainder of the plant used for feeding livestock. The importance of the crop is testified by the priests of the zone in May 1955, when they recorded:"Every evening in church [...] not many people:[...] the population is very busy planting of potatoes". *The American Potato from Anguillara and Stroppa has a very smooth elongated shape, the skin is white or cream colored and the flesh is creamy white, which when cooked is sweet, fragrant, tender and never mealy. Due to the high carbohydrate content, the calories (140 kcal per 100 g) are higher than normal potatoes, and this is much appreciated in the early autumn days with roast chestnuts and wine.*

Zuppa di patate dolci al curry

800 gr di patate dolci di Anguillara
1,5 l di brodo di pollo
30 gr di burro
2 cucchiai di olio extravergine d'oliva
2 cipolle medie
2 spicchi d'aglio
1 cucchiaino di Garam Masala
½ cucchiaino di cumino in polvere
½ cucchiaino di coriandolo in polvere
½ cucchiaino di curcuma
yogurt naturale (facoltativo)
sale e pepe

Sciogliere il burro ed un cucchiaio d'olio in una pentola capiente e soffriggervi una cipolla tagliata a fette e l'aglio. Cuocere fino a quando la cipolla non sia appassita poi aggiungere le spezie (Garam Masala, pepe, cumino, coriandolo e curcuma) e mescolare bene per amalgamare. Aggiungere le patate pelate e tagliate a dadini, versare il brodo e portare a ebollizione. Cuocere per 10 minuti o fino a quando le patate non siano tenere. In un altro pentolino versare un cucchiaio d'olio e rosolare l'altra cipolla. Quando è pronta, mettere la zuppa di patate in un mixer e ridurla in purea; versarla quindi nei piatti e guarnirla con le cipolle rosolate. Volendo si può aggiungere un cucchiaino di yogurt naturale a temperatura ambiente versandolo sulla zuppa al centro di ogni piatto appena prima di servire.

Aguillara potato soup with curry
Melt 30g of butter and a tablespoon of oil in a large pot, and sauté one medium sliced onion and 2 cloves of garlic. Cook until the onion is transparent then add 1 teaspoon Garam Masala, ½ teaspoon cumin powder, ½ teaspoon coriander powder, ½ teaspoon turmeric, pepper and stir well. Add 800g of Anguillara potatoes peeled and cut into cubes, then pour in 1,5 lt of chicken broth and bring to boil. Cook for 10 minutes or until potatoes are soft. In another pan pour a tablespoon of oil and brown another slice medium onion. When ready, place the potato soup in a mixer

and reduce it to a purée, then pour it in bowls and garnish with the sautéed onion. If desired, you can add a teaspoon of natural yogurt at room temperature in the center of each dish just before serving.

Vino consigliato/*suggested wine:*
Chardonnay D.O.C Colli Euganei

Torta di patate dolci e cioccolato

160 gr di patate dolci di Anguillara
120 ml di olio di arachidi
200 gr di zucchero
3 uova
100 gr di cioccolato fondente
1 scorza di limone
100 gr di farina
100 gr di fecola di patate
1 bustina di lievito
3 cucchiai di cacao amaro in polvere
zucchero a velo per guarnire

Cuocere le patate con la buccia; quindi spellarle e ridurle in purea, lasciandole raffreddare. Con una frusta elettrica, sbattere zucchero e uova fino ad ottenere un composto gonfio e spumoso. Aggiungere le patate schiacciate e l'olio. Sciogliere il cioccolato fondente a bagnomaria e unirlo al composto. Sempre sbattendo con la frusta, aggiungere la scorza di limone, la farina, il cacao in polvere ed infine il lievito, setacciando tutto. Oliare una teglia a cerniera di 24/27 cm di diametro, versarvi il composto e infornare a 180°C per 30-40 minuti. Lasciar raffreddare la torta nel forno spento con lo sportellino semi aperto e servirla spolverizzata di zucchero a velo.

Potato pie and chocolate
Cook 160g of Anguillara potatoes with skin, then peel, purée, and leave to cool. With an electric whisk, beat 200g sugar and 3 eggs until swollen and frothy. Add the mashed potatoes and 120ml of peanut oil. Melt 100g of dark chocolate in a double boiler and add it to the mixture. While beating with a whisk, add 1 lemon rind, 100g flour, 3 tablespoons bitter cocoa powder and finally one packet of yeast, sifting everything as you add. Grease a hinged baking pan 24/27 cm in diameter, pour in the mixture and bake at 180°C for 30-40 minutes. Allow the cake to cool off in the oven with the door half open and serve sprinkled with powdered sugar.

Vino consigliato/*suggested wine:*
Moscato Spumante D.O.C.

GALLINA PADOVANA

Un folto ciuffo di penne lunghe e lanceolate che si aprono a corolla e piovono sugli occhi, narici rosse e carnose che incorniciano il becco, lunga barba e collo nudo, la gallina padovana, forse originaria dei Carpazi o forse di Sumatra o dell'Isola di S. Maurizio, è presente nel nostro paese da tempi remoti ma non è chiaro da dove sia arrivata: l'ipotesi più probabile è che sia stata importata nel trecento dal marchese Giacomo Dondi dall'Orologio, medico e astronomo padovano, che durante un viaggio in Polonia fu conquistato dall'eleganza e dalla bellezza dell'insolito gallinaceo e ne portò a casa alcuni esemplari per arredare il giardino della sua villa gentilizia. Della Gallina Padovana si possono trovare notizie anche nel libro del monaco, medico e naturalista bolognese Ulisse Aldrovandi, intitolato *Historia animalium* e pubblicato tra il 1599 e il 1613 dove scrive: *"Tra i nostri gallinacei più grandi ne esistono alcuni che il popolo chiama padovani...La testa è ornata di un bellissimo ciuffo con piume di color bianco alla base, una macchia rossa circonda gli occhi. La cresta è piccola, il becco e le zampe sono gialli"*. La decadenza della Padovana inizia già dopo il 1700. Nell'ottocento è descritta come razza molto feconda e capace di fornire carni squisite, ma dall'aspetto ributtante per il suo collo nudo ricoperto di pelle rosa. Ai primi del Novecento se ne contavano ancora alcune migliaia di capi, ma negli anni Sessanta scompare quasi definitivamente, sostituita da razze più produttive. Allevata oggi solo in piccoli allevamenti dove è lasciata razzolare liberamente e nutrita con erbe, granaglie e mais, la gallina padovana è robusta, rustica e redditiva. Ottima produttrice di uova e carne magra, ha una pelle sottilissima senza grasso sottocutaneo. Ne esistono cinque varianti, diverse per il colore del piumaggio che può essere nero, bianco, dorato, camoscio e argentato. La carne è poco grassa, ha un equilibrato contenuto in acidi grassi saturi e insaturi, e molte proteine. Avendo la carne di pollo minor tessuto connettivo e fibre muscolari più corte, risulta molto digeribile anche se mangiata insieme alla pelle.

The Paduan hen has a large tuft of feathers, long and slender, that form a circle and hang over the eyes, with red fleshy nostrils framing the beak, a long beard and a naked neck. The Paduan hen has been present since remote times, but it is unclear where it came from, perhaps originating in the Carpathians or perhaps the islands of Sumatra or S. Maurizio. The most likely hypothesis is it was imported in the 1300's by Marquis Giacomo Dondi dall'Orologio, a Paduan physician and astronomer, who during a trip to Poland was struck by the elegance and beauty of the hen and brought home some samples to decorate the garden of his villa. Paduan Hen history can be found in the writings of the monk, physician and naturalist from Bologna Ulisse Aldrovandi, entitled Historia Animalium, *published between 1599 and 1613 where he writes:* "Among our larger poultry there is one called Padovana. The head is decorated with a beautiful tuft of white feathers and a red spot around the eyes. The crest is small, the beak and feet are yellow". *The decline of the Paduan Hen began after 1700. The breed is described as very fruitful and with delicious meat, but people did not like the appearance of the neck covered with naked pink skin. At the beginning of the twentieth century, there were still thousands of them, but in the sixties they almost disappeared, replaced by more productive breeds. Today they are only bred in small farms where they are allowed to roam freely and fed with grass, grain and corn, and the Paduan hen is now robust, rustic and profitable. It is an excellent producer of eggs and lean meat, with a thin skin without subcutaneous fat. There are five variants that vary in plumage color: black, white, gold, silver and suede. The chicken meat is not greasy, has a balanced fatty acid content of saturated and unsaturated, and many proteins. As the chicken meat has little connective tissue and short muscle fibers, it is very digestible even if eaten with the skin.*

Rotolo farcito alle verdure estive

600 gr di petto di gallina Padovana tagliato in 6 fette
1 melanzana piccola
2 zucchine
3 spicchi d'aglio
½ bicchiere di vino bianco
olio extravergine d'oliva
sale e pepe

Lavare e spuntare la melanzana, quindi tagliarla a fette di 5 mm di spessore, metterle in un colino, cospargerle di sale e lasciare che perdano l'acqua amarognola che contengono. Tagliare per lungo le zucchine a fette di 2-3 mm e grigliarle o farle cuocere in una padella antiaderente senza olio. Fare lo stesso con le melanzane. Stendere una fetta di petto di pollo tra due fogli di pellicola o carta da forno e appiattirla con un batticarne. Preparare allo stesso modo le altre fette di pollo, quindi cospargerle di sale e farcirle con le verdure grigliate arrotolandole e fermandole poi con uno spago da cucina o degli stuzzicadenti. Mettere un goccio d'olio in un tegame da forno e rotolarvi gli involtini per ungerli bene. Mettere nel tegame anche gli spicchi d'aglio in camicia. Cuocere in forno caldo a 180°C per 40-45 minuti versando il vino bianco dopo circa 15 minuti. Se serve, aggiungere dell'acqua calda durante la cottura, in modo da ottenere un sughetto con cui accompagnare gli involtini.

Chicken Roll stuffed with summer vegetables
Wash and trim 1 small eggplant, cut it into 5mm slices, put them in a colander, then sprinkle with salt so they lose their bitter taste. Cut 2 zucchini into 2-3mm slices grill or bake them in a non-stick pan without oil, then do the same with the eggplant. Take 600g of Paduan chicken breast, cut into 6 slices, and put each slice between two sheets of foil or baking paper and flatten with a meat tenderizer. Sprinkle with salt, and then spread with grilled vegetables and roll up the meat, keeping it rolled with kitchen twine or toothpicks. Put a drop of oil in a pan to bake the rolls and turn them frequently to keep them moist. Put also in pan three cloves of garlic, unpeeled. Bake in hot oven at 180°C for 40-45 minutes, and after the first 15 minutes pour ½ cup white wine over the rolls. If necessary, add hot water so as to obtain a sauce to accompany the rolls.

Vino consigliato/*suggested wine:*
Colli Euganei Rosso D.O.C.

GALLINA DI POLVERARA

Antica razza italiana originaria del villaggio di Polverara, nei dintorni di Padova, e conosciuta almeno dal 1400, la gallina di Polverara intreccia la sua storia con quella padovana: ancora irrisolta è la controversia su quale delle due specie sia la progenitrice dell'altra ma l'ipotesi più probabile è che la polverara derivi da un incrocio fra la padovana ed un pollo del contado padovano. Chiamata anche Padovana di Polverara, Schiatta di Polverara o semplicemente Schiatta, a partire dal primo `900 raggiunse una notevole diffusione e fama per le qualità della sua carne, la buona produzione di uova e il gradevole aspetto, ciò nonostante la razza Polverara dovette piegarsi alla razza Livornese, che venne sostenuta da esasperati interessi commerciali. Così questa specie rustica, che poco si adattava all'allevamento intensivo, si ridimensionò fino quasi all'estinzione tanto che pochi anni fa se ne contavano solo sette esemplari. Elegante nel portamento, la gallina di polverara è caratterizzata da un ciuffo ritto sulla testa, piumaggio lungo e morbido, occhi grandi, vivaci, di colore rosso-arancio, piccola cresta a cornetti rossi a forma di "V" e da un lungo collo arcuato con ricca mantellina. Ne esistono due varietà, quella bianca con riflessi giallognoli e becco giallo roseo e quella nera lucente con forti riflessi verdi.

This ancient breed of chicken originated in the village of Polverara, near Padua, and is known since at least 1400. The Polverara interweaves its story with that of the Paduan hen: still unresolved is the dispute about which of the two species is the progenitor of the other. The most probable hypothesis is that the Polverara derived from a cross between a regular chicken and a Paduan hen. This breed is known as Padovana Polverara, Schiatta di Polverara *(descended from Polverara) or simply* Schiatta *(descended). Starting in the early 1900s, it spread remarkably due to the reputation for quality of its meat, good production of eggs and pleasant appearance. However, despite the* Polverara *had to bow to the* Livornese, *which was supported by large commercial interests. So this rustic species, little suited to intensive commercial breeding, shrank in numbers almost to extinction: a few years ago there were only seven left. With elegant posture, the Polverara hen is characterized by a tuft on top of the head, long, soft plumage, big, bright, reddish-orange eyes, a small red crest in the shape of "V" and a long curved neck with rich mantle. There are two varieties, white with yellowish highlights and a bright yellow beak, and glossy black with strong green highlights.*

Terrina di gallina, prosciutto e pistacchi

1 kg di carne di gallina di Polverara disossata
150 gr di lardo affettato fine
2 uova
200 gr di prosciutto cotto tagliato grosso
1-2 cucchiaiate di pistacchi
8 cucchiai di vino Madera
1 cucchiaio di pepe rosa in salamoia
gelatina in polvere
menta fresca
farina bianca 00
sale

Tagliare a cubetti la carne di gallina senza pelle e il prosciutto cotto. Metterli in una ciotola, unire le uova, il pepe, qualche foglia di menta, 6 cucchiai di vino e i pistacchi privati della pellicina e tritati finemente. Amalgamare il tutto regolando di sale. Rivestire una terrina da forno con le fette di lardo, lasciandole sbordare abbondantemente, riempire con il composto di pollo e prosciutto e ripiegare il lardo sopra di esso, in modo che lo ricopra. Appoggiare sulla terrina un coperchio. Impastare un poco di farina con dell'acqua fino ad ottenere un impasto sodo, formare un sottile cordoncino e sigillare con questo il coperchio della terrina. Cuocere in forno caldo a 180°C per circa un'ora. Trascorso il tempo togliere la terrina dal forno e lasciar raffreddare a temperatura ambiente, quindi mettere in frigo per almeno 4 ore. Sformare delicatamente e lavare la terrina. Preparare circa 300 ml di gelatina seguendo le istruzioni riportate sulla confezione aromatizzandola con 2 cucchiai di Madera. Rimettere la preparazione nella terrina e ricoprire con la gelatina. Riporre in frigo per almeno 8 ore. Al momento di servire tagliare a fette spesse e accompagnare con una bella insalatina di stagione.

Terrine of chicken, ham and pistachios
Dice 1 kg of skinless deboned Polverara chicken and 200g of ham. Put them in a

bowl, combine 2 eggs, pepper, a few mint leaves, 6 tablespoons of Madeira wine and 1-2 tablespoons of peeled and finely chopped pistachios. Mix together, and add salt. Line a baking dish thoroughly with fatty bacon, then fill with the mixture of chicken and ham and fold the bacon over it so that it covers the mixture. Place a lid on the bowl. Knead a little flour with water to make a little dough, then form a thin cord and use it to seal the lid of the bowl. Bake in hot oven at 180°C for about an hour. After that time remove the bowl from the oven and allow to cool to room temperature, then place in refrigerator for at least 4 hours. Then gently remove the form from the bowl and wash the bowl. Prepare about 300ml of gelatin following the instructions on the package and flavor with 2 tablespoons of Madeira. Put the preparation back in the bowl and cover with gelatin, then place in refrigerator for at least 8 hours. When serving cut into thick slices and accompany with a nice salad of the season.

Vino consigliato/*suggested wine:*
Cabernet Sauvignon D.O.C.

L'eroica gallina

La fama della gallina di Polverara risale a tempi molto antichi, basti pensare che la prima raffigurazione conosciuta di questa grossa gallina ciuffata è in un affresco risalente al 1397, situato nell'oratorio di San Michele Arcangelo a Padova. Citata in numerose opere letterarie fin dal 1500, compare anche in questo poema eroicomico del 1630 intitolato *La secchia rapita*. Il poema narra la storia del conflitto tra Bologna e Modena ispirandosi ad un fatto realmente accaduto nel 1325, quando i Modenesi respinsero l'irruzione dei Bolognesi e li inseguirono fino alla loro città, portando via come trofeo di guerra una secchia di legno. I Bolognesi per vendetta rapirono allora Re Enzo, figlio naturale di Federico II, che chiamò in suo aiuto l'alleato Ezzelino III da Romano, il quale radunò le schiere dei dieci territori sotto il suo controllo con le rispettive famiglie dominanti: tra queste c'è quella dei Buzzacarini, signori della bassa padovana e del cosidetto regno dei galli!

[...] De l'orribile pugna il gran successo
sparse intorno la fama in un momento,
onde ne giunse a Federico il messo
che sospirò del figlio il duro evento.
Scrisse a gli amici e maledí sé stesso,
che fosse stato a quell'impresa lento:
ma sopra tutti scrisse ad Ezzelino
che di Padova allor tenea il domino.

Ezzelin, come udí che prigioniero
del suo signore era il figliolo, in fretta
armò le sue milizie, e fe' pensiero
di farne memorabile vendetta [...]
Dieci schiere ordinò, ciascuna d'esse
di ducento cavalli e mille fanti,
e ghibellini capitani elesse,
perché fosser piú fidi e piú costanti.[...]

Bruno Buzzacarini, è il quinto, e a gara
Vanno seco Conselve, e Bovolenta,
Are, Cona, Tribano, e l'Aguillara,
Quei di Sarmasa, e di Castel di Brenta,
Di Pontelungo, e quei di Polverara
Dov'è il regno de' galli, e la sementa
Famosa in ogni parte, e questa schiera
Dogata a verde, e bianco ha la bandiera. [...]

Alessandro Tassoni

The fame of the Polverara hen dates back to very ancient times: the first known depiction of this chicken with a big tuft is a fresco dating from 1397, located in the Oratorio of San Michele Arcangelo in Padua. Cited in numerous literary works since 1500, appears in this heroic-comic poem of 1630 entitled "The Stolen Bucket". The poem tells the story of the conflict between Bologna and Modena, inspired by a fact that really happened in 1325 when the Modenesi defeated the invasion of the Bolognesi and chased them back to their city, carrying away as a trophy of war a wooden bucket. The Bolognesi for revenge then abducted Re Enzo, son of Frederick II, who called for help to his ally Ezzelino III da Romano. He gathered the ranks of the ten territories under his control and their dominant their families, among them the Buzzacarini, lords lower of Padua and the so-called kingdom of the rooster!
[...] From the horrible blow the great success/ spread around fame in waves,/ that came to Federico, who sighed/ That his child had suffered this hard event./ He wrote to friends and cursing himself,/ that he had been slow to respond:/ but above all he wrote to Ezzelino/ who reigned over Padua./ Ezzelin, as he heard that the son was a prisoner/ of a nearby lord, in a hurry/ armed his militia, and planned/ to make memorable revenge [...]/ Ten ordered arrays, each of them/ two hundred horses and a thousand infantry,/ and Ghibellines elected captains,/ because they were more constant and more faithful.[...]/ Bruno Buzzacarini, is the fifth, and also go/ Conselve, and Bovolenta,/ Are, Cona, Tribano and Aguillara,/ Those of Sarmas and Castel di Brenta/ Of Pontelungo, and those of Polverara/ Where is the kingdom of cocks, and they sow/ Fame all over, this host/ Dressed in green, with a white flag. [...] (Alessandro Tassoni)

ANATRA DI CORTE PADOVANA

La domesticazione dell'anatra sembra aver avuto origine in Cina, dove veniva utilizzata per allontanare i numerosi insetti dalle risaie e per nutrirsi dei semi delle erbe infestanti. In Italia questo palmipede era presente fin dall'epoca romana, ma veniva solamente cacciato e ingrassato in voliere prima di essere mangiato. L'allevamento vero e proprio cominciò nel XIX secolo con l'introduzione delle razze asiatiche, molto più prolifiche di quelle indigene, e si diffuse in tutta la pianura padana, in particolare nelle zone fluviali e lagunari. Animale da cortile che non richiede particolari attenzioni se non quella di essere lasciata razzolare liberamente, l'anatra divenne un elemento immancabile della corte e della tavola padovana in particolare durante la seconda guerra mondiale, quando gran parte dei bovini furono requisiti per l'alimentazione delle forze armate. Appartenenti alla famiglia degli Anatidi, le anatre allevate discendono da due specie selvatiche, l'anatra muta o muschiata (*Chairina moschata*) e il Germano reale (*Anas platyrhynchos*); hanno un piumaggio molto fitto che assicura una completa protezione dall'acqua e la loro colorazione varia da bianco, a nero e pezzato a seconda degli esemplari e della tipologia. L'anatra muta ha la pelle della testa nuda, rossa e conformata in modo tale da costruire intorno agli occhi una sorta di mascherina. Il suo nome deriva proprio dal fatto di essere afona, solo il maschio in situazioni particolari emette una specie di forte soffio Caratterizzata da un contenuto di grasso sensibilmente superiore agli altri avicoli, la sua carne è molto apprezzata e il fegato è adatto alla produzione di *foie gras*.

The domestication of the duck appears to have originated in China, where it was used to remove insects and the seeds of weeds from rice fields. In Italy this bird was known since Roman times, but only to be hunted and fattened in aviaries before being eaten. Duck farming began in the nineteenth century with the introduction of Asian ducks, far more prolific than the indigenous ones, and quickly spread throughout the Po Valley, particularly in river and lagoon areas. As a yard animal that did not require special attention and could to roam freely, the duck became an inevitable part of the Padovan courtyard and table, in particular during the Second World War when most were cattle were required for feeding armed forces. Belonging to the family of Anatidae, *domestic ducks descended from two wild species, the mute or Muscovy* (Chairina moschata) *and the Mallard* (Anas platyrhynchos)*: they have a very dense plumage that ensures complete protection from water and their color varies from white to black to mixed depending on the specimens and types. The Muscovy duck has a bare skinned head, with red skin around the eyes that looks like a sort of mask. Its name derives from the fact that they do not quack, only in special situations male emits a kind of strong grunt. Characterized by a fat content significantly higher than other poultry, its meat is much appreciated and the liver is suitable for the production of foie gras.*

Petto d'anatra di corte Padovana alle ciliegie

6 petti d'anatra di corte Padovana
500 gr di ciliegie fresche
1 l di vino rosso dei Colli Euganei
1 bicchiere di Cognac
rosmarino
1 noce di burro
3 cucchiai di olio extravergine di oliva
sale e pepe

Snocciolare le ciliegie e metterle a macerare nel vino rosso la sera precedente. Quindi bollire lungamente con un pò di sale e pepe per addensare la salsa. In un tegame rosolare nell'olio e nel burro i petti d'anatra con sale, pepe e un rametto di rosmarino. Bagnare con il Cognac e quando sono quasi pronti aggiungere la salsa di ciliegie.

Padovan Duck with Cherries
Pit 500g of fresh cherries and put them to soak in 1 lt of red wine from the Euganean Hills the previous evening. The next day boil them with a little salt and pepper to thicken the sauce. In a pan, brown 6 duck breasts in one pat of butter and 3 tablespoons extra virgin olive oil, adding salt, pepper and a sprig of rosemary. Splash with one glass of Cognac and when they are almost ready add the cherry sauce

Vino consigliato/*suggested wine:*
Cabernet Colli Euganei D.O.C.

L'anatra matrimoniale

Gli antichi Egizi associavano l'anatra alle paludi,.che erano sia un luogo di pericolo che una fonte di acqua, quindi l'anatra rappresentava sia il male sia la protezione da esso. La divinità corrispondente era *Geb*, un dio di terra; fratello di *Nut*, dea del cielo. La tradizione voleva che fosse stato lui a deporre il grande uovo da cui emerse il sole all'alba dei tempi. Nei geroglifici due anatre che passeggiano affiancate significavano lavandaio, quindi pulizia; inoltre era usata per simboli come librarsi, volare, posarsi e per concetti diversi come tremore, fremito, entrare e grasso; combinata con l'immagine del sole indicava il nome di nascita dei re d'Egitto, esprimendone lo status divino. Per gli etruschi invece questo volatile era portatore di fedeltà coniugale: infatti ogni famiglia allevava un'anatra speciale, arrichita di nastri, che veniva donata alla sposa il giorno del suo matrimonio e tutt'oggi in alcune zone d'italia si crede che un guanciale di piume d'anatra garantisca la fedeltà matrimoniale. Credenze simili esistono in Cina e Corea dove l'anatra è simbolo di felicità e solidità matrimoniale, poichè pare che quando questo animale muore, il compagno lo segua subito. Del resto una delle figure mitologiche chè più rappresentano la fedeltà nella cultura greca è Penelope, la moglie di Ulisse, il cui nome, che significa appunto anatra, gli fu attribuito dopo che, gettata in mare dal padre Icaro, fu salvata da uno stormo di anatre.

The ancient Egyptians associated the duck with swamps, a place of danger but also a water source, hence the duck was both evil and protection from it. The corresponding god was Geb, *god of earth, brother of* Nut, *goddess of the sky. Tradition was that* Geb *laid the big egg from which emerged the sun at the dawn of time. In the hieroglyphs two ducks that walk side by side meant washerwoman, hence cleaning. It was also used as symbols to hover, fly, land and other concepts such as tremor, shudder, and get fat; combined with the image of the sun it indicated the birth name of the kings of Egypt, expressing divine status. For the Etruscans, however this bird was the bearer of marital fidelity: in fact, every family raised a special duck festooned with ribbons that was donated to the bride on the marriage day. Today in some parts of Italy it is believed that a duck feather pillow ensures marital fidelity. Similar beliefs exist in China and Korea where the duck is a symbol of marital happiness and stability, since it seems that when the animal dies, the companion follows immediately. One of the mythological figures that represents fidelity in Greek culture is Penelope, the wife of Odysseus, whose name means precisely duck. She was given that name after being thrown into the sea by her father Icarus and being rescued by a flock of ducks*

FARAONA DI CORTE PADOVANA

Introdotte in Europa dai portoghesi alla fine del medioevo le faraone si diffusero presto nel padovano dove erano presenti in particolare tre razze : la faraona Grigia, dal colore del piumaggio grigio perlato, con corpo tozzo e zampe grigio nerastre; quella Lilla di taglia abbastanza sviluppata con zampe gialle e piumaggio particolare con capo provvisto di elmo, bargigli e collo violaceo. La faraona Lilla è una razza molto antica presente sia nelle zone africane che nei paesi del nord Europa. Lo scorso secolo era allevata soprattutto nelle grandi aziende in Emilia Romagna, Veneto, Lombardia e Piemonte, dove era preferita alla faraona grigia perché di mole maggiore e più rustica. Infine la faraona paonata, la più grande, caratterizzata dall'assenza delle tipiche macchie a perla nel piumaggio e dal colore violaceo scuro delle penne, che ricordano quelle della femmina di pavone, da cui la denominazione "paonata". Le faraone sono animali con ottima attitudine al pascolo e sono pertanto allevate allo stato libero, si nutrono di erbe, granaglie e insetti e si prestano bene per l'allevamento con metodo biologico. Dopo il secondo mese di vita iniziano ad appollaiarsi sugli alberi per la notte. A 5–6 mesi vengono macellate, fornendo carni di particolare delicatezza e bontà. Per quanto riguarda il valore nutritivo, la faraona ha un elevato contenuto di proteine e di vitamine B1, B2, B3, e PP, ma una bassa percentuale di grassi, di conseguenza il suo valore calorico risulta piuttosto contenuto.

*Introduced in Europe by the Portuguese in the late Middle Ages, guinea fowl spread early to Padua, where there were three races in particular: Gray guinea fowl, with pearl gray plumage, squat body and blackish gray feet; Lilla guinea fowl, bigger, with well developed yellow legs and plumage that appears to be a helmet, with purple head, neck and wattles. The Lilla guinea fowl is a very ancient breed, found both in Africa and northern Europe. During the last century it was raised mainly in large farms in Emilia Romagna, Veneto, Lombardy and Piedmont, where they were preferred to the gray guinea fowl because of their greater size and hardier character. Finally, the Paonata guinea fowl, the largest, characterized by the absence of the typical pearl-colored spots in the plumage and with dark purple feathers, similar to those of the female peacock (*Pavona *in Italian), hence the name* Paonata. *Guinea fowl are very easy animals to raise and roam freely, feeding on grasses, grains and insects, hence they are good for organic farming. After the second month of life they begin to roost in the trees for the night. At 5-6 months they* *are slaughtered, providing tender excellent meat. As for nutritional value, the guinea fowl has a high content of protein and vitamins B1, B2, B3, and PP, but a low percentage of fat, hence a low caloric content.*

Torta di faraona

Per la pasta:
350 gr di farina 00
120 gr di strutto o burro
1 rosso d'uovo (facoltativo)
80 ml di acqua (meno se si mette l'uovo)
1 cucchiaino di zucchero semolato
sale

Per il ripieno:
2 faraone pulite
250 gr di champignons o funghi coltivati
100 gr di scalogno
100 gr di sedano
100 gr di burro
1 uovo per spennellare
vino rosso
sale e pepe

Tagliare la faraona in otto pezzi, salare, pepare e cospargere con 50 gr di burro tagliato a cubetti. Mettere in una teglia e infornare a 180° C per 40-45 minuti, irrorando con del vino rosso durante la cottura. Intanto preparare la pasta: impastare la farina con lo strutto, lo zucchero, un pizzico di sale, l'acqua fredda e volendo il rosso d'uovo; lavorarla velocemente per non scaldarla troppo, formare una palla, avvolgerla con la pellicola per alimenti e metterla in frigorifero a raffreddare. Soffriggere nel restante burro il sedano tagliato a tocchetti, lo scalogno e i funghi a spicchietti, bagnarli con il fondo di cottura delle faraone e regolare di sale e pepe. Quindi metterli in una pirofila assieme alle faraone tolte dal forno. Stendere la pasta ad uno spessore di 3 mm, coprire con essa la pirofila, facendola aderire al bordo pennellato leggermente con l'uovo sbattuto. Pennellare anche la superficie della pasta e bucherellare con una forchetta (se avanza della pasta usarla per decorare con cuoricini, stelline, fiorellini e quant'altro). Infornare a 180°C per 20 minuti circa. Servire ben calda.

Guinea Fowl Cake
Cut 2 cleaned guinea fowl into 8 pieces, salt, pepper and sprinkle with 50g of butter cut into cubes. Place in a baking dish and bake at 180°C for 40-45 minutes, splashing with some red wine while cooking. Meanwhile, prepare the pastry: mix 350g of white flour with 120g of lard or butter, 1 teaspoon sugar, salt, 80ml of cold water (and if desired 1 egg yolk, in which case a little less water). Work quickly so as not to heat too much, form a ball, wrap with tinfoil and put in refrigerator to cool. Sauté 100g chopped celery, 100g chopped shallots and 250g mushroom pieces in 50g butter. Baste with the guinea fowl drippings and add salt and pepper. Then put them in a casserole along with the guinea fowl removed from the oven. Roll out the pastry dough to a thickness of 3mm and cover the casserole so as to seal the edges, brushing lightly with a beaten egg. Pierce the surface of the dough with a fork, and if you have extra dough decorate with hearts, stars, flowers and so on. Bake at 180°C for 20 minutes. Serve hot.

Vino consigliato/*suggested wine:*
Pinello frizzante D.O.C.

Originale faraona

Detta anche “gallina di faraone”, è un uccello che vive in natura nelle foreste aperte e nelle pianure coperte d’erba di gran parte dell’Africa e del Madagascar. Sembra che la specie sia stata resa domestica dagli antichi Greci e quindi dai Romani, che la introdussero in Europa: le prime razze s’estinsero però agli albori dell’era Cristiana, per ricomparire all’inizio del quattrocento, quando i navigatori portoghesi ne riportarono nuovi esemplari dal Golfo di Guinea (in inglese faraona si dice *Guinea fowl*). La specie non si adattò con la facilità dimostrata dal pollo, ma entrò nella tradizione italiana come carne di pregio. La più celebre delle sue preparazioni, anche se non necessariamente la migliore, è certamente la faraona alla creta: l’antica procedura, comunemente attribuita ai Longobardi, consiste nel mettere in forno o avvolto nelle pietre roventi un uccello (fagiano, faraona o altro) ricoperto di argilla con le penne e tutto. Cotta la creta, la si spacca e l’uccello appare nello stesso tempo cotto e pulito, perché le penne restano prigioniere dell’involucro divenuto di terracotta. Questo metodo, abbastanza elementare ma ingegnoso, è ancora in uso nell’Africa orientale, dove le faraone sono tutt'oggi molto diffuse allo stato selvatico.

The Guinea Fowl is also called "chicken of the Pharaoh"; it is a bird that lives naturally in forests and open grassy plains in most of Africa and Madagascar. It seems that the species was domesticated by the ancient Greeks, and then introduced by the Romans in Europe, but these first races became extinct around the dawn of the Christian era. They reappeared at the beginning of the fifteenth century when Portuguese navigators imported new specimens from the Gulf of Guinea, hence the name. The species is not as easy to raise as the chicken, but it entered Italian tradition because of the meat quality. The most famous preparation, though not necessarily the best, is certainly the clay cooked guinea fowl: the old procedure, commonly attributed to the Lombards, is to put in the oven a bird (pheasant, Guinea Fowl or more) completely covered with clay, feathers and everything. Once the clay is baked hard, it is broken open and the bird appears both cooked and cleaned, because the feathers stick to the baked clay. This method, quite elementary but ingenious, is still in use in East Africa where the fowl are still very common in the wild.

CONIGLIO VENETO

Il coniglio domestico europeo deriva dal coniglio selvatico *(Oryctolagus cuniculus)*, i cui predecessori migrarono dall'asia all'Europa all'inizio dell'era terziaria. Allevato prima dai Fenici e poi dai Romani, tornò allo stato selvatico dopo la caduta dell'Impero Romano e soltanto verso il 1700 il suo allevamento fu ripreso nei monasteri, dove furono selezionate razze per la produzione di pelliccia e di carne. Fino a trent'anni fa, nella tradizione contadina veneta il coniglio costituiva una forma di reddito integrativo per le famiglie della mezzadria, che oltre a nutrirsene, commerciavano le carni e le pelli; oggi l'allevamento del coniglio ha assunto dimensioni maggiori senza però perdere le sue caratteristiche di ruralità e il suo legame con la terra: il Veneto infatti è una delle regioni con il maggior numero di allevamenti cunicoli del mondo. Alimentato prevalentemente con erba medica, frumento, orzo, crusche, soia e girasole, (tutto di buona qualità e ben conservato poichè l'animale è molto sensibile alla presenza di micotossine), il coniglio viene macellato ad una età di 84/90 giorni, al raggiungimento di 2,5 kg di peso e prima della maturazione sessuale per evitare che la carne assuma un odore forte e caratteristico non apprezzato dai consumatori. Quindi viene lavorato e commercializzato entro 5 giorni dalla macellazione per garantire le eccezionali caratteristiche organolettiche: ricca di vitamine e sali minerali come fosforo, magnesio e potassio ad alto contenuto di acidi grassi polinsaturi e con bassissimo contenuto di colesterolo e sodio, la carne di coniglio infatti è gustosa, particolarmente magra e molto digeribile, per questo viene indicata nell'alimentazione della primissima età, nello svezzamento e per gli anziani.

The European domestic rabbit derived from the wild rabbit (Oryctolagus cuniculus), *whose ancestors migrated from Asia to Europe. They were first raised by the Phoenicians and then by the Romans but returned to the wild after the fall of the Roman Empire. Until 1700 the farming of rabbits taken up in monasteries, where they were selected for their fur and flesh. Up to thirty years ago, in the Venetian tradition, the rabbit was a form of income for farming families, which in addition to food, traded the meat and skins. The breeding of rabbits has become more widespread without losing its rural characteristics: the Veneto is in fact one of the regions with the largest number of burrow farming in the world. Fed mainly with alfalfa, wheat, barley, bran, soybean and sunflower, (all of good quality and well preserved because the animal is very sensitive to the presence of mycotoxins), the rabbit is slaughtered when it is 84/90 days old, weighs 2.5 kg and is not yet sexually mature in order to prevent the meat from having a strong and distinctive smell which is not appreciated by consumers. They are then processed and sold within 5 days to ensure the exceptional characteristics: rich in vitamins and minerals such as phosphorus, magnesium and potassium that are high in polyunsaturated fatty acids and low in cholesterol and sodium, the rabbit meat is tasty, very lean and very digestible; for this it is recommended for the very young and for the elderly.*

Rotolo di coniglio ripieno alla casalinga

1 coniglio da 1,6 kg disossato
rete di maiale
200 gr di mollica di pane
poco latte freddo
100 gr di pancetta
50 gr di burro
40 gr di Grana Padano
2 uova intere
prezzemolo tritato
1 cipolla
1 carota
1 costa di sedano
1 spicchio d'aglio
1 ramoscello di rosmarino
1 bicchiere di vino bianco secco
poca maizena o fecola di patate
olio extravergine d'oliva
sale e pepe

Disossare il coniglio e stenderlo su un tavolo dalla parte della schiena. Passare al tritacarne con piastra fine il fegato ed il cuore. Raccogliere tutto in una terrina e unirvi la mollica di pane imbevuta nel latte e strizzata, mezza cipolla tritata con una punta d'aglio e rosolata in poco olio d'oliva, la pancetta tagliata a dadini finissimi, un bel pizzico di prezzemolo,le uova, sale e pepe. Amalgamare bene e farcire il coniglio, dopo averlo leggermente salato. Formare il rotolo, avvolgerlo nella rete di maiale, legarlo e metterlo in una brasiera da forno non troppo grande. Aggiungere il burro, mezzo bicchiere d'olio, un rametto di rosmarino, l'altra mezza cipolla, la carota, il sedano, il resto dell'aglio schiacciato e far cuocere in forno già caldo a 190°C. Nel corso della cottura continuare a bagnare il rotolo di coniglio con il sugo che si forma nella brasiera, facendo attenzione che non si asciughi troppo, nel qual caso aggiungere qualche cucchiaiata d'acqua. A cottura ultimata levare il coniglio dal recipiente di cottura, scolare il grasso e versarvi il vino bianco, facendolo evaporare. Se il sugo non fosse sufficiente aggiungere del brodo ristretto oppure dell'acqua e del dado. Far bollire alcuni istanti, quindi legare con un poca di maizena o fecola diluita in poca acqua fredda. Passare la salsa e con questa accompagnare il rotolo di coniglio.

Rabbit roll with homemade stuffing
Debone one rabbit (600g) and place belly up on a table. Grind the liver and the heart finely. Collect everything in a bowl and add 200g breadcrumbs soaked in a little cold milk and squeezed; sauté half a chopped onion with a touch of garlic in a little olive oil and add to liver paste. Add 100g chopped bacon, finely crumbled, a good pinch of parsley, 2 eggs, salt and pepper. Mix well and stuff the rabbit, after slightly salting it. Form the roll, wrap in a meat net, tie it and put it in a baking dish that is not too large. Add 50g butter, half cup of oil, a sprig of rosemary, the other half onion, one carrot, one stick of celery, the remaining crushed garlic and cook in oven pre-heated to 190°C. While cooking continue to spoon the sauce that forms in the baking dish on the rabbit roll, taking care that it does not dry too much, in which case you should add a tablespoon of water. When cooked remove the rabbit from the baking dish, drain the fat and pour one glass of dry white wine, letting it evaporate. If the sauce is not enough, add some broth or water and some bouillon. Boil for a few moments, then add potato starch to thicken. Pass the sauce through a sieve and accompany with rabbit roll.

Vino consigliato/*suggested wine:*
Bardolino D.O.C.

TORRESANI DI TORREGLIA

Chiamati comunemente Torresani perché soliti nidificare sulle torri dei castelli o delle mura cittadine, i colombi sono stati per secoli un piatto riservato alle tavole dei nobili, che li allevavano appunto nelle colombare poste sulle torri. Difficili da cacciare, in tempo di guerra venivano catturati con un becchime fatto di chicchi di riso messi a bagno nella grappa: una volta mangiato il riso i colombi ubriachi non erano più in grado di volare e potevano essere catturati più agevolmente. Essendo un animale estremamente prolifico e di facile allevamento, si diffuse con rapidità nelle campagne e presto la crescente popolazione si ambientò anche in città, dove trovava cibo in abbondanza, molti luoghi dove nidificare e pochissimi predatori. Uccello di dimensioni relativamente ridotte, con piumaggio grigio scuro e sfumature di vari colori (nero, bianco o marrone, con varie sfumature e disegni variopinti soprattutto sulle ali), il Torresano ha una carne magra, morbida e sapida, con caratteritiche organolettiche non riconoscibili nella selvaggina, poichè viene ucciso quando ha solo 30 giorni di vita.

Commonly called Torresani *because they nested in towers of castles or city walls, doves have been for centuries a dish reserved for the tables of nobility, which raised them in* Colombare *on the towers. Difficult to hunt, in times of war they were captured with a bait made of grains of rice soaked in grappa: once they ate the rice the drunk pigeons were no longer able to fly and could be caught more easily. Being a very prolific animal and easy to breed, they spread quickly throughout the countryside, soon moving their growing population into the city environment where food was plentiful and there were many places to nest and few predators. A relatively small bird with gray plumage and dark shades of various colors (black, white or brown, with many shades and colorful designs, especially on the wings), doves have a lean, soft and flavorful flesh, with no gaminess because they are usually killed when just 30 days old.*

Risotto con porcini e torresani

300 gr di riso Carnaroli
1 piccione di Torreglia grande o 2 piccoli

1 carota
1 costa di sedano
1 cipolla
200 gr di funghi porcini freschi
1 spicchio d'aglio in camicia
1 ciuffo di prezzemolo
1 l di brodo di carne
vino rosso
olio extravergine di oliva
sale e pepe
burro
Grana Padano

Pulire e lavare le verdure, disossare il piccione e tagliarlo a pezzetti regolari. In una padella dorare nell'olio carote, sedano e cipolla tagliati a dadini finissimi, unire il piccione, lasciar rosolare, quindi salare e pepare. Aggiungere il riso, tostarlo bene e irrorarlo con il vino. Lasciar evaporare quindi bagnare con il brodo e portare a cottura mescolando spesso per circa 16-18 minuti. Saltare i funghi affettati nell'olio con l'aglio in camicia, regolare di sale e pepe, quindi spolverare con i prezzemolo tritato. Togliere il riso dal fuoco quando è ancora all'onda e mantecarlo con i porcini trifolati, un poco di burro e una bella manciata di Grana grattugiato.

Risotto with porcini and Torresani
Clean and wash the vegetables, debone 1 large or 2 small pigeons, then cut them into regular pieces. In a frying pan with some oil, brown 1 carrot, some celery and 1 chopped onion, diced fine, add the pigeon, let brown, then salt and pepper. Add 300g of Carnaroli rice, toast well and sprinkle with red wine. Allow the wine to evaporate, and then pour in 1 lt of meat broth and cook, stirring often for about 16-18 minutes. Toss 200g of sliced fresh porcini mushrooms in oil along with 1 clove of unpeeled garlic, add salt and pepper, and then sprinkle with one tuft of chopped parsley. Remove the rice from the fire before it is done, then fold in the porcini mixture, a little butter and a good handful of grated Grana Padano

Vino consigliato/*suggested wine:*
Merlot D.O.C colli Euganei

La guerra dei Torresani

Dagli inizi del '900 è in corso una diatriba tra Torreglia e Breganze sulla paternità dei famosi Torresani, già nel 1936 un ristoratore di Breganze era ricorso alle vie legali per difendere il *toresan* dall'usurpazione dei colleghi padovani, ma com'era prevedibile il giudice emise un verdetto salomonico: poichè entrambe le cittadine potevano dimostrare una consolidata tradizione nell'uso di questo prodotto, ad entrambe era concesso l'uso del nome. Nemo Cuoghi, noto cultore della storia e della tradizione culinaria padovana, sostiene: "Torresano deriva da Torreglia, così come vuole il campanile padovano, ma Breganze non intende cedere sulla paternità. Pertanto si continua a duellare, soprattutto ai fornelli, sull'origine dell'etimo". Nel 2006 i cuochi delle due città si sono sfidati difronte all'Accademia Italiana della Cucina. nella partita d'andata svoltasi a Torreglia sono state servite 42 diverse portate a base di torresani, mentre a Breganze si è realizzato un gigantesco spiedo secondo tradizione. Alla fine si è decretata la parità e si è confermata la tradizionale distinzione basata sulle differenti cotture: mentre a Breganze i *toresàni* vengono esclusivamente cotti allo spiedo, unti solo del grasso che da loro cola e insaporiti con sale e pochissime spezie, aTorreglia si mangiano al forno, ripieni e perfino col gelato!

Since the beginning of 1900 there was an ongoing dispute between Torreglia and Breganze on the origin of the famous Torresani. Already in 1936 a restaurateur in Breganze took legal action to defend the toresan *from being usurped by his colleagues in Padua, but as one might predict the court issued Solomonic verdict as both cities could prove a well-established tradition in this field, so both were granted the use of the name. Nemo Cuoghi, a known expert on the history and culinary tradition of Padua, says: "Torresani is derived from Torreglia, or so say the Paduans, but Breganze does not intend to cede paternity. So we keep on dueling, especially at the stove, on the origin and etymology." In 2006, the cooks of the two cities confronted each other before Italian Academy of the Kitchen. Torreglia served 42 different courses based on Torresani, while Breganze made a giant traditional spit. In the end, the Academy declared a tie, and upheld the traditional distinction based on different cooking styles. In Breganze* Torresàni *are only cooked on the spit, basted with their own grease and flavored with salt and very few spices, while in Torreglia you can eat them baked, stuffed, and even with ice cream!*

COTECHINO DI PULEDRO

Gli insaccati ottenuti da un mix di carni equine e suine si sono diffusi nella tradizione agricola locale assieme all'allevamento di maiali e cavalli, variando la loro composizione a seconda delle disponibilità e dei gusti dei consumatori. Il cotechino di puledro è un insaccato di carne di puledro e suino macinate assieme in percentuali rispettivamente del 70 e 30%, a cui si aggiungono sale, pepe e spezie a seconda delle usanze. Insaccato in budello naturale bovino, il prodotto finito si presenta di forma cilindrica, lunghezza di 15-20 cm e diametro di 5-7 cm; la pasta, di colore rosato, con la cottura assume una tonalità più scura. Il gusto e l'aroma differiscono leggermente da quelli del cotechino di puro maiale. Tradizionalmente il prodotto veniva posto ad asciugare in luoghi secchi ed areati per qualche giorno e poi riposto in cantine o soffitte fresche e umide per la conservazione. Oggi il prodotto viene essiccato in apposite stanze dove, a temperatura e umidità controllate, in 48 ore si ottiene un risultato ottimale.

Sausages obtained from a mix of horsemeat and pork have spread in the local agricultural tradition along with the rearing of pigs and horses, varying their composition depending on the availability of the meats and consumer tastes. The colt cotechino sausage is made of foal meat and minced pork in percentages respectively of 70 and 30%, plus salt, pepper and spices according to custom. The sausage is in a natural cattle casing, the finished product is cylindrical in shape, 15-20 cm long and 5-7 cm diameter, and a pale pink color that with cooking takes on a darker hue. The taste and aroma differ slightly from those of pure pork cotechino. Traditionally the fresh product was placed to dry in ventilated areas for a few days and then placed in cool moist cellars or attics moist for storage. Today the product is dried in special rooms with controlled temperature and humidity, and in 48 hours you get an optimal result.

Cotechino di puledro in "galera"

600 gr di cotechino di puledro
500 gr di manzo tagliato in una fetta larga
100 gr di prosciutto crudo Berico Euganeo

1 ciuffo di santoreggia
1 bicchiere di vino rosso dei Colli Euganei
2 peperoni rossi
2 peperoni gialli
1 cipolla
1 spicchio d'aglio
100 gr di piselli
rete di maiale
olio extravergine d'oliva, sale e pepe

Mettere il cotechino in acqua fredda e lessarlo per 15 minuti a partire dalla bollitura, quindi eliminare la pelle. Allargare la fetta di manzo su un tagliere, stendere il prosciutto crudo al centro e su questo adagiare il cotechino. Arrotolare il tutto e avvolgere nel *radesélo,* la rete dello stomaco del maiale, legando con spago da cucina. In una casseruola far rosolare nell'olio il rotolo da entrambi i lati, regolare di sale e pepe, bagnare con il vino e lasciar evaporare. Cuocere a fuoco lento per circa 1 ora, girando spesso la carne. Una volta cotta, affettarla e coprirla con il suo sugo. Accompagnare con i peperoni tagliati a pezzi e cucinati con la cipolla affettata sottile, l'aglio tritato, l'olio e i piselli, aggiunti a metà cottura, regolando di sale, pepe e se servisse d'acqua, per non avere un contorno troppo asciutto.

Colt Cotechino "jail"
Put 600g of colt Cotechino in cold water and boil for 15 minutes on the boil, then remove the skin. Spread a large 500g slice of beef on a chopping board, then lay 100g prosciutto in the center, then on this lay the cotechino. Roll and wrap everything in a pig's stomach, tying with kitchen twine. In a saucepan cook the rolls in oil on both sides, adding salt and pepper, moisten with a glass of red wine and let evaporate. Cook over a low heat for about 1 hour, turning the meat often. Once cooked, slice and cover it with its sauce. As accompanying dish, take 2 yellow and 2 red peppers, cut into pieces and cooked with 1 thinly sliced onion, one minced clove of garlic, oil and 100g half cooked peas, add salt, pepper and if you need to, water.

Vino consigliato/*suggested wine:*
Cabernet D.O.C. Colli Euganei

BRESAOLA DI CAVALLO

Originariamente finalizzate alla conservazione della carne per lunghi periodi, le tecniche di salatura ed essiccamento si sono nei secoli perfezionate ed arricchite, consentendo l'affinamento della qualità e la nascita di nuovi prodotti. Tra questi la bresaola di cavallo, il cui nome sembra derivare da *brasa* cioè brace, in riferimento ai braceri utilizzati anticamente per riscaldare l'aria dei locali di stagionatura. Nata probabilmente nel medioevo e riportata in auge nel secondo dopoguerra dai salumieri di Padova alla ricerca di un prodotto particolare e inusuale, la bresaola di cavallo viene oggi prodotta utilizzando diverse parti del cavallo: la lombata, la noce, la fesa e soprattutto le cosce. Le parti scelte dell'animale vengono salate ed aromatizzate a mano con un trito di timo, rosmarino, chiodi di garofano, pepe e cannella. Il tutto viene riposto in vasche e massaggiato ogni 3 giorni per 2 settimane in modo da consentire l'assorbimento degli aromi; successivamente vengono messe in apposite presse per 20 giorni. L'impasto viene quindi insaccato in "calze" di cotone e stagionato per almeno 30 giorni. La forma risultante è pressoché cilindrica, di dimensioni variabili, con un colorito rosso scuro intenso. Al palato si presenta morbida e particolarmente saporita. La carne di cavallo è piuttosto digeribile, ha un contenuto elevato di proteine e basso di grassi, per questo è consigliata nelle diete ipocaloriche.

Originally aimed at the preservation of meat for long periods, the techniques of salting and drying over the centuries have enriched and improved, allowing the refinement of the quality and the emergence of new products. Among these is bresaola *of horse, whose name seems to derive from* brasa, *the ancient braziers used to heat the air spaces during curing. Born probably in the Middle Ages and brought into fashion after the Second World War by salumieri of Padua searching for particular and unusual meats,* bresaola *of horse is now produced using different parts of the horse: the loin, the top round, and especially the thighs. The choice parts are salted and hand flavored with chopped thyme, rosemary, cloves, pepper and cinnamon. Everything is stored in tanks and hand rubbed every 3 days for 2 weeks to allow the absorption of aromas, and then they are placed in special presses for 20 days. The meat is then wrapped in "socks" of cotton and aged for at least 30 days. The resulting shape is almost cylindrical, of variable size, with an intense dark red color. The taste is soft and very flavorful. Horsemeat is quite digestible, has a high content of protein and low in fat, so it is recommended in diets.*

Insalata "puledrina" con carciofi e olio di scalogno

80 gr di bresaola di cavallo
2 carciofi
chicchi d'uva
fogliοline di prezzemolo
olio extravergine d'oliva
1 scalogno
aceto di vino rosso
limone
pepe in grani
sale

Pulire i carciofi e lasciarli in acqua acidulata con succo di limone, mettendo da parte alcune foglie grandi per la decorazione. Tagliarli quindi a fettine sottili e adagiarli sui piatti di portata. Distribuirvi sopra la bresaola tagliata a dadini e condire con l'olio allo scalogno, ottenuto mescolando a dell'olio extravergine uno scalogno frullato e dell'aceto di vino rosso. Salare e pepare con generosità. Tagliare a metà gli acini d'uva e disporli in bella maniera sopra la bresaola, infine decorare con foglie di carciofo e prezzemolo.

Colt Salad with artichokes and shallot oil
Clean 2 artichokes and let them sit in water with lemon juice, setting aside some big leaves for decoration. Cut them into thin slices and then lay them about serving dishes. Distribute 80g of horse bresaola cut into cubes on top, and season with shallot oil, made by mixing one minced shallot, some extra virgin olive oil, and red wine vinegar. Add salt, and then grind peppercorns over the top abundantly. Cut some grapes in half and place on top of the bresaola; also decorate with leaves of artichokes and parsley.

Vino consigliato/*suggested wine:*
Brut Colli Euganei D.O.C.

Cavallo da mangiare

Sicuramente il cavallo è ben lieto di essere sempre stato per l'uomo più un animale da servizio che da carne, tuttavia anche lui è finito sulla nostra tavola già in tempi assai remoti: presso Greci e Romani il suo consumo era occasionale e la carne di cavallo si vendeva a chi aveva modeste possibilità economiche; presso le popolazioni barbariche era il cibo della sopravvivenza: i cavalieri tartari si cibavano della carne dei propri cavalli più vecchi, malati o azzoppati, e mettevano le fette tra la sella e il dorso della cavalcatura in modo che la sera risultassero macinate dall'attrito. Così la *pastissada de caval*, un classico della cucina veronese, nacque, secondo la leggenda, da una carneficina di cavalli avvenuta durante una battaglia fra gli eserciti di Odoacre e Teodorico: per non sprecare tutta quella carne infatti, i veronesi si ingegnarono a salare e marinare quel che non potevano mangiare immediatamente. Per lungo tempo quindi il consumo di carne equina è stato associato ad eventi disastrosi come assedi e guerre, quando diventava necessario mangiare i cavalli per sopravvivere, magari non badando molto alla freschezza della carne, cosa che provocava non poche intossicazioni. Per questo probabilmente la carne equina ebbe in molti paesi una fama negativa: in Francia venne rinnovato nel 1803 un bando che ne proibiva la vendita e il consumo e la sua completa rivalutazione avvenne solo alla fine del secolo, con un grande banchetto a base di cavallo organizzato al Grand Hotel di Parigi, a cui parteciparono scienziati e letterati come Dumas e Flaubert.

Surely the horse is happy that for man it is more an animal of service than meat, however, it was on our table beginning in very ancient times: from the Greeks and Romans, its use was occasional, and horse meat was sold to those with limited economic opportunities. For barbarian peoples it was the food of survival: Tatars ate the flesh of horses that were older, sick or lame, putting the slices between the seat and the back of mount so that by evening they would be tender. Thus the pastissada de caval, *a classic Veronese dish, was born, according to legend, from the slaughter of horses that occurred during a battle between the armies of Theodoric and Odoacer. So as not to waste all that meat, the clever Veronese salted and marinated that which they could not eat immediately. For a long time its consumption was associated with disastrous events such as sieges and wars when it became necessary to eat horses to survive. Since the people paid not particular attention to the freshness of meat, there were many poisonings. This is probably the reason that horsemeat in many countries has a bad reputation: in France in 1803 they renewed a notice that prohibited both sale and consumption of horsemeat and a complete re-evaluation of this law took place only at the end of the century, with a great horse -based banquet held at the Grand Hotel of Paris, attended by scientists and writers such as Dumas and Flaubert.*

PARSUTO DE MONTAGNANA

Città medievale murata e turrita, Montagnana è famosa in tutto il mondo per il suo prosciutto crudo, prodotto delle tradizioni rurali della sua pianura che gli abitanti continuano orgogliosamente a chiamare prosciutto crudo *dolze* di Montagnana. Già in epoca remota esisteva l'uso tra gli agricoltori di *far su* il maiale vendendo le cosce, considerate già allora la parte più redditizia del suino, ai *casolini*, i locali salumieri, che le stagionavano in casa per poi venderle nelle proprie botteghe. Nella seconda metà dell'800 questa produzione uscì dai canoni artigianali per entrare in quelli industriali e di commercializzazione e nacquero i primi stabilimenti finalizzati alla stagionatura dei prosciutti. Le metodiche di lavorazione furono via via acquisite nell'area circostante, e successivamente esportate nel distretto di San Daniele del Friuli. Il prosciutto, il cui nome deriva dal latino *perxuctus* cioè "prosciugato", viene prodotto in tutta italia con tecnologie sostanzialmente uguali, in quanto i processi di lavorazione, salagione, stagionatura e conservazione sono più o meno gli stessi; tuttavia ogni prodotto ha le sue particolarità: lavorato e stagionato per almeno 12 mesi nel comune di Montagnana e prodotto solamente con cosce provenienti da maiali allevati nel nord Italia, il prosciutto Veneto di Montagnana viene stuccato prima di completare la stagionatura, per limitare l'evaporazione delle masse muscolari e quindi rendere più morbida la carne, inoltre l'impasto di sugna e farina viene distribuito rigorosamente a mano, per ottenere un aspetto più curato ed ordinato. Il risultato è un prosciutto tra gli 8 e gli 11 kg (con l'osso) morbido, di colore rosa pallido, con profumo intenso e un inconfondibile sapore dolce.

A medieval walled city with its towers, Montagnana is world famous for its ham, the product of the rural traditions of the surrounding plain, that the people continue to proudly call Montangnana dolze *(sweet) Ham. Already in remote times farmers would have to sell pork legs, already considered the most profitable part of the pig, to the* Casolin, *the local salumieri who would season them at home and then sell them in their own shops. In the second half of the 1800s this production moved from artisanry to industry, with marketing and the first establishment for curing hams. The processing methods gradually spread through the surrounding area, and subsequently exported to the district of San Daniele del Friuli.* Prosciutto *(ham), whose Italian name derives from the Latin* perxuctus *meaning "dried up", is produced throughout Italy with essentially the same technologies, as manufacturing processes, curing, ripening and storage are more or less the same, but each product has its characteristics. In Montagnana it is produced only with thighs from pigs reared in northern Italy, the Veneto, and cured for at least 12 months. Montagnana ham is sealed before completing the curing process, to limit evaporation and thereby make softer meat. This sealant mixture of lard and flour is applied exclusively by hand for a better result. The result is a ham weighing between 8 and 11 kg (with bone), soft, pale pink, with intense aroma and a unique sweet taste.*

Involtini di prosciutto e miele

300 gr di parsuto de Montagnana
3 fette di pane casereccio
miele
3 pere abate
Grana Padano

Tagliare le fette di pane a metà e tostarle in forno. Spalmare del miele sulle fette di parsuto e avvolgerle su se stesse. Sbucciare le pere, affettarle e disporle in bella maniera sui crostoni di pane. Distribuirvi sopra delle scaglie di Grana e posare su ognuna un involtino di parsuto e miele. Servire subito. Se si vuole prepararli molto prima di servirli l'ideale è dare una veloce sbollentata alle pere affettate in acqua acidulata con succo di limone e poco zucchero, così si evita l'ossidazione del frutto serbando al contempo il gusto.

Rolls of ham and honey
Cut 3 slices of bread in half and roast in oven. Spread honey on 300g of Montagnana ham slices and wrap them around themselves. Peel 3 pears, slice and place on top of the bread. Sprinkle scales of Grana Padano over them and place one ham roulade on top of each. Serve immediately. If you want to prepare in advance, quickly boil the sliced pears with lemon juice and a little sugar to prevent oxidation of the fruit and taste change.

Vino consigliato/*suggested wine:*
Pinot bianco D.O.C. Colli Euganei

Tulipani fritti

6 tulipani bianchi
3 fettine di parsuto de Montagnana
3 fettine di mozzarella
50 gr di farina 00
1 bicchiere d'acqua
1 uovo
olio di semi d'arachide
sale

Liberare i tulipani dal pistillo e tenerli in acqua e bicarbonato per 5 minuti, poi risciacquarli. Preparare una pastella con la farina, l'acqua, l'uovo e il sale e metterla a riposare mezz'ora in frigo. Tagliare la mozzarella e le fettine di parsuto a dadini e farcire i tulipani. Immergerli nella pastella e friggerli nell'olio bollente. Quando saranno ben dorati, appoggiarli su carta assorbente da cucina e servirli ben caldi.

Fried Tulips
Remove the pistil from 6 white tulips, and then soak them in water and baking soda for 5 minutes, then rinse. Prepare a batter with 50g flour, 1 glass of water, 1 egg and salt, and let stand for half an hour in the refrigerator. Cut 3 mozzarella and 3 slices of Montagnana ham into cubes, then stuff the tulips. Dip in batter and fry in boiling oil. When they are golden brown, let them drain on absorbent kitchen paper and serve hot.

Vino consigliato/*suggested wine:*
Chardonnay D.O.C. Colli Euganei

PROSCIUTTO CRUDO D'ESTE

L'allevamento dei maiali nel Veneto ha un'origine antichissima e si sviluppa grazie alla notevole abbondanza di suini che vivevano allo stato brado nei boschi che ricoprivano la regione. Già dal III secolo a.C. si hanno notizie di carni di suino conservate che venivano esportate verso i mercati romani. Questo commercio durò fino alla caduta dell'Impero Romano, ma l'allevamento del maiale rimase in uso presso le famiglie di contadini, così come si continuarono a tramandare e si perfezionarono le tecniche di conservazione della carne. È attorno al 1600 che sembra si faccia per la prima volta menzione di un prosciutto veneto chiamato Prosciutto di Padova. Nella zona di Este la conservazione delle cosce suine mediante salatura e stagionatura si inserisce proprio nel solco di questa tradizione regionale e ha trovato, grazie al clima favorevole, un luogo particolare dove il prodotto riesce ad assumere proprietà organolettiche del tutto peculiari. Con un peso variabile tra gli 8 e i 10,5kg (con l'osso), il Prosciutto crudo stagionato di Este è caratterizzato infatti da un sapore particolarmente dolce, delicato e fragrante, e dal colore rosa rossastro che presenta al taglio; contiene moltissime proteine e il grasso (3-4%) è localizzato nella parte esterna e può essere asportato. Digeribile e saziante, la sua unica controindicazione è l'elevato tenore di sodio: 100 g di prosciutto contengono infatti il 70% della quantità massima giornaliera consigliata.

The breeding of pigs in the Veneto region has ancient origins, and developed thanks to the remarkable abundance of wild pigs living in the forests that covered the region. Since the third century AD it was known for beef and pork exported to Roman markets. This trade lasted until the fall of the Roman Empire, but pig breeding continued in farm families, who continued to perfect the techniques for preserving meat. Around 1600 is the first mention of Veneto ham, called Prosciutto di Padova*. In the Este area the conservation of pig thighs with salt and seasoning fit right in the regional tradition, and thanks to the favorable climate, it became the place where the product attained the best quality. Weighing between 8 and 10.5 kg, with bone, the cured Este ham is characterized by a particularly sweet taste, delicate and fragrant, and a reddish pink color when cut. It contains many proteins and fat (3-4%), the latter of which is located just under the skin and can be removed. Digestible and filling, its only downside is the high sodium content: 100 grams of ham contain 70% of the maximum daily amount recommended.*

Rigatoni del buon umore estense

500 gr di rigatoni
2 carciofi
1 cipolla media
150 gr di pisellini
1 carota piccola
100 gr di prosciutto crudo d'Este
½ bicchiere di vino bianco
½ bicchiere di panna
poco brodo
70 gr Emmental grattugiato
olio extravergine
burro, sale e pepe

Mondare i carciofi, metterli in acqua e limone e tagliarli a striscioline. Saltare la cipolla affettata in poco olio e burro, senza farla tostare. Aggiungere il prosciutto cotto tagliato a strscioline, poi i carciofi e la carota a dadini. Soffriggere tutto assieme, versare il vino bianco e far evaporare. Aggiungere mezzo bicchiere di brodo e quando comincia a bollire, versare e pisellini. Quando la salsa si sarà ristretta unire la panna e regolare di sale e pepe. Cuocere i rigatoni in acqua bollente salata, quindi scolarli e condirli con il sugo e l'emmental grattugiato.

Estensi Rigatoni "good mood"
Peel two artichokes and cut them into strips, then put them in water with lemon. Sauté 1 medium onion, sliced, in a little oil and butter, without browning. Add 100g of Este ham cut in strips, then the artichokes and one small carrot cut into cubes. Fry all together, then pour in ½ cup of white wine and let evaporate. Add one half cup of broth and when it begins to boil, pour in 150g of peas. When the sauce has thickened, add ½ cup of heavy cream, then add salt and pepper. Cook 500g rigatoni in boiling salted water, and then drain and season with the sauce and 70g grated Emmental.

Vino consigliato/*suggested wine:*
Serpino frizzante D.O.C.

Zucchine crudaiole (cioè con prosciutto crudo)

800 gr di zucchine
300 gr di pomodori a peretta
100 gr di prosciutto crudo d'Este
1 cipolla
Grana Padano
prezzemolo
olio extravergine d'oliva
sale e pepe

In una casseruola far soffriggere in poco olio la cipolla affettata fine , il prosciutto tagliato a striscioline e poco prezzemolo tritato. Lavare le zucchine e tagliarle a rondelle spesse 4-5 mm, affettare a rondelle un poco più spesse anche i pomodori e aggiungere il tutto al soffritto. Regolare di sale e pepe, coprire con un coperchio e cuocere a fuoco basso mescolando pochissimo. Prima di portare in tavola cospargere con Grana grattugiato e, volendo, gratinare in forno ben caldo.

Courgettes crudaiole (i.e. with ham)
In a saucepan with a little olive oil sauté 1 onion, sliced fine, 100g of Este ham cut into strips, and a little chopped parsley. Wash 800g zucchini and cut into rounds 4-5 mm thick, then do the same to 300g Peretta tomatoes, but a little thicker, then slowly add them to the saucepan. Add salt and pepper, cover with a lid and cook over low heat, stirring very little. Before you bring to the table sprinkle with grated Grana Padano, or if you would prefer put it in a hot over and cook the Grana au gratin.

Vino consigliato/*suggested wine:*
Tocai D.O.C Colli Euganei

Prezioso prosciutto

L'arte di conservare la carne salandola ed essiccandola era in uso già ai tempi dei Greci e dei Romani. Quest'ultimi distinguevano tra *perna*, il prosciutto fatto con la coscia del maiale, e *petaso* quello fatto con la spalla. Derivato dal latino volgare *perexutus* e *praexsucatus* (prosciugato, risucchiato dei liquidi) il termine che indica questa prelibatezza è documentato a partire dal 1300 quando, grazie alla bonifica della pianura padana, si sviluppano i mestieri legati alla trasformazione delle carni di maiale. Nello stesso periodo compare la figura del norcino, o mezzin, come testimonia il portale della Basilica di S. Marco di Venezia del XIII secolo, dove il mese di dicembre è rappresentato da un bassorilievo raffigurante la macellazione del maiale, tradizionalmente effettutata dopo la festa di san Tommaso (21 dicembre). Nel Rinascimento il prosciutto è maestro e signore della cucina, e il capo cuoco comincia ad essere chiamato "Mastro Prosciutto". Da sempre piatto prezioso, visto l'alto costo del sale, il prosciutto nell'ottocento è su tutte le tavole reali d'Europa e la capacità di affettarlo in fette sottilissime diventa un'arte per gli appassionati come Luigi XVIII, che lo definì il suo passatempo preferito nell'attesa di salire al trono nel 1814.

The art of preserving meat with salt and drying was already in use at the time of the Greeks and Romans. The Romans distinguished between perna *made from the thigh and* petaso *made from the shoulder. The Italian term* prosciutto *came from the Latin vernacular* perexutus *and* praexsucatus *(dried up, sucked of liquid). The term for this delicacy is documented as early as 1300, when thanks to the reclamation of the Po valley, the farmer skills associated with the processing of pork meat developed. During the same period the figure of* norcino, *or* mezzin *appears, the expert pig butchers. This is represented on the doorway of the Basilica of St. Marco in Venice, dating back to the thirteenth century, where the month of December is a bas-relief depicting the slaughter of the pig that traditionally was carried out after the feast of St. Thomas, December 21. In Renaissance times, the prosciutto was lord and master of the kitchen, and head chefs started to be called* Master Prosciutto. *Always a valuable dish, given the high cost of salt, the ham in the 1800s was on all the royal tables in Europe. The ability to slice into thin slices to become an art for its disciples, such as Louis XVIII, who defined it his favorite pastime while ascending to the throne in 1814.*

GIUGGIOLE DEI COLLI EUGANEI

Il giuggiolo è una pianta ornamentale della famiglia delle ramnacee originaria della Siria, e diffusa in Cina ed India da più di 4000 anni. I Romani la importarono per primi in Italia e la chiamarono *Zyzyphum*, tant'è che nella tradizione dialettale veneta ancora oggi la giuggiola viene chiamata *zizzola*, ma già i Greci se ne servivano per ottenere dalla polpa fermentata un vino inebriante: narra infatti Omero (Libro IX, Odissea) che Ulisse e i suoi uomini, approdati a causa di una tempesta all'isola dei Lotofagi nel Nord dell'Africa (forse l'odierna Djerba), una volta sbarcati per esplorare l'isola, si lasciarono tentare dal frutto magico del loto, che fece loro dimenticare mogli, famiglie e la nostalgia di casa. È probabile che il loto di cui parla Omero sia proprio lo *Zizyphus lotus*, un giuggiolo selvatico, e che l'incantesimo dei Lotofagi non fosse provocato da narcotici, ma soltanto dalla bevanda alcolica che si può preparare coi frutti del giuggiolo. Piccolo albero basso, contorto, dai rami irregolari e spinosi e dai bei fiori gialli, nel Veneto il giuggiolo ha trovato un habitat ideale nei pendii esposti al sole dei Colli Euganei, in particolare ad Arquà Petrarca; i suoi rugosi frutti marroni-rossastri, grandi come olive, dalla polpa biancastra e compatta, dal nocciolo durissimo e dal particolare sapore subacido-dolciastro che ricorda quello del dattero, un tempo venivano consumati principalmente dalle donne *a filò* durante le lunghe veglie invernali di stallo: le filatrici abbisognavano infatti di continua saliva per umettare le dita e tirare il filo da avvolgere e una giuggiola in bocca serviva allo scopo. Ma la giuggiola, oltre ad essere tanto stuzzicante per il palato, ha anche ottime proprietà medicinali: contiene infatti saponine triterpeniche, piccole quantità di alcaloidi, glicosidi flavonoidici, e tanta vitamina C (10 giuggiole equivalgono a 2 arance), ha proprietà epatoprotettive, ipocolesterolemiche, antipiretiche, antinfiammatorie, emollienti, espettoranti, diuretiche e lassative. Nella medicina popolare è considerata uno dei quattro frutti "pettorali" con fichi, datteri e uvetta. Viene usata in infuso o in decotto per prevenire e curare i sintomi da raffreddamento e le infiammazioni alle vie respiratorie.

The Jujube is an ornamental plant of the ramnacee family from Syria, and widespread in China and India for over 4000 years. The Romans brought the first ones to Italy and called it Zyzyphum, *and in the Venetian dialect it is still called*

Zizzola. *The Greeks used it to make and intoxicating wine from its fermented pulp: Homer (Book IX, Odyssey) tells that Ulysses and his men landed in the island of the Lotus Eaters, North Africa (perhaps today's Djerba), because of a storm. Once landed, they explored the island and were tempted by the fruit of the magical lotus, which made them forgot their wives, families and homes. It is likely that the lotus mentioned by Homer is precisely the* Zizyphus lotus, *a wild jujube, and that the lotus spell was not caused by drugs but by the alcoholic beverage prepared with the fruit. A small short tree, contorted, irregular, with thorny branches and beautiful yellow flowers, in the Veneto the jujube found an ideal habitat in sun-exposed slopes of the Euganean Hills, in particular in the area of to Arquà Petrarca. It has a wrinkled reddish-brown fruit, large as olives, with white, compact flesh, an extremely hard pit, and a particular acidic-sweet flavor reminiscent of dates. Once they were consumed mostly by women during communal spinning sessions during the long winter vigils in the stables: the spinner needs saliva to moisten the fingers and pull the thread and a jujube in the mouth was used for that purpose. But jujube, besides stimulating the palate, also has excellent medicinal properties: it contains triterpene saponins, small quantities of alkaloids, flavonoid glycosides, lots of vitamin C (5 jujubes equals 1 orange), and has liver protecting properties, lowers cholesterol, is anti-inflammatory, emollient, expectorant, diuretic and laxative. In folk medicine is considered one of the four fruits for the chest, together with figs, dates and raisins. It is used in infusions or cooked concoctions to prevent and treat cold symptoms and respiratory tract inflammation.*

Zaleti con zabaione in brodo di giuggiole

200 gr di farina gialla setacciata
200 gr di farina bianca 00 setacciata
4 tuorli d'uovo
150 gr di pinoli e uvetta
100 gr di maizena
200 gr di zucchero semolato
250 gr di burro
zucchero a velo (facoltativo)
sale

Per lo zabaione:
8 rossi d'uovo

8 mezzi gusci di vino bianco
8 mezzi gusci di brodo di giuggiole
1 cucchiaio di maizena

Impastare in una bacinella tutti gli ingredienti tranne i rossi d'uovo che vanno aggiunti solo quando l'impasto è ben amalgamato, quindi mettere a riposare in frigo per un'ora. Trascorso questo tempo, formare con la pasta delle palline delle dimensioni di una grossa noce e rollandole sul piano di lavoro dare loro la tipica forma a losanga. Mettere su una teglia foderata con carta da forno e infornare a 180°C per 15-20 minuti, a seconda della grandezza dei biscotti. quando sono pronti, cospargerli, volendo, di zucchero a velo e lasciarli raffreddare. Preparare lo zabaione: diluire la maizena con mezzo guscio di vino bianco, quindi mettere tutti gli ingredienti in una bacinella di acciaio con il manico (polsonetto) e scaldare a bagnomaria sul fuoco bassissimo, prestando attenzione che l'acqua non bolla mai. Sbattere con la frusta o con uno sbattitore elettrico fino ad ottenere una bella crema gonfia e vellutata. A questo punto togliere dal bagnomaria e servire immediatamente assieme ai biscotti.

Zaleti with zabaione in jujube broth
Prepare the zaleti pastries: mix in a bowl 200g of sifted yellow flour, 200g of sifted white flour, 150g of pine nuts and raisins, 100g of matzo flour, 200g of sugar, 250g of butter, and salt. When the dough is well mixed, add 4 egg yolks, and then put in refrigerator for one hour. After this time, form the dough into balls the size of a large walnut and roll them until they have a diamond shape. Place on a baking tray lined with baking paper and bake at 180°C for 15-20 minutes, depending on the size of biscuits. When they are ready, sprinkle with icing sugar if desired and let cool. Prepare the zabaione: Dilute 1 tablespoon of matzo flour with half a cup of white wine, then put 8 egg yolks, 3 cups of white wine, 4 cups of jujube broth in a steel bowl with a handle and heat over a double boiler on a very low flame, being careful that the water does not boil. Beat with a whisk or an electric beater to obtain a beautiful cream, swollen and velvety. Then remove from the double boiler and serve immediately along with the biscuits.

Vino consigliato/*suggested wine:*
Fior d'Arancio Moscato D.O.C.

Brodo di giuggiole

1 kg di giuggiole
1 kg di zucchero
2 grappoli di uva Zibibbo
2 bicchieri di Cabernet
2 mele cotogne
1 buccia grattugiata di limone biologico
1 l di acqua

Lasciar appassire per tre giorni le giuggiole quindi pesarle e metterle in pentola coperte d'acqua. Pulire l'uva e aggiungerla alle giuggiole insieme allo zucchero. Cuocere per circa 1 ora a fuoco dolce poi aggiungere le mele sbucciate e tagliate a fettine sottili e il vino. lasciando rialzare il bollore ed evaporare il vino. Quando il composto inizia a gelatinare, aggiungere la buccia di limone grattugiata. Una volta ottenuto uno sciroppo cremoso, passarlo al passaverdura, farlo raffreddare e sigillarlo in bottiglie sterili, che vanno conservate al fresco e al buio.

Jujube broth
Allow to dry for three days, then weigh 1kg of jujube and put in covered pot of water. Clean two bunches of Zibibbo grapes and add to the jujubes along with 1 kg of sugar. Cook for about 1 hour on a low fire, and then add 2 thinly sliced peeled quinces and 2 glasses of Cabernet. Raise the temperature to evaporate the wine. When the mixture begins to gel, add the grated rind of 1 organic lemon. Once it has become a creamy syrup, strain the mixture to remove lumps, cool and seal in sterile bottles, and store in a cool dark place.

MARASCHINO

Nato nella farmacia del monastero dominicano di Zara (Croazia) all'inizio del XVI secolo, il liquore prodotto dalle ciliegie marasche era chiamato Rosolio (*Rožolj*), da *ros solis* che in latino significa rugiada di sole. Oggi questo nome è usato solo per le produzioni casalinghe, mentre nel mercato lo si trova sotto la denominazione di "Maraschino". Considerato inizialmente un medicinale, il Maraschino si diffuse in tutta Europa agli inizi del 1800 attarverso i commerci delle prime distillerie fondate a Zara dalle famiglia Drioli e Luxardo.Durante la seconda guerra mondiale Zara venne distrutta dai bombardamenti degli Alleati e le due famiglie, perse le distillerie, si trasferirono in Italia dove rilanciarono la loro attività. I Drioli riaprirono a Mira (Venezia), ma la fabbrica chiuse nel 1970; i Luxardo invece si trasferirono a Torreglia (Padova) e col tempo riaprirono anche la distilleria di Zara, che oggi produce il più famoso Maraschino della Croazia. A Torreglia, il Maraschino è ottenuto dall'infusione alcolica della ciliegia marasca dei colli Euganei: l'infuso viene distillato con alambicchi di rame e affinato in tini di frassino. Dopo la maturazione viene trasformato in liquore con aggiunta di acqua e zucchero e imbottigliato in tipiche bottiglie impagliate a mano. Il Maraschino è incolore, con una gradazione alcolica del 32%, un sapore deciso di marasche e un gusto dolce e marcato.

Born in the pharmacy of the Dominican monastery in Zadar (Croatia) in the early XVI century, the liqueur produced from marasca cherries was called Rosolio (Rožolj), *from* ros solis, *which in Latin means dew of the sun. Today this name is used only for home production; in the market the name is* Maraschino. *Initially considered a medicine,* Maraschino *spread throughout Europe in the early 1800's through the trade from the first distilleries based in Zadar of the families Drioli and Luxardo. Allied bombing during World War II destroyed Zara and the two families lost their distilleries, so they moved to Italy to relaunch their business. The Driolis reopened in Mira (Venice) but the factory closed in 1970. The Luxardos instead moved to Torreglia (Padua) and eventually reopened their distillery in Zara, which now produces the most famous maraschino in Croatia. In Torreglia, the* Maraschino *is obtained by marinating maraschino cherries from Euganean hills in alcohol, then distilling this product in copper stills and aging in vats of ash wood. After aging, it is turned into liquor by adding water and sugar, and then poured into bottles typically wrapped in straw by hand. Maraschino is colorless with an alcohol content of 32%, a decided flavor of cherry and a sweet, strong taste.*

Semifreddo al Maraschino

200 gr di zucchero semolato
300 gr di ciliegie sciroppate
1 bicchiere di Maraschino
1 bicchiere d'acqua
3 tuorli
½ bicchiere di panna

In una casseruola mettere 120 gr di zucchero e il Maraschino, tenendone indietro una cucchiaiata, aggiungere l'acqua, mescolare bene, mettere sul fuoco e portare quasi a bollore mescolando continuamente. Quando sulla superficie del composto appariranno le prime bollicine, spegnere la fiamma e lasciar raffreddare. In una piccola casseruola lavorare i tuorli d'uovo con 3 cucchiai di zucchero sino ad ottenere un bella crema liscia. Mettere a bagnomaria e cuocere unendo a filo lo sciroppo di Maraschino e continuando a sbattere con la frusta. Lasciar raffreddare mescolando ogni tanto. Trasferire la crema ottenuta in una gelatiera e far addensare (lo stesso risultato si può ottenere mettendo la crema in freezer, mescolando di tanto in tanto), aggiungere 120 gr di ciliegie tagliate a pezzettini, mescolare e riempire 4 stampini. Far raffreddare in freezer per almeno 1 ora. Nel frattempo mettere nel frullatore le ciliegie rimaste, tenendone qualcuna intera per la decorazione, aggiungere la panna, lo zucchero rimasto e il cucchiaio di liquore tenuto da parte. Frullare il tutto e metter la crema ottenuta in frigorifero. Sformare il semifreddo, ricoprire con la crema e guarnire a piacere con le ciliegie intere.

Maraschino cold dessert
In a saucepan bring 120g of sugar and 1 cup Maraschino (keeping back a spoon), add 1 glass water, mix well, then put on the fire and bring almost to a boil, stirring constantly. When the first bubbles appear on the surface, turn off the flame and allow to cool. In a small saucepan mix 3 egg yolks with 3 tablespoons of sugar until they are creamy smooth. Put in a double boiler and cook, combining with the syrup (from 300g of cherries) and continuing to whip. Allow to cool, stirring occasionally. Transfer the cream mix into an ice cream maker and let solidify in part (the same

result can be obtained by putting the cream in the freezer, stirring occasionally), then add 120g of cherries cut into small pieces, mix and fill 4 molds. Allow to cool in the freezer for at least 1 hour. Meanwhile put the other 180g of cherries in the blender, keeping a few whole for decoration, add ½ cup of heavy cream, 80g of sugar and the remaining tablespoon of liquor kept aside. Blend everything well and put in the refrigerator. Take the forms out of the freezer, cover with the cream mix and garnish as desired with the whole cherries.

Vino consigliato/*suggested wine:*
Fior d'Arancio Moscato D.O.C.

Maraschino casalingo

500 gr di amarene snocciolate
10 noccioli d'amarena
5 chiodi di garofano
1 cm di corteccia di cannella
1 sommità fiorita di millefoglio
la scorza di 1 limone biologico
10 foglie integre di amarena
200 gr di zucchero semolato
60 gr di alcool a 95%

Pestare le amarene snocciolate e macerare la poltiglia in un vaso di vetro a chiusura ermetica assieme ai noccioli frantumati e a tutti gli altri ingredienti per una settimana al sole e successivamente per 5 settimane in cantina. Durante la prima settimana di macerazione al sole agitare il vaso due volte al giorno in modo da favorire la soluzione dello zucchero. Trascorse le sei settimane complessive passare il tutto con un colino e poi filtrare attraverso la carta in una bottiglia da 75 cl. Tappare, inceralaccare e stagionare per almeno 8 mesi prima di servire.

Homemade Maraschino
Crush 500g of pitted cherries and soak the pulp in a glass jar, together with 10 crushed cherry pits, 5 cloves, 1 inch of cinnamon bark, 1 flowery top of millefeuille, the peel of 1 organic lemon, 10 undamaged leaves of black cherry, 200g of sugar, and 60g of alcohol 95%. Stopper the jar tightly and leave for 1 week in the sun and 5 weeks in the cellar. During the first week in the sun, shake the jar twice a day in order to help the sugar dissolve. After the total 6 weeks, put everything through a strainer, and then filter through paper into a bottle of 75cl. Stopper tightly and seal, then let age for at least 8 months before serving.

VERONA

Pan, sopressa e compagnia, su nel bosco fa alegria

Tempo de verta su in colina, fiol de cavra e insalatina

Pane, Sopressa e compagnia, nel bosco fanno allegria
Bread, Sopressa and company, in the forest bring good cheer

Tempo di primavera su in collina, capretto e insalatina
Springtime on the hilltop, time of salad and young goat

da “La nostra polenta quotidiana”

di Dino Coltro

Una mattina di buonora sono andata a capuzzi sul Quarto, dopo il Crosaron verso Nogara, i fittavoli vi avevano piantato una capuzzara da fare invidia, la terra era buona e ben letamata, “comare, dissi all'Angela, i capuzzi sono maturi, li sento di notte scoppiare tanto sono duri, avvisa Tullio”, quando si va a rubare con il sacco bisogna portarsi dietro un uomo, tra donne non si ha la forza di darsi il sacco sulle spalle, e così la mattina dopo ci incontriamo al Crosaron sul punto da dove parte la strada che va alla chiesa, e lì c'era un lampione, non si può passare senza che ti vedano, ma a quell'ora chi ci poteva essere?, e invece c'era la stria[1]. Lo dicevano tutti, ma non vi avevo mai dato bado, se ne aggiungono a volte, che un dito diventa un braccio, anche perché la conoscevo bene, abitava poco lontano dalla nostra casa lungo la ferrovia, più di uno era pronto a giurare che aveva fatto morire la figlia dei Paiadori, una bella bambina, l'aveva incontrata davanti alla corte che giocava con i suoi compagni, “oh Sandrina, to prendi un po' di pane anche tu”, e le allungò un cornetto, la piccola prese a sbocconcellarlo e diventò paonazza in viso, che le diventò come una palla di gomma, morì soffocata, sua madre si strappava i capelli dalla disperazione e la gente se ne stava muta a guardare con le facce di pietra, nessuno aveva il coraggio di parlare ma sentivamo che quella era opera di una stria, l'aveva fatta morire perché la gente mormorava che i suoi figli erano brutti, e Sandrina era bella. Quella mattina la vidi venire avanti con un passo un salto, sola a quell' ora, la riconobbi subito dalla sagoma, quando passò sotto il lampione la sua ombra si curvò, prese le dimensioni della pietra del ponte, poi si allungò enorme e subito scomparve nell'oscurità del campo di fronte, sentivo dentro una spina che mi pungeva lo stomaco, mio padre non credeva alle storie che contavano in giro, “io credo solo nel Padreterno e non venite a dirmi stupidate”, così ero cresciuta con le sue idee, ma adesso avevo perso ogni sicurezza, “andiamo a

---

1 Strega

casa, suggerì a bassa voce Tullio, non mi fido di quella, hai visto l'ombra come è scomparsa di colpo", sua moglie diede uno strattone al sacco che teneva sul braccio, s'incamminarono verso la capuzzara[2] e io dietro loro.
Erano capucei grossi così, un cuore duro che a batterci le nocche pareva un tamburo, ne prendiamo uno di qua uno di là, in questo modo i padroni si accorgono del furto più tardi, con sette otto cori[3] ciascuno riempiamo i sacchi, cerco lo spago in tasca del grembiule, lego il sacco a bocca e faccio per spostarlo, "aspetta che ci ponsiamo un momento" mi fermò la comare, così ci siamo accovacciati sul trimo a prendere fiato, ma poco dopo mi tirai su che l'umidità della notte mi passava le cotole, Tullio fa per prendere il sacco e si lamenta, "mi sento tutto un formicolio alle braccià", "dai, non fare versi e dacci il sacco sulle spalle", lui si mette a piagnucolare, "non riesco a muoverlo, questa è una macina da mulino", ci provo anch'io, niente da fare, pietre erano diventati i capuzzi, "senti, prova a svuotare il mio sacco che io svuoto il tuo", così abbiamo fatto e già l'alba tagliava fette di luce sul campo, "avanti donne, saltò su il compare come liberato da una pena, andiamo che qui tra poco ci sarà gente", ci incamminammo lungo un solco con il sacco vuoto sotto le lesene[4], ma non riuscivamo ad arrivare sulla capezzagna, una nebbia fitta come il latte si alzò improvvisa a toglierci ogni vista, sicché continuavamo a camminare sulle nostre peste senza uscirne, finché Dio volle si aprì una porta nella nebbia e ci siamo trovati sull' argine del Dugale, "qui vicino c'è mia sorella", cercai di farmi coraggio ascoltando il suono della mia voce e capitiamo in casa di mia sorella, bagnati come pulcini, mi sentivo tutte le ossa rotte, "ma non lo sapete che quella è una stria, vi ha confinati nel campo per dispetto, avete fatto la pesta della strià", dalle tre del mattino siamo tornati a casa che la gente andava al lavoro delle otto e tutti ci hanno visto con i sacchi vuoti.

---

2 Campo di cappucci.
3 Cuori (dei cappucci)
4 Sotto braccio

From "Our daily polenta" by Dino Coltro

One early morning I went to the cabbage patch in Quarto, after the crossroad towards Nogara, the renters had planted a cabbage patch that was the envy of everybody, the earth was good and rich. "Godmother," I said to Angela, "the cabbages are ready. I hear that cracking at night because of how full and hard they are." Tullio said when we go with a bag to steal them we must bring a man, because women won't have the strength to get the bag up on our shoulders. The next morning we met at the crossroads where the road goes to the church, and there was a streetlight that can't be passed without being seen, but at that hour who could there be? Instead, there was the witch, or everybody called her that. I had never paid attention to it since people were always telling stories, and I knew her well, since she lived near our house along the railroad. But more than one person was ready to swear that she made the daughter of the Paiadori die, a beautiful child. The witch met her in front of the courtyard playing with her companions, and said "oh Sandrina, here, you take a little bread too", and offered her a croissant. The little girl took a small bite and turned purple in the face and swelled up like a rubber ball. She died of suffocation and her mother tore her hair from desperation. People were struck dumb watching with stone faces; nobody had the courage to speak but everyone felt it was the work of a witch. People murmured she made the girl die because people said the witch's children were ugly and Sandrina was beautiful. That morning I saw her skip along, only at that hour I recognized her only from her shape. When her shadow passed under the lamppost it curved and was as big as the stones of the bridge, then it grew enormous and quickly disappeared in the darkness of the fields. I felt a thorn inside me that pierced my stomach. My father did not believe the witch stories that went around, he said, "I believe only in the Eternal Father and do not tell me stupid stories", and although I was raised with those ideas, I now lost my sense of security. "Maybe we should go home," suggested Tullio softly, "I do not trust that person, you saw the shadow disappear all of a sudden." But his wife pulled the bag he had been carrying off his arm and started walking towards the cabbage field, and I followed after them. The cabbages were so large and with a heart so hard that when you knocked them with your knuckles they seemed to be a drum. We took one here, one there, so the owners would not notice the theft immediately, and with seven or eight filled each bag. I looked for the twine in my apron pocket, and then tied the bag's opening. I started to try to move it, but my comrade said, "Wait a moment to rest". We stopped to catch a breath but just for a short while, since soon the dampness of the night began to get into my ribs. Tullio went to pick up his bag and complained, "I feel a tingling in my arm." "Do not let it open and put it on my shoulders". Then he whined, "I can not move this, it is like a millstone." I tried to, but there was nothing to do, the cabbages had become stones. "Listen, try to empty my bag while I empty yours", so we did, just as dawn cut slices of light on the ground. "Let's go, women, move like you have just been released from a sentence since very soon there will be people." We walked along the ditch with the empty bags under our arms, but we couldn't get up on the street because there was a sudden fog thick as milk that blocked our view. We continued to walk without stopping, until God opened a door in the fog and we found ourselves on the bank of the Dugale. "My sister lives near here," I said, trying to gain courage at the sound of my voice. We came upon the house of my sister, like wet chicks, and feeling like all our bones were broken. "But didn't you know that was a witch, that confined you to the field out of spite, you suffered the hex of the witch". At three in the morning we returned home, and the people went to work at eight and everyone saw us with the empty sacks.

RADICCHIO ROSSO DI VERONA

Il radicchio rosso è una cicoria, *Cichorium intybus* nobile parente della pianta che spontaneamente cresce lungo i cigli delle strade. La varietà a foglia rossa, probabilmente di lontana origine orientale, fu introdotta nei possedimenti di terra della Repubblica di Venezia nel XV secolo e dal secolo successivo fu intensamente coltivata, specialmente nel Trevigiano. Attraverso l'intensa azione di selezione operata dagli orticoltori della provincia veronese, nel XVIII secolo nacque il Radicchio Rosso di Verona, simile al cugino trevigiano ma dalla forma più compatta e arrotondata. La varietà precoce viene raccolta nei mesi di ottobre e novembre, mentre quella tardiva da dicembre a febbraio. Dopo la raccolta il radicchio tardivo viene sottoposto alla forzatura: per quindici giorni le piante vengono ammassate in cumuli con le radici ricoperte da un telo di plastica opaco, in questo modo si ottengono foglie di colore rosso brillante con nervature bianche, croccanti e di sapore leggermente amarognolo. Consumate regolarmente, sia crude che cotte, le foglie e le radici del radicchio sono depurative e consigliate in caso di stitichezza; grazie all'elevato contenuto di vitamine A, C e ferro, facilitano la digestione, la funzione epatica e la secrezione biliare. Inoltre sono ottime in caso di diabete, obesità ed insonnia. sono particolarmente indicate per artrite, reumatismi e problemi di pelle, tanto che il loro succo viene utilizzato in cosmesi.

Red radicchio is a chicory, Cichorium intybus *and thus a relative of the noble plant that grows naturally along the roadside. The red-leaved variety, probably of far eastern origin, was introduced into the lands of the Republic of Venice in the fifteenth century and became intensely cultivated, especially in the Treviso area. Through the intense breeding selection by growers in the province of Verona, in the eighteenth century was born the Radicchio Rosso of Verona, similar to his Trevisan cousin but more compact and rounded. The early variety is harvested in October and November, the late variety from late December to February. After harvesting the radicchio is piled in heaps for fifteen days with the roots covered with a sheet of opaque plastic, so you get bright red leaves with white ribs, crisp and slightly bitter flavor. The regular consumption of radicchio's leaves and roots, either cooked or raw, is purgative and recommended in case of constipation; thanks to its vitamins A, C and iron facilitates digestion, liver function and bile secretion. It is also good for diabetes, obesity and insonnia. It is particularly suitable for arthritis, rheumatism and skin problems, so that its juice is used even in cosmetics.*

Fagottini di radicchio

250 gr di pasta sfoglia
80 gr di formaggio Monte Veronese latte intero
2 cespi di radicchio rosso di Verona
1 cipolla piccola
l tartufo piccolo della Lessinia
1 spicchio d'aglio
burro
1 uovo
sale e pepe

Mondare e lavare il radicchio. Imbiondire la cipolla e l'aglio tritati in un tegame con una noce di burro; aggiungere il radicchio tagliato grossolanamente e far appassire a fuoco dolce per alcuni minuti. Quindi salare, pepare e spegnere. Stendere la sfoglia sottile e ricavarne tanti dischetti. Tagliare a fettine sottili il Monte Veronese e il tartufo. Mettere al centro di ogni disco di pasta un po' di radicchio, sopra adagiarvi due fettine di formaggio e una di tartufo. Chiudere a fagottino e spennellare la superficie con il tuorlo d'uovo sbattuto. Mettere i fagottini sulla placca leggermente imburrata e dorare in forno a 200°C per una decina di minuti o poco più.

Radicchio Bundles
Peel and wash 2 radicchios of Verona. Sauté 1 small onion and 1 minced garlic clove in a pan with a pat of butter, then add the coarsely chopped radicchio on a low flame for several minutes. Then salt, pepper and turn off. Roll 250g of puff pastry and cut many thin disks. Cut 80g Monte Veronese cheese and 1 small Lessinia truffle into thin slices. Put at the center of each disc of dough a little radicchio, then on top put two slices of cheese and a truffle. Close the dough disk and brush the surface with beaten egg yolk. Place the bundles on a lightly buttered pan and brown in oven at 200°C for 10 minutes or so.

Vino consigliato/*suggested wine:*
Bianco di Custoza

Gnocchi di semolino con Radicchio di Verona

un cespo medio di radicchio rosso di Verona
250gr di semolino
2 uova
750 ml di latte
500 ml di acqua
150 gr di Grana Padano
80 gr di burro
1 scalogno
aceto balsamico
pepe e sale.

Mettere il latte e l'acqua sul fuoco con un pizzico di sale, quando inizia a bollire aggiungere il semolino mescolando con la frusta, dopo 10 minuti spegnere e .lasciar riposare. Intanto far soffriggere lo scalogno tagliato sottile per pochi minuti e poi unire il radicchio a listarelle, salare e far appassire per 10 minuti. Spruzzare leggermente con dell'aceto balsamico, salare e pepare. Accendere il forno a. 200°C. Aggiungere i tuorli e metà del Grana al semolino, mescolare bene e versare su di un piano stendendo il composto con una spatola fino a raggiungere un centimetro di spessore. A questo punto con uno stampino circolare dentellato, ritagliare l'impasto e mettere i dischi in una pirofila, già unta con del burro, facendo degli strati con il radicchio e il Grana. Finire con il radicchio e il formaggio. Infornare per dieci minuti, fino al crearsi di una piacevole doratura.

Semolina Gnocchi with Radicchio di Verona
Put 750ml milk and 500ml water on the fire with a pinch of salt. When boiling add 250g semolina flour and stir with a whisk, then switch off after 10 minutes and let it rest. Meanwhile, sauté 1 thinly sliced shallots for a few minutes and then add 1 radicchio cut into strips, then salt and let dry for 10 minutes. Sprinkle lightly with balsamic vinegar, salt and pepper. Turn on the oven to 200°C. Add two egg yolks and 75g Grana Padano to the semolina, mix well and pour on a platter and work with a spatula until it is about an inch thick. At this point with a notched circular stencil, cut the dough and put the discs in a pan, already greased with butter,

making layers with the radicchio and Grana. Finish with radicchio and cheese. Bake for ten minutes, until golden brown.

Vino consigliato/*suggested wine:*
Soave D.O.C. Classico

El Radecio de Verona

Qua, fra i banchi de la piassa,
fra spinasse, coste e pori
gh'è le ceste che sganassa
de i radici da par lori.
El radicio, cari miei,
quelo rosso de Verona,
l'è un bocon de quei più bei
che te fa la boca bona.
L'è del piato un gran ruffian
coi colori e col saor …
quel radicio rosso vino
mi lo magno e no te digo …
Mi lo magno in t'un bocon
musegando: "Dio, che bon".

Giorgio Gioco

Il Radicchio di Verona
Qua tra i banchi della piazza/ tra spinaci, coste e porri/ ci sono le ceste che ridacchiano/ dei radicchi loro pari./ Il radicchio, cari miei,/ quello rosso di Verona, è un boccone dei più belli/ che ti fa la bocca buona./ E' un grande ruffiano del piatto/ coi colori e col sapore.../quel radicchio rosso vino/ io lo mangio e non ti dico.../Io lo mangio in un boccone/ biascicando " Dio che buono".

The Radicchio of Verona
Here among the stalls of the market/ of spinach, leeks and ribs/ are the baskets of the ridacchiano/ and radicchio are their peers./ The radicchio, my dear,/ red Verona, is a mouthful of the most beautiful/ that you gives you great taste./ It is the ruffian of the plate/ with the colors and with flavor.../ radicchio red as wine that/ I will eat you and not tell you .../ I will eat it in a bite/ murmuring "Good God how good this is" (Giorgio Gioco)

SEDANO RAPA DI RONCO ALL'ADIGE

Apium Graveolans rapaceum è il nome scientifico del sedano rapa, ortaggio molto diffuso in Germania ed in altri paesi nord-europei e coltivato in Italia quasi esclusivamente in Veneto, da cui la denominazione diffusa di "sedano di Verona". Il sedano rapa è una pianta biennale che appartiene alla famiglia delle ombrellifere; a differenza del sedano tradizionale nel quale la parte commestibile è rappresentata dalle coste che crescono fuori dal terreno, nel sedano rapa essa è costituita dalla radice che cresce sotto terra e che ha la forma di una palla dalla polpa bianca e soda, il cui diametro può raggiungere anche i 20 centimetri. A Ronco all'Adige il sedano rapa viene raccolto manualmente da ottobre a novembre, ma lo si può trovare in commercio anche nei mesi successivi perchè, se il terreno non gela, viene lasciato in campo, coperto con paglia, per venire raccolto in un secondo momento. Molto apprezzato dai cuochi del nord Europa per la sua estrema versatilità in cucina, il consumo di questo sedano è consigliato anche per le sue importanti qualità nutrizionali: oltre ad apportare pochissime calorie all'organismo, essere povero di grassi e proteine, esso contiene infatti notevoli quantità di minerali come selenio, calcio, ferro, fosforo, iodio, magnesio, manganese, potassio, rame, sodio, e vitamine A, B e C. Ha proprietà digestive, diuretiche, depurative per fegato e reni, fluidificanti per muco e catarro; usato per infusi o decotti manifesta proprietà coadiuvanti nelle cure per uricemia, bronchiti, sinusiti, insufficienza epatica. Recenti studi dimostrano inoltre che un uso costante del sedano rapa può contribuire a ridurre la pressione arteriosa ed il colesterolo.

Apium Graveolans rapaceum *is the scientific name of celeriac, a vegetable very popular in Germany and other countries in northern Europe and cultivated almost exclusively in the Veneto in Italy, therefore it is also called "Verona celery." The celeriac is a biennial plant that belongs to the family of* Umbelliferae, *unlike the traditional celery in which the edible part grows out of the ground, in celeriac it is the root that grows under the ground and having the form of a ball of firm white flesh, whose diameter may reach 20 centimeters. In Ronco all'Adige the celeriac is harvested by hand from October to November, but you can also find it on the market in the following months because if the ground is not frozen, it is left in the ground, covered with straw, to be harvested later. Much appreciated by chefs in northern Europe for its great versatility in the kitchen, the consumption of this celeriac is also important for its nutritional qualities: in addition to having very few calories and being low in fat and protein, it contains considerable amounts of minerals such as selenium, calcium, iron, phosphorus, iodine, magnesium, manganese, potassium, copper, sodium, and vitamins A, B and C. It helps digestion, is a diuretic, a depurative for both the liver and kidneys, and helps with the flow of phlegm and mucus. Used in infusions or decoctions it manifests properties to help treat uricemia, bronchitis, sinusitis, and liver failure. Recent studies also show that a constant use of celeriac can help reduce blood pressure and cholesterol.*

Sedano rapa al gratin

1 kg di sedano rapa di Ronco all'Adige
80 gr di burro
1 cipolla tritata
1 fettina di prosciutto crudo Berico-Euganeo
50 gr di Grana Padano

Pelare i sedani con un pelapatate e lavarli accuratamente. Con un coltello o meglio con l'affettatrice tagliare il sedano a fette di uno spessore di 4-5 millimetri. Tuffarle-in una pentola con acqua salata in ebollizione e farle cuocere per massimo due minuti, poi scolarle. Mettere in un tegame una noce di burro, la cipolla tritata e il prosciutto tagliato a pezzettini. Far soffriggere, quindi versare sulle fettine di sedano, ben distese in una pirofila spennellata abbondantemente di burro. Salare, pepare e passare in forno. Dopo aver cosparso con scaglie di formaggio, innaffiare con il burro fuso e gratinare per qualche minuto.

Celeriac au Gratin
Peel 1 kg Ronco dell'Adige celeriac with a potato peeler and wash thoroughly. With a knife or slicer cut the celery into slices 4-5 mm thick. Toss them in a pot with boiling salted water and cook them for up to two minutes, then drain. Put in a pan a pat of butter, 1 chopped onion and 1 slice of Berico Euganeo ham cut into small pieces. Sauté, then pour on top of the sliced celeriac that is well spread in a baking dish brushed with plenty of butter. Salt, pepper and place in the oven. After removing and sprinkling with slivers of Grana Padano cheese (50g), pour 80g melted butter over the top and grate cheese for a few minutes.

Vino consigliato/*suggested wine:*
Bianco di Custoza D.O.C.

TARTUFO NERO DELLA MONTAGNA VERONESE

Il tartufo e' un fungo che vive sottoterra ed è conosciuto dai tempi piu' antichi: si hanno testimonianze della sua presenza nella dieta dei sumeri, dei greci e al tempo del patriarca Giacobbe intorno al XVII secolo a.C. I Romani ne furono ghiottissimi ed Apicio e Giovenale ne cantarono gli elogi e ne dettarono i metodi di cottura. Tra i moderni l'uso di questa prelibata vivanda si diffuse tra le classi più alte: ne andavano ghiotti Rossini, papa Gregorio IV e pare che anche Napoleone durante la sua campagna militare a Verona si sia interessato ai tartufi della Lessinia. Il tartufo nero della montagna Veronese, *Tuber melanosporum*, proveniente da tartufaie naturali, è un tubercolo a superficie nera, tondeggiante con irregolarità di forma verrucosa, ed emana un forte odore ben conosciuto, con un sapore squisito. A volte quando è maturo, la polpa di colore nero può tendere al nero violaceo o rosso molto cupo. Il tartufo nero pregiato ha profumo gradevole ed intenso, dimensioni variabili tra quelle di una noce e quelle di una mela e un aspetto tuberiforme. In genere matura da novembre a marzo, ma di alquanto diffusi sono anche il meno pregiato tartufo nero d'estate o scorzone e la trifola nera. Per il tartufo della montagna veronese, la cui produzione interessa l'intero territorio della Comunità del Baldo e della Lessinia, l'operazione principale è la raccolta, che avviene con l'ausilio di cani. Ci si avvale d'una zappetta a manico corto per scavare il terreno con delicatezza nel punto segnato dal cane, fino a scoprire il tartufo, ricoprendo successivamente la buca. Prima di procedere a questa operazione è indispensabile rendersi conto del giusto grado di maturazione, sia per assecondare le esigenze commerciali, il tartufo infatti acquista sempre maggior profumo man mano che avanza la sua maturazione, sia per non pregiudicare la produttività della tartufaia. Nel passato la scienza unita alle credenze popolari coprirono il tartufo di mistero al punto che non si sapeva definire se fosse una pianta o un animale. Venne anche considerato un'escrescenza degenerativa del terreno e addirittura cibo del diavolo o delle streghe. Per una ventina di secoli, si è inoltre discusso delle sue proprietà afrodisiache. In verità il tartufo come gli altri funghi non presenta caratteristiche nutritive particolarmente rilevanti: è composto per la maggior parte di acqua e sali minerali, è ipocalorico e contiene pochi grassi e poche proteine. Facilmente digeribile, sembra avere proprietà stimolanti sullo stomaco; inoltre, secondo recenti ricerche, il tartufo nero presenta eccellenti proprietà schiarenti, grazie alla sua interazione con la melanina, ed è pertanto utile in caso di macchie cutanee.

The truffle is a fungus that lives underground and is known since ancient times: there is evidence of its presence in the diet of the Sumerians, the Greeks, and in time of the patriarch Jacob around the seventeenth century BC. The Romans were fond of it and Apicius and Juvenale sang its praise and listed cooking methods. In modern times this delicious dish is widespread among the higher classes: Rossini, Pope Gregory IV and even Napoleon during his military campaign in Verona were all interested in Lessinia truffles. The Black Mountain Veronese truffle, Tuber melanosprium, *is a natural truffle, tubular with a black surface, a rounded shape with varicose irregularities, and exudes a strong familiar odor, and hash an exquisite taste. In some cases, when it is ripe, the pulp may tend to purplish black or very dark red. The prized black truffle has a pleasant and intense aroma and sizes ranging from that of a walnut to an apple, always tuber shaped. Generally it matures from November to March, but less valuable and more widespread are the black summer truffle (or* scorzone*) and the black* trifola. *For Verona Mountain truffle, whose production involves the whole communities of Lessinia and Baldo, the main task is the harvest, which takes place with the aid of dogs. One uses a hoe with a short handle to dig the ground gently at the point marked by the dog, to uncover and collect the truffle then recovering the hole. But first it is essential to realize the right degree of ripeness because the truffle smell becomes greater as the aging progresses, both to meet commercial needs and to avoid undermining the productivity of the truffle zone. In the past, science combined with folk beliefs made truffles such a mystery that no one knew if it was to define a plant or an animal. It was also considered a degenerative outgrowth of the land and even food of the devil or witches. For twenty centuries, people have also discussed its aphrodisiac properties. Indeed, like other truffle mushrooms, it has no nutrition particularly relevant: it is composed mostly of water and minerals, is low calorie and contains little fat and few proteins. Easily digestible, it seems to have stimulant properties on the stomach, and, according to recent research, the black truffle has lightening properties, due to its interaction with melanin, and is therefore useful in case of skin blemishes.*

Gnochi sbatùi con tartufo

400 gr di farina 00
400 gr di Fioretta (o ricotta fresca)
1 uovo intero
4 cucchiai di formaggio Monte Veronese stagionato grattugiato
60 gr di Grana Padano
120 gr di burro di montagna
1 tartufo nero della montagna veronese

Tritare con il coltello il tartufo, dopo averlo ben spazzolato e lavato velocemente sotto l'acqua fredda. In un tegamino far sciogliere il burro, aggiungere uno spicchio d'aglio (che dopo andrà buttato) e far sudare il tutto per due minuti. Spegnere il fuoco e nel frattempo amalgamare con un robot da cucina la farina, la ricotta, l'uovo e i formaggi grattugiati; eventualmente, aggiungere qualche cucchiaio di acqua tiepida, fino ad ottenere una crema densa. Raccogliere il composto una cucchiaiata alla volta e buttarlo in abbondante acqua bollente salata. Quando gli gnocchi verranno a galla, scolarli e mantecarli con il burro ed il tartufo. Togliere dal fuoco, cospargere di abbondante formaggio grattugiato e servire.

Gnocchi with truffle
Chop 1 Veronese black mountain truffle with a knife, after brushing well and washing quickly in cold water. In a frying pan melt 120g mountain butter, add a clove of garlic (which will be discarded when done), then add the chopped truffles and cook for two minutes. Turn off the fire and mix 400g flour, 400g ricotta, 1 egg and 4 tablespoons grated seasoned Monte Veronese cheese. If necessary, add a tablespoon of warm water until it becomes a thick cream. Take the mixture a spoonful at a time and throw in a big pot of boiling salted water. When the gnocchi float, drain and brush with the butter and truffle sauce. Remove from heat, sprinkle with plenty of grated cheese and serve.

Vino consigliato/*suggested wine:*
Cabernet Garda D.O.C.

La Cabala del Gnoco

Eco qua, mondo pitoco,
la gran cabala del gnoco!

Drita in mèso a la cusina,
co la càpola de gala,
me comare moscardina,
la se giusta la grembiala,
che bisogna celebrar
el gran Vendri gnocolar…!

Come capita el bon estro,
co 'na ociada da maestro,
la marida a poco a poco,
la farina a la patata
e da forte inamorata,
la manipola el paston…!

Che el marcia in bigoli
longhi e sutili
ben tenerini,
come che va…

E ogni tanto 'na bela infarinà…!

Fin, che via i rùgola,
tochi e tocheti,
oh che tocheti,
che nassarà…!

E ogni tanto 'na bela infarinà…!

E ti lavora,
gratacasola,
daghe el miracolo
de la parola;
faghe i so brufoli
a fior de pansa,
che in esultansa i ridarà…

E ogni tanto 'na bela infarinà…!

Desteso in rango
Su la tovaia,
sto fido popolo,
che mai no sbaia,
che a mesogiorno
sfida el canon;
sereno intrepido
chieto onfà l'oio,
che speta el boio
del caldieron…!

E ti lavora,
gratacasola,
daghe el miracolo
de la parola;
Grata el formaio,
sensa creansa,
che el se ghe intrufola,
drento la pansa…

E ti destrighete
butier balosso:
spiuma, desfrìsete,
sàltaghe adosso…
Pronti, el risponde
rosso brusà:
Zzzz…zzzz che el sìsola…
Gnochi, son qua!

Berto Barbarani

La Cabala del gnocco
Ecco qui, povero mondo/ la gran cabala del gnocco!/ In piedi in mezzo alla cucina,/ con il fiocco da festa,/ la mia madrina moscardina,/ si sistema il grembiule,/ perchè bisogna celebrare/ il grande Venerdi della festa del gnocco...!/ Come capita il buon estro,/ con un'occhiata da maestro, sposa a poco a poco,/ la farina alla patata/ e da forte innamorata/ manipola l'impasto...!/ Che vien marciando in spaghetti/ lunghi e sottili/ ben teneri/ come va..../ E ogni tanto una bella infarinata...!/ E tu lavora,/ grattuggia,/ dagli il miracolo/ della parola;/ fagli i suoi brufoli/ a fior di pancia,/ che esultando rideranno.../E ogni tanto una bella infarinata...!/ Disteso a ranghi/ sulla tovaglia,/ questo popolo fidato,/ che non sbaglia mai,/ che a mezzogiorno/ sfida il cannone;/ sereno intrepido/ quieto come l'olio,/ che aspetta la bollitura/ del calderone...!/ E tu lavora,/ grattuggia,/ dagli il miracolo/ della parola;/ gratta il formaggio,/ senza educazione;/ che gli si intrufola,/ dentro la pancia.../E tu preparati/ burro balordo:/ schiuma, soffriggi,/ saltagli addosso.../ Pronto, risponde/ rosso bruciato:/ zzz...zzz fischia.../ Gnocchi, sono qua!

The Cabal of gnocco
Here, poor world/ la grand cabal of gnocco!/ Standing in the middle of the kitchen,/ with the party ribbons,/ my godmother,/ fixing her apron,/ celebrate because we must/ Friday is the great feast of gnocco...!/ As it happens the proper inspiration,/ at a glance from the teacher, wife, little by little,/ the flour to the potato/ and strong love/ manipulate the dough...!/ Which becomes spaghetti/ long and thin/ very soft/..../ And every now and then a dose of flour...!/ And you work,/ grating,/ by the miracle/ of the word,/ making his dimples/ the flower of the belly,/ rejoicing that laughing.../ And every now and then a dose of flour...!/ Spread in rows/ on the tablecloth,/ these trusty people, who never make a mistake, who at midday/ challenge the gun;/ serenely intrepid/ quiet as the oil, who expects the boiling/ of the melting pot...!/ And you work,/ grating,/ by the miracle/ of the word,/ grate cheese,/ with no education,/ and sneak/ in the belly.../ And you prepared/ difficult butter:/ foamed, sautéed,/ jumping on them.../ Ready, respond/ burnt red:/ zzz ... zzz ... whistles/ Gnocchi are here! (Berto Barbarani)

BOGONI DI BADIA CALAVENA

Il consumo di lumache in Veneto deriva da usanze tramandate dai Cimbri, antica popolazione di origine germanica che discese le Alpi attorno all'anno mille. La lumaca del veronese appartiene alla stessa specie di quella caratteristica dell'arco alpino, l'*Helix pomatia*: il corpo è un mollusco molle, costituito dalla testa, con una bocca e quattro tentacoli, e dal piede, che è formato da numerosi tubercoli irregolari e determina lo spostamento dell'animale. Il colore del guscio può essere molto vario in quanto dipende dall'alimentazione e dal tipo di ambiente circostante. Sant'Andrea di Badia Calavena, distesa sulle terrazze alluvionali del torrente Progno nell'alta Val d'Illasi, è considerata da sempre terra di *bogoni*. Documenti risalenti al 1160 testimoniano l'esistenza in questa zona di una fiera con bestiame, granaglie, derrate alimentari, e lumache, che erano vendute solamente nelle prime ore del giorno perché considerate cibo per poveri. Questa antica Fiera dei bogoni si svolge ancora oggi, ogni anno a fine novembre, ed è diventata simbolo del paese stesso, che nel 1996 ha fatto erigere su un masso precipitato dalla montagna un monumento al lumacone, in ferro battuto e della lunghezza di 2 metri, opera dell'artista Bonamini di Cogollo. L'allevamento dei bogoni avviene all'aperto, in particolari recinti chiamati *corgnolare*. In questi recinti viene preparato un letto di sabbia in cui vengono sistemate le chiocciole e nutrite con erba fresca, zucca e altri vegetali. Vengono quindi interrate nel periodo del letargo, quando sigillano l'aperura del guscio con un disco corneo detto opercolo. La raccolta della chiocciola opercolata è consentita solo in estate ed è fatta generalmente a mano o con l'aiuto di un attrezzo per prelevare le chiocciole interrate. Disponibile quindi solo nel periodo autunnale e solo vicino alle zone di produzione, il bogone di Badia Calavena è diventato una specialità gastronomica molto ricercata per la sua carne bianca e per le sue qualità nutrizionali, che assicurano un prodotto povero di grassi e ricco di proteine e sali minerali.

The consumption of snails in the Veneto derives from customs handed down from the Cimbri, an ancient population of Germanic origin that came down from the Alps around 1000 AD. The Veronese snail belongs to the same species found throughout the alps, the Helix pomatia*: the body is the driving force, constituted of a head with a mouth and four tentacles, and a foot formed from numerous irregular* *tubercles that make the animal move. The color of the shell varies depending on the animal's food and environment. Sant'Andrea of Badia Calavena, stretched across the alluvial terraces of the Progno riverbed high in the Val d' Illasi has always been considered the home of* bogoni. *Documents dating back to 1160 testify to the existence in the area of a fair with cattle, grain, commodities, and snails: they were only sold early in the day because they were considered food for poor people. This ancient Fair of the Bogoni is still carried out, every year at the end of November, and has become symbol of the area. In 1996 on a huge boulder that fell down the mountain, the town erected a monument to the snail, 2 meters long in wrought iron, by the artist Bonamini di Cogollo. The raising of* bogoni *takes place outdoors in fenced in areas called* corgnolare. *In these areas they prepare sand beds for the snails with fresh grass, pumpkins and other vegetables. They are buried during their period of lethargy when they seal the opening with a horny disc called the* opercolo. *The gathering of the buried snails is only allowed in summer, and is generally done by hand or with the aid of a tool in order to pull up the buried snails. Snails are therefore available only in autumn near the production zones, and those of Calavena Abbey have become a gastronomic specialty much desired for their white meat and nutritional qualities, with low fat, much protein, and many minerals.*

Bogoni del buongustaio al tartufo

bogoni di Badia Calavena
tartufo tritato
glassa di carne
burro
pepe fresco

pepe rosso
prezzemolo
aglio
mollica di pane

Cuocere le lumache, lasciarle raffreddare nel loro brodo di cottura e sgocciolarle. Guarnire il fondo di ogni guscio con un cucchiaino di tartufo tritato unito a della glassa di carne. Rimettere una lumaca in ogni guscio e ricoprirlo leggermente con lo stesso composto di tartufo tritato e di glassa di carne. Chiudere l'apertura con uno strato spesso di burro condito con pepe fresco macinato, una puntina di pepe rosso, 1 cucchiaio di prezzemolo tritato e una punta d'aglio. Disporre i gusci in una teglia dal fondo ricoperto di fossette che servono a tenere nella giusta posizione le lumache. Mettere la teglia in forno, far cuocere a calore molto moderato per 10-12 minuti. Togliere la teglia dal forno e mettere in ogni lumaca un cucchiaino di mollica di pane fritta nel burro. Nota: nel guscio, sotto la lumaca, si possono mettere altri bocconcini ben insaporiti, come pezzetti di fegatini, o di petto d'anatra o di quaglia o simili.

Gourmet Bogoni with truffles
Bake the snails; let them cool in their cooking broth and drain. Garnish the bottom of each shell with a teaspoon of minced truffle glaze combined with the meat. Replace a snail in each shell and cover lightly with the same compound truffle mixture and chopped meat. Close the opening with a thick layer of butter flavored with fresh ground pepper, a pinch of red pepper, 1 tablespoon of chopped parsley and a touch of garlic. Arrange the shells in a baking dish with a puckered bottom covered to keep the snails in place. Put the pan in the oven, cook at moderate heat for 10-12 minutes. Remove the pan from the oven and put on each snail a teaspoon of breadcrumbs fried in butter. Note: in the shell, under the snail, you can put little bites of other well-seasoned meats, like pieces of liver or breast of duck or quail or the like.

Vino consigliato/*suggested wine*:
Valpolicella Superiore D.O.C.

Bogoni trifolati con crema di mais

450 gr di bogoni di Badia Calavena
150 gr di pan grattato
50 gr di passata di pomodoro
40 gr di burro
4-5 cucchiai d'olio d'oliva
1 spicchio d'aglio
1 cucchiaio di prezzemolo tritato
Grana Padano
farina gialla
sale e pepe.

Tritare e rosolare l'aglio con olio e burro, quindi aggiungere la passata di pomodoro, il prezzemolo tritato e lasciar appassire; poi versare le lumache, precedentemente spurgate, lavate e sgusciate, e cuocere a fuoco moderato per circa 5 minuti. Trascorso questo tempo, aggiungere un paio di bicchieri d'acqua calda e continuare a cuocere a fuoco lento per un'ora e mezza o due, aggiungendo all'occorrenza altra acqua calda. A metà cottura versare il pane grattugiato e, se le lumache risultassero troppo asciutte, allungare ancora con un po' d'acqua calda. Prima di servire aggiungere formaggio Grana grattugiato a piacere e servire la pietanza con polenta calda di consistenza piuttosto cremosa.

Bogoni with creamed corn
Chop and brown 1 garlic clove with 4-5 tablespoons oil and 40g butter, then add 50g tomato paste, 1 tablespoon chopped parsley and allow to soften, then pour 450g of bogoni snails, previously purged, cleaned and shelled, and cook at moderate heat for about 5 minutes. After this time, add a couple of glasses of warm water and continue to cook over a low heat for an hour and a half or two, adding more hot water if necessary. When half cooked pour 150g breadcrumbs and, if the preparation is too dry, yet more hot water. Before serving add grated Grana Padano cheese to taste and serve the dish hot with creamy polenta.

Vino consigliato/*suggested wine*:
Bardolino D.O.C.

La Bogonela

La bogonela l'è una roba giala
tuta piena de pocio molesin,
che vista da lontan, la par' na bala,
che cora in pressia: ma la va a pianin...
La ghe mete du giorni a far 'na scala
e la fà quatro tape par scalin...
Oh! Siòra bogonela, dove vala?
Vado par aqua...S'à impissà el camin...
La me morosa, invesse, oh Dio, la core
Che l'è la ferovia de casa nostra;
se ghe disì de star sentà, la more...
Ma se g'ò da contar la verità,
la bogonela, i corni la li mostra,
e me morosa invesse la li fà!

Berto Barbarani

La Bogonela
La bogonela è una roba gialla/ tutta piena di sugo molle,/ che vista da lontano, sembra una palla,/ che corre in fretta: ma va pianino.../ Ci mette due giorni a fare una scala/e fa quattro tappe per scalino.../ Oh! Signora bogonela, dove va?/ Vado di qua...Si è acceso il camino../ La mia morosa, invece, oh dio, corre/ tanto che è la ferrovia di casa nostra,/ se le dici di star seduta, muore.../ Ma se devo dire la verità,/ la bogonela, i corni li mostra,/ e mia morosa invece li fa!

The Bogonela
The bogonela is a yellow thing/ full of soft sauce,/ that seen from afar, seems to be a ball/ that runs so hard, but goes so slow/ It needs two days to go up a staircase/ And four stages to go up a step/ Oh! Madame bogonela, where are you going?/ I am going to the water, the fireplace is lit./ My girlfriend, instead, oh God, my heart/ She is the dynamo of our house;/ if you tell her to be still she will die/ But if I have to tell the truth,/ the bogonela, shows her horns/ and my girlfriend instead makes them! (Berto Barbarani)

FORMAGGIO CASATO DEL GARDA

Il *Casàt*, come viene chiamato localmente, è un formaggio antico, risalente all'arrivo dei primi bovini in epoca romana. La sua storia è legata alle tradizioni contadine della pedemontana Veronese che privilegiavano alimenti calorici, in grado di sopperire al fabbisogno energetico della vita contadina. Tutt'oggi viene prodotto in limitate quantità nella zona del versante veneto del Monte Baldo partendo da latte vaccino intero o scremato, ottenuto da due mungiture di mucche di razza Bruno Alpina. Il latte crudo viene portato alla temperatura di coagulo con l'aggiunta del caglio, quindi viene estratta la massa e lavorata manualmente fino a ottenere la forma di un disco piatto, che viene fatto stagionare per almeno 90 giorni. A questo punto si è ottenuto il formaggio Monte Veronese d'Allevo DOP che viene quindi tagliato a cubetti, ricoperto con il celebre olio extravergine d'oliva del Garda, e messo a maturare in vasi di vetro in un luogo fresco e buio per uno o più mesi, al fine di favorire l'ammorbidimento della pasta. Privo di crosta e con superficie finemente irregolare di colore bianco-giallo, il formaggio Casato del Grada presenta una pasta morbida, bianca o leggermente paglierina con rara occhiatura. Il suo sapore fragrante e leggermente piccante si accompagna bene alla rotondità fruttata dell'olio extra vergine d'oliva, un connubio che esprime la summa dei gusti e degli odori tipici della zona di produzione.

The Casàt, *as it is called locally, is an ancient cheese, dating back to the arrival of the first cattle in Roman times. Its history is tied to the traditions of Veronese foothills that focus on high calorie foods that can meet the energy needs of rural life. Today it is produced in limited quantities on the Veneto side of the slopes of Mount Baldo from cow's milk, whole or skimmed, from two milkings of cows of the Bruno Alpina breed. Raw milk is brought to a temperature of clotting and rennet is added, usually in powder. The mixture, after coagulation, is extracted and processed manually into the shape of a flat disc, which is then left to ripen for at least 90 days. At this point, it is the cheese Monte Veronese DOP, This cheese is then cut into cubes, covered with the famous olive oil of the Lake Garda region, and left to mature in glass jars in a cool, dark location for one or more months, in order to promote the softening of the cheese. With no crust and a finely irregular surface of yellow-white, this is the Casato cheese of Garda, with soft dough, white or slightly yellowish color with an occasional hole. Its flavor and slightly spicy fragrance goes well with fruity roundness of extra virgin olive oil, a blend that expresses the best of the tastes and smells typical of the production area.*

Risotto all'amarone e casato del Garda

350 gr di riso Vialone Nano Veronese IGP
½ bottiglia di Amarone della Valpolicella D.O.C.
150 gr di Casato del Garda
50 gr di cipolla
50 gr di burro
150 gr di Grana Padano
1,5 l di brodo di carne
2 cucchiai di midollo di bue

Tritare finemente la cipolla e farla appassire in una casseruola con 20 gr. di burro; unire il midollo sminuzzato e cuocere per circa cinque minuti a fiamma molto bassa. Aggiungere il riso, farlo tostare per alcuni minuti a fiamma media e poi versare metà dell'Amarone, opportunamente preriscaldato. Continuare la cottura unendo mestolini di brodo caldo mano a mano che il riso lo richiede. Portare il riso a cottura senza mai smettere di mescolare col mestolo di legno. Quando la cottura è a buon punto, aggiungere il rimanente Amarone e se necessario un altro po' di brodo. Alla fine mantecare il risotto con il burro rimasto e con 40 gr. di grana. Lasciar riposare per un minuto e servire il risotto in cestini di cialda di grana, preparati nel modo seguente: versare in una padella antiaderente preriscaldata un cucchiaio di Grana grattugiato, lasciandolo fondere, aiutandovi con una paletta di legno per sollevare la sfoglia che si forma. Versarla velocemente sul piatto e modellarla con le mani a cestino. In questo modo preparare le altre cialde fino ad esaurimento del Grana. Il casato del garda, sbriciolato,va aggiunto come decorazione sul risotto, all'ultimo momento.

Risotto with Amarone and Casato cheese
Finely chop 50g onion and soften it in a saucepan with 20g of butter, add the chopped marrow and cook for about five minutes on very low flame. Add 350g of Vialone Nano Veronese rice and toast it for a few minutes on medium flame and then add a quarter bottle of Amarone suitably preheated. Continue cooking the risotto adding a ladle of hot broth as the rice calls for it. Bring the rice to cook while continuing to mix with wooden spoon, never stopping. When the risotto is at a good point, add another quarter bottle of Amarone and if necessary another bit of broth. At the end whisk the risotto with 30g of butter and 40g of grated Grana. Allow the risotto to rest for a minute and then serve it in wafer baskets of cheese, prepared as follows: pour into a preheated non-stick frying pan a tablespoon of grated Grana Padano, and let it melt, spreading it with a wooden spoon as required to help it. Quickly pour it on the plate and shape with your hands in the form of a bowl. Repeat until you have finished the Grana (150g). 150g Casato del Garda is crumbled and added as an embellishment on the risotto at the last minute.

Vino consigliato/*suggested wine:*
Amarone Superiore D.O.C.

Il Recioto Amaro

Nel V secolo d.C., Cassiodoro, ministro di Teodorico re dei Visigoti, descrive in una lettera un vino chiamato Acinatico, prodotto con una speciale tecnica d'appassimento delle uve in quel territorio denominato Valpolicella (*Vallis-polis-cellae* cioè valle dalle molte cantine). L'Acinatico è senza dubbio l'antenato del Recioto, il vino dolce ottenuto utilizzando le parti alte e più esposte al sole dei grappoli (le orecchie, in dialetto le *recie*). Il Recioto è un vino giovane, lo si imbottigliava con la luna piena di marzo al Venerdì Santo e si beveva alla svelta perchè se rifermentava diventava amaro, quasi secco e veniva chiamato *Recioto scapà* (Recioto scappato). Questo Recioto Amaro non era molto di moda, ma nel novecento i gusti cambiarono e le cantine della Valpolicella cominciarono a raffinarne la produzione. Il nuovo epiteto Amarone naque nella primavera del 1936 nella Cantina Sociale Valpolicella (istituita nel 1933 in Villa di Novare Mosconi-Simonini, attualmente Bertani). Quell'anno il mezzadro capocantina Adelino Lucchese, assaggiando il vino uscì con una esclamazione entusiastica: "Questo non è un amaro, è un amarone!".

In the fifth century AD, Cassiodorus, minister of King Theodoric of the Visigoths, described in a letter a wine called Acinatico *then produced with a special technique of drying the grapes in that area known as Valpolicella (*Vallis-polis-cellae *namely the valley of many cellars). The* Acinatico *is without a doubt the ancestor of* Recioto, *the sweet wine produced using the part of the grape bunch that is highest and most exposed to the sun (the ears, in the dialect* recie*).* Recioto *is a young wine, bottled with the full moon that falls between March and Holy Friday. It is drunk quickly because if ferments again and becomes bitter, almost dry, and is called* Recioto scapà *(Recioto escaped). This bitter Recioto was not very fashionable, but in the 1900's tastes changed and the cellars of Valpolicella began to refine the production. The new name* Amarone *was born in the spring of 1936 in the Cantina Sociale Valpolicella (established in 1933 in Villa Mosconi Novare-Simonini, currently Bertani). That year the sharecropper cellar master Adelino Lucchese, tasting the wine came out with an enthusiastic exclamation: "This is not a bitter (amaro), it's an amarone."*

PESCA DI VERONA

La coltura del pesco nel veronese ha origini assai antiche, dato che noccioli di pesca sono stati rinvenuti in strati archeologici riferibili al I secolo dell'era volgare. Il "pomo della lanuggine" coltivato in queste zone viene citato da Plinio il Vecchio nel suo *Naturalis Historiae* e nel XV secolo viene raffigurato da Andrea Mantegna nei suoi affreschi della Basilica di San Zeno a Verona. In queste terre rese fertili dal lavoro dell'uomo, grazie al clima temperato dalla vicinanza del Lago di Garda, da secoli viene infatti coltivata una pesca dalle caratteristiche organolettiche e qualitative uniche: la pesca di Verona, frutto a polpa bianca o gialla appartenente alla specie *Persica vulgaris*, si distingue per il colore esteso e intenso della buccia e per la polpa consistente e succosa. Il suo sapore caratteristico è dato dal giusto equilibrio fra grado zuccherino e acidità, strettamente legato alla scarsa attività vegetativa delle piante ed al particolare clima delle zone di produzione. Dal punto di vista nutrizionale, la pesca di Verona come le altre pesche gialle, è ricca di betacarotene, potassio e di fibra solubile, pertanto è facilmente digeribile e leggermente lassativa. L'apporto in calorie della pesca è pari, se non superiore, a quello dei migliori frutti. Per questo alla pesca è assegnato un ruolo importante nella fisiologia del bambino, che dal succo di essa può trarre agevolmente il fabbisogno giornaliero di elementi indispensabili al suo sviluppo.

Peach cultivation in the Verona area has very ancient origins, as peach pits have been found in archaeological strata of the first century. The "apple of the lanuggine" *grown in these areas is cited by Pliny the Elder in his* Naturalis Historiae, *and is represented in the fifteenth century Andrea Mantegna's frescoes in the Basilica of San Zeno in Verona. For centuries in this land made fertile by man, thanks to climate tempered by the proximity of Lake Garda, a peach with unique qualitative characteristics has bee grown: the Verona peach has white or yellow flesh belonging to the species* Persica vulgaris, *characterized by the extensive and intense color of the skin and the juicy and succulent flesh. Its distinctive flavor is the right balance between acidity and sweetness, which is closely linked to low plant vegetative activity and the particular climate of the production zone. From the nutritional point of view, the Verona peach, like other yellow peaches, is rich in beta-carotene, potassium and soluble fiber, so it is easily digested and slightly laxative. The calories of the Verona peach are equal, if not superior, to that of the best fruits. For this reason the peach is assigned an important role in the physiology of the child, who can easily get the daily requirement of essential elements for its development from the juice.*

Crema con champagne alla pesca

8 mezze pesche sciroppate di Verona
4 cucchiai di brandy alla pesca
4 uova
4 cucchiai di zucchero
8 cucchiai di champagne alla pesca
ventaglietti o "sigarette" di wafers

Tagliare a spicchietti le pesche sciroppate, suddividerle nelle coppe da dessert, spruzzandole con il brandy alla pesca e metterle in frigo. Sgusciare le uova e mettendo i soli tuorli nel polsonetto di rame, unirvi lo zucchero e cucinare a bagnomaria in una casseruola a fuoco basso; sbattendo con la frusta amalgamare bene uova e zucchero, in modo che la crema cominci a prendere consistenza, poi diluire lentamente con lo champagne alla pesca e continuare a sbattere con delicatezza, fino a quando la crema diventerà gonfia e spumosa. Ravesciarla nelle coppe, sopra le pesche, decorare con ventaglietti o "sigarette" di wafers e servire subito, in modo che ci sia il piacevole contrasto tra le pesche fredde e lo zabaione caldo.

Cream with peach champagne
Slice 8 Verona peaches, divide in dessert cups, splash with 4 tablespoons peach brandy fish and put them in the fridge. Shell 4 eggs and put the egg yolks in copper sauce pan, add 4 tablespoons sugar and cook in a double boiler over low heat, beating with whisk to mix the eggs and sugar well until the cream begins to thicken, then slowly dilute with 8 tablespoons peach champagne and continue to gently whisk until the cream becomes swollen and frothy. Pour into the cups on the peaches, decorate with "cigarette wafers" and serve immediately, so that there is a nice contrast between the cold peaches and warm cream.

Vino consigliato/*suggested wine*:
Recioto di Soave Spumante D.O.C.

Polpettone di vitello con pesca e pepe verde

1,5 kg di polpa magra di vitella macinata
4 patate
5 pesche di Verona
5 cucchiai di pepe verde
2 uova
½ bicchiere di farina
3 cucchiai di olio extravergine d'oliva
2 cucchiaini di uva sultanina
3 cucchiai di miele non cristallizzato
1 bicchiere di vino bianco dolce

In una zuppiera amalgamare la carne con le patate grattugiate crude, aggiungendo poi del sale e le uova. Dopo aver dato la forma al polpettone passarlo nella farina e cuocere in forno per circa un'ora a 180°C, nella carta stagnola con l'olio. A parte frullare il pepe verde con un goccio d'olio, l'uvetta e 2 cucchiaiate di miele fino ad ottenere una salsa fluida. Cuocere le pesche (con mezzo bicchiere di acqua, il vino e un cucchiaio di miele) fatte a fette sottili, per 10 minuti a fuoco basso. Se necessario a cottura finita utilizzare il sughetto delle pesche per rendere più fluida la salsa al pepe. Tagliare il polpettone a fette, ricoprirlo con la salsa e servirlo ben caldo, circondato dalle pesche.

Veal meatloaf with peaches and green pepper
Mix 1.5 kg of lean ground veal and 4 grated raw potatoes in a bowl, adding salt and 2 eggs. After shaping the meatloaf roll it in flour and cook in oven for about an hour at 180°C in aluminum foil with oil. In another pan mix and whip 5 tablespoons of green pepper with a little olive oil, 2 teaspoons raisins and 2 tablespoons honey until it becomes a smooth sauce. Cook 5 Verona peaches, cut in thin slices, with half a glass of water, 1 cup sweet white wine and 1 tablespoon of honey, for 10 minutes over low heat. If necessary add the juice from this peach mixture to the pepper sauce to make it smoother. Slice the meat loaf, cover with the sauce, and serve hot, surrounded by peaches.

Vino consigliato/*suggested wine:*
Chardonnay D.O.C. del Garda

CILIEGIA DELLE COLLINE VERONESI

Le ciliegie sono presenti nella dieta umana da tempo immemorabile: ne abbiamo evidenza dai noccioli rinvenuti negli scavi dei villaggi di palafitte dei laghi prealpini. La provincia di Verona è la prima nel Veneto e la terza in Italia per la produzione di ciliegie, la cui qualità si distingue per consistenza, colore e gusto dai prodotti di altre località. La denominazione "Ciliegia delle Colline Veronesi" è riservata infatti alle ciliegie dolci appartenenti alla specie Prunus avium caratterizzate da forma sferoidale, epidermide brillante, buccia notevolmente resistente ed una polpa succosa e di elevatissima consistenza e conservabilità. Il calibro dei frutti non deve essere inferiore a 24 mm. Le ciliegie sono disponibili solo da giugno a fine luglio; il periodo di conservazione e' limitato e vanno tenute in un luogo fresco e poco umido, mai in un sacchetto di plastica. La tradizione vuole che le ciliegie si mangino entro il giorno di San Giovanni, il 24 giugno: superata questa data, con il caldo afoso e l'eccessiva maturazione, possono facilmente ospitare piccoli vermetti bianchi, detti appunto "giovannini". La ciliegia è nota per le sue proprietà benefiche: è un potente depurativo del sangue, è disintossicante, drenante del fegato e delle tossine, è antinfettiva, antibatterica e lassativa. Contiene zuccheri ma in una forma (levulosio) adatta anche agli obesi e ai diabetici, ed è praticamente priva di grassi e proteine. Contiene vitamine A, B e C, sali minerali e oligoelementi preziosi (zinco, rame, manganese, cobalto). Unica osservazione: la mandorla del nocciolo contiene acido cianidrico, una sostanza tossica per l'organismo, e pertanto non deve essere assolutamente consumata.

Cherries are present in the human diet since time immemorial: we have evidence from cherry pits found in the excavations of the villages on piles in prealpine lakes. The province of Verona is the first in the Veneto region and the third in Italy for the production of cherries, the texture, color and taste of which distinguished if from the products of other places. The name "Cherries from Verona Hills" is in fact reserved for sweet cherries belong to the species Prunus avium characterized by spherical shape, shiny skin, remarkably resilient skin, and a juicy pulp with good texture and shelf life. The size of the fruit must not be less than 24 mm. The cherries are only available from June to late July, and they can be stored, although not for long, kept in a cool, slightly moist location, never in a plastic bag. Tradition dictates that you eat the cherries before the feast of St. John, June 24: after that date, due to sultry heat and over-ripening, they can easily accommodate small white worms called Giovannini. *The cherry is known for its beneficial properties: it is a powerful purifier of the blood, a detoxifier, draining the liver of its toxins; it is anti-infection, antibacterial, and laxative. It contains sugar, but in a form (levulose) that is suitable for obese and diabetic, and is practically devoid of fat and protein. It contains vitamins A, B and C, minerals and valuable trace elements (zinc, copper, manganese, cobalt). One note: the pit contains hydrogen cyanide, a toxic substance, and therefore should not be consumed.*

Pastissada con le ciliegie

1 kg di carne di manzo
600 gr di ciliegie mature delle colline Veronesi
2 cucchiaini di senape in polvere
1 cucchiaino di pepe nero
2 cucchiai di zucchero grezzo di canna
1 o 2 bicchieri di vino rosso
3 mestoli di brodo di carne
1 cucchiaio di burro
1 cucchiaio di farina
il succo di un limone
sale

Accendere il forno a 170°C gradi. Mescolare pepe, senape e un cucchiaino di sale. Cospargere con questo composto la carne, poi metterla a rosolare con poco olio. Aggiungere lo zucchero, bagnare con il vino, quindi unire il brodo già caldo, il succo di limone e far bollire. Trasferire la carne nel forno e cuocerla scoperta per circa 2 ore girandola sovente. Intanto lavare le ciliegie e snocciolarle. Trascorso il tempo indicato unire le ciliegie alla carne, coprire e cuocere ancora mezz'ora. A fine cottura togliere la carne dal tegame e far addensare il fondo di cottura su fuoco bassissimo aggiungendovi il burro impastato con la farina. Affettare la carne e servirla con ciliegie e fondo di cottura.

Pastissada with cherries
Turn oven to 170°C. Mix 1 teaspoon black pepper, 2 teaspoons mustard powder and a teaspoon of salt. Sprinkle this mixture with 1 kg beef, then put it to cook with a little oil. Add 2 tablespoons raw cane sugar, dampened with 1 or 2 glasses of red wine, then add 3 ladles pre-heated broth and the juice of 1 lemon, then boil. Place meat in oven and cook uncovered for about 2 hours turning frequently. Meanwhile, wash and pit 600g ripe cherries from the Veronese Hills. After the indicated time add the cherries to the meat, cover and cook for another half an hour. At the end of cooking remove the meat from the pan and thicken the juice at the bottom of the meat pan on a low fire adding 1 tablespoon of butter mixed with 1 tablespoon of flour. Slice meat and serve with cherries and the meat drippings.

Vino consigliato/*suggested wine:*
Valpolicella Superiore Ripasso D.O.C.

Insalata di formaggio caprino e composta di ciliegie

350 gr di formaggio caprino fresco
insalatina novella
300 gr di ciliegie delle colline veronesi
100 gr di zucchero
10 gr di miele d'acacia
1 gr di pectina
olio extravergine d'oliva
pepe

Mescolare le ciliegie snocciolate, lo zucchero, il miele d'acacia e la pectina a freddo, quindi farli cuocere in una casseruola per circa 20 minuti a fuoco lento. Passare il tutto al setaccio e lasciar raffreddare. Nel frattempo mettere l'insalatina novella su un piatto di portata, depositarvi sopra delle *quenelles* di formaggio caprino e condire con olio extravergine d'oliva e pepe di mulinello. Quando la composta di ciliegie sarà completamente raffreddata, servirla come accompagnamento all'insalata.

Goat cheese salad with cherry compote
Mix 300g cherries from the Veronese hills (pitted), 100g sugar, 10g acacia honey and 1g pectin together cold, then cook them in a saucepan for about 20 minutes on low heat. Puree and sift everything and let cool. Meanwhile put fresh salad lettuce on a salad dish with strips of fresh goat cheese (350g), and season with olive oil and ground pepper. When compote of cherries is fully cooled, serve as an accompaniment to the salad.

Vino consigliato/*suggested wine:*
Valpolicella Superiore Ripasso D.O.C.

Poesia par Verona

Verona:
boca che ride
tra 'l monte e la pianura,
primadòna sicura
da la vosse che no stona mai.

Verona:
un "si" da sposa
ai brassi verdi de l'Adese
che i palpa,
i la caressa,
che streta i se la tien.

Verona
de San Zen
vescovo pescador
de anime e de trote,
moro de pèle,
amigo dei pitòchi:
pàr che 'l li varda ancora
co l'òcio tondo de la so ciesa,
largo,
maraveià.

Verona
de la Bra:
che l'è 'n anel da festa
co l'Arena par brilante.

Verona
de Piassa Dante,
calda,
sentà,
nemiga de la prèssia,
la gà in corpo Venessia
ma in l'anima Cangrande.

Verona
che se spande
nei colori de Piassa Erbe,
maridando in beléssa
i toni grisi dei palassi veci
col verde dei radeci,
el gialo de la suca,
el rosso de le fraghe.
E quela Costa picà via
l'è na virgola de poesia

veronese balénga,
sempre viva

Verona
de Sotoriva
coi pòrteghi che i tien in coparèla
na rosària de secoli
che ga i caroi
ma che l'è sempre fresca,
che l'è de piera
e mai no la ghe pesa.

Verona de la cesa:
el Vescovado,
el Domo,
che mete in sudissiòn
tute intorno le case
che le pàr pensierose
e le tase,
e le prega.

Verona
de la Carega
che pàra via i pensieri:
la canta,
la sganàssa,
la dise tuto co na parolassa
vècia, nostrana e mata.

Verona stefanata
che vive da pitòca el sogno lustro
de na pignata d'oro.
E la strùssia ma l'è contenta
e l'alegria e la passiènsa
mai no ghe cala.

Verona
de l'amor:
da Giulieta e Romeo
ai basi a scotadéo
longo l'Adese
quando vien sera.

Verona
cusiniera:
le paparèle,
i gnochi,
bigoli co la renga
la bona pastissada,
el dìndio,
la pearàda,
polenta coi osèi,
le tripe,
el minestron.

Verona
del vin bon
che l'è paron de casa
de le mile ostarie:
in piassa o in fondo ai vicoli,
nete o sporche,
bele o brute,
ma gh'è nel cor de tute
na parola che la fa sponsàr la vita.

Verona:
boca che ride
tra 'l monte e la pianura
primadòna sicura
da la vosse che no stona mai.

Tolo da Re

Poesia per Verona
Verona: bocca che ride tra il monte e la pianura, prima donna sicura dalla voce che non stona mai./ Verona: un "si" da sposa tra le braccia verdi dell'Adese che palpano, la accarezzano, che stretta se la tengono./ Verona di San Zeno, vescovo pescatore di anime e di trote, moro di pelle, amico dei poveri: sembra che lui li guardi ancora con

l'occhio tondo della sua chiesa, grande, meravigliato./ Verona della Brà: che è un anello di festa con l'Arena per brillante./ Verona di Piazza Dante, calda, seduta, nemica della fretta, ha in corpo Venezia ma nell'anima Cangrande./ Verona che si riversa nei colori di Piazza Erbe, maritando in bellezza i toni grigi dei palazzi vecchi col verde dei radicchi, il giallo della zucca, e il rosso delle fragole. E quella costola appesa su è una virgola di poesia veronese balenga, sempre viva./ Verona di Sottoriva con i portici che portano a cavalluccio un rosario di secoli che ha i tarli ma è sempre fresco, che è di pietra e mai non gli pesa./ Verona della chiesa: il Vescovato, il Duomo, che mette in soggezione tutte intorno le case che sembrano pensierose e stanno zitte, e pregano./ Verona del Carega che manda via i pensieri: canta, sganascia, dice tutto con una parolaccia, vecchio, nostrano e matto./ Verona dentata che vive da poveraccia il sogno lucido di una pentola d'oro. E si stanca ma è contenta e l'allegria e la pazienza mai non gli passano./ Verona dell'amore: da Giulietta e Romeo ai baci a bruciapelo lungo l'Adese quando viene sera. Verona cuoca: le pappette, gli gnocchi, bigoli con l'arringa il buon stufato, il tacchino, la pearada polenta con gli uccelli, le trippe, il minestrone./ Verona del vino buono che è padrone di casa delle mille osterie: in piazza o in fondo ai vicoli, pulite o sporche, belle o brutte, ma c'è nel cuor di tutte una parola che fa riposare la vita./ Verona bocca che ride tra il monte e la pianura primadonna sicura dalla voce che non stona mai.

Poetry for Verona
Verona: the mouth that laughs between the mountain and the plain, the diva safe ever being stoned./ Verona: a "yes" to the wedding in the arms of the green Adige that throbs, caresses, that keeps you close./ Verona of San Zeno, bishop fisher of souls and trout, with dark brown skin, a friend of the poor: it seems that he still looks at them with the eye of his round church, big, marvelous./ Verona of the Bra', a ring of feasts with the Arena as the center stone./ Verona in Piazza Dante, hot, seated, the enemy of haste, with the body of Venice but the spirit of Cangrande./ Verona in the colors of Piazza Erbe, marrying the beauty of the gray tones of old buildings with green of radicchi, yellow of pumpkin, and red of strawberry. And the ribs hung on a point of Veronese poetry balenga, still alive./ Verona of Sottoriva with a porch way with a cavalcade of rosaries of centuries that has woodworms but is always fresh, which is of stone and never weighs on you./ Verona of the church: the Bishop, the Cathedral, which puts in awe all the nearby houses that seem to listen, be silent, and pray./ Verona of the Carega that sends away preoccupations: sings, laughs, and says everything with a dirty word, old, home grown, and crazy./ Verona the tough, the poor living the dream of a shiny pot of gold, tired but happy and cheerful and with never ending patience./ Verona of love: from Romeo and Juliet to the fiery kisses along the Adige when it is evening./ Verona the cook: the puddings, gnocchi, bigoli with herring, good stew, turkey, polenta with birds, tripe, vegetable soup./ Verona of the good wine that is the good landlord of a thousand pubs, in the square or at the bottom of the lanes, clean or dirty, beautiful or ugly, but in the heart of all of them a word that makes life restful./ Verona: the mouth that laughs between the mountain and the plain, the diva safe ever being stoned.
(Tolo da Re)

FRAGOLA DI VERONA

La fragola, conosciuta e apprezzata fin da tempi antichissimi, in Italia cresceva spontanea già due secoli prima di Cristo. A Verona, dove la sua presenza è documentata fin dal XVII secolo, le fragole *"cominciansi a cogliere in fin di maggio e di cui, oltre alle piccole montanine [...] diverse più grosse e pregiate specie se ne coltiva negli orti e nei fragoleti delle ville prossime alla città dove trapiantansi dal marzo alla fine di aprile oppure è meglio forse, dal settembre all'ottobre, riuscendo dovunque, ma di preferenza nelle terre sciolte e profonde"* (Sormani-Moretti, *La provincia di Verona*, 1904). La Fragola di Verona, appartenente alla specie *Fragaria x Ananassa Duch*, si distingue per eccellenti caratteristiche di sapore e aroma, pezzatura, colore, brillantezza, consistenza e serbevolezza. E' infatti di dimensioni piuttosto grosse (calibro minimo 22 mm), è molto consistente e di conservazione piuttosto durevole; quando è matura e fresca deve avere un colore rosso luminoso, mentre il frutto turgido deve essere provvisto di peduncolo verde e rosetta fogliare. Le fragole vengono coltivate in tutta la provincia di Verona, ma in particolare nella zona della Bassa e dell'Est veronese. Il loro normale periodo di maturazione va da aprile a giugno, mentre quelle di bosco maturano tra giugno e luglio. Caratterizzata da un basso contenuto di fruttosio e di calorie, la fragola è ricca di acqua, di vitamine del gruppo C e A, di fosforo, calcio, potassio, ferro; ha proprietà diuretiche e lassative ed è un alimento tonico e rinfrescante.

The strawberry, known and appreciated since ancient times, grew wild in Italy two centuries before Christ. In Verona, where its presence is documented since the seventeenth century, strawberries "start to be harvested at the end of May, and in addition to the small montanina [...] other larger and valuable species are cultivated in gardens and in the strawberry beds in villas near the city, where they are transplanted from March to late April or perhaps better from September to October. They succeed anywhere, but prefer loose, deep earth" *(Sormani-Moretti,* The province of Verona, *1904). The Verona Strawberry, a cross of the species* Fragaria x Ananassa Duch, *is known for excellent flavor and aroma, size, color, brightness, texture and shelf life. It is quite large in size (minimum thickness 22 mm), very consistent and very durable; when mature and fresh it should be a luminous bright red, and the fruit should be swollen with a green stem and leaf rosette. Strawberries are grown throughout the province of Verona, but particularly in the southern and eastern areas. Their normal ripening period is from April to June, while the wild wood strawberries mature between June and July. Characterized by a low content of fructose and calories, the strawberry is rich in water, vitamins C and A, phosphorus, calcium, potassium, and iron; it has diuretic and laxative properties and is a food that is a refreshing tonic.*

Torta di fragole

3 cestini di fragole di Verona
225 gr di farina
100 gr di burro
30 gr di zucchero
un tuorlo
latte
sale

Per la crema:
3 cucchiai di zucchero
3 tuorli
250 ml di panna fresca
un limone

Preparare la pasta con la farina, il burro, lo zucchero, un pizzico di sale, il tuorlo e qualche cucchiaio di latte e lavorarla finché l'impasto sarà morbido e omogeneo; avvolgerlo quindi nella pellicola e farlo riposare in frigo per mezz'ora. Scaldare il forno a 180°C. Stendere la pasta formando una sfoglia di mezzo cm di spessore e metterla in uno stampo di alluminio rivestito con carta da forno bagnata e strizzata;

punzecchiarla con una forchetta, coprirla con un altro foglio di carta da forno e cuocerla in forno per 15 min. circa finché è dorata. Per la crema montare i tuorli con lo zucchero e diluire con la panna, aromatizzando con la scorza del limone. Cuocere il composto per 10 min. finché la crema si sarà addensata. Sfornare la pasta sul piatto da portata, coprirla con la crema fredda e inserire le fragole lavate ed asciugate.

Strawberry cake
Prepare the dough with 225g flour, 100g butter, 30g sugar, a pinch of salt, 1 egg yolk and 1 tablespoon of milk and work the dough until smooth and uniform, then wrap it in foil and rest in fridge for half an hour. Heat the oven to 180°C. Roll out the dough to form a sheet one half inch thick and put it into an aluminum mold covered with wet, stretched baking paper; prick it with a fork, cover with another sheet of baking paper and cook in the oven for about 15 minutes, until golden. To prepare the cream, beat 3 yolks and 3 tablespoons sugar and then dilute with 225ml fresh cream flavored with lemon peel. Cook the mixture for 10 minutes until the cream thickens. Put the cooked dough on a serving dish, cover it with the cooled cream and add washed and dried strawberries (3 baskets).

Vino consigliato/*suggested wine:*
Recioto di Soave D.O.C.

I sugoli

1 l di mosto d'uva fragola
80 gr di farina
200 gr di fragole di Verona
100 gr di panna
poco zucchero vanigliato
1 cucchiaio di zucchero semolato
qualche goccia di aceto balsamico

Setacciare la farina, metterla in una casseruola e stemperarla aggiungendo il mosto poco alla volta. Lasciar bollire il composto lentamente fino a che si ispessirà come un budino. Appena pronto versarlo in uno stampo e farlo raffreddare. Mettere in frigo e servire dopo qualche ora, accompagnando con le fragole tagliate a spicchi condite con un cucchiaio di zucchero semolato e qualche goccia di aceto balsamico, il tutto contornato dalla panna montata con lo zucchero vanigliato.

Must pudding
Sift 80g of flour, then place it in a saucepan and mix 1 lt of sweet grape must juice a little at a time. Allow to boil the mixture slowly until it looks like a pudding. Then pour it into a mold and allow it to cool. Put in refrigerator and serve after a few hours, along with 200g sliced strawberries seasoned with a tablespoon of sugar and a few drops of balsamic vinegar, all surrounded by whipped cream (100g) with some vanilla sugar.

Vino consigliato/*suggested wine:*
Recioto Rosso spumante D.O.C.

Dolce di...vino

In epoca Romana il mosto cotto era molto apprezzato e veniva utilizzato per diversi scopi: per la conservazione della frutta, per migliorare il gusto del vino aspro, come cibo per le api, per ingrassare le lumache di allevamento e per numerosi usi medici, specie di tipo ginecologico. Nelle società contadine, il budino ottenuto dalla cottura del mosto con la farina, era il dolce della vendemmia. Dopo mesi di cura delle viti e giorni di frenetico lavoro per raccogliere i grappoli ricchi di nettare, si celebrava il rito collettivo con un grande pranzo: i sugoli erano l'ambita ricompensa per grandi e piccini, il primo dolce frutto del duro lavoro!

In Roman times cooked grape was much appreciated and was used for several purposes: for the preservation of fruits, to improve the taste of sour wine, as food for bees, for fattening farmed snails and for many medical uses, especially gynecological. In peasant society, the pudding made from cooked must was the sweet meal of harvest time. After months of care of the vines and days of frantic work to collect the nectar-rich clusters, those who had worked celebrated the collective rite with a big feast: the sugoli *was the repayment to young and old, the first sweet rewards of hard work!*

VICENZA

Chi va in leto senza séna, tuta la note se raména

Quando in novembre el vin no xé più mosto, la paéta xé pronta par el ròsto

Chi va a letto senza cena, tutta la notte si dimena

He who goes to bed without dinner, will toss and turn all night

Quando a novembre il vino non è più mosto, la tacchina
è pronta per l'arrosto

When in November wine is no longer must, the turkey is ready to become roast

da “Piccoli Maestri”

di Luigi Meneghello

La fame era costante ma non triste; era una fame allegra. Io so che cos' è la fame vera, perché conosco bene chi l'ha conosciuta bene, specialmente a Auschwitz, ma anche a Belsen dov' era ancora peggiore, però lì ormai non la sentivano quasi più; non dicono quasi nulla su questa fame, e in generale su tutta la faccenda, ma si capisce lo stesso; queste comunicazioni avvengono in un modo molto curioso, non si dice quasi nulla, e a un certo punto si sa quasi tutto. La nostra invece non era vera fame, solo una gran voglia di mangiare, e una gran scarsità di roba. C'era farina gialla e margarina, razionata si capisce; razionata quanto al tempo (una volta al giorno) e razionata nella quantità.
La farina si cucinava con l'acqua in un bidone di latta nero da paracadute. La polenta aveva gusto di vernice, e questo gusto che in principio riusciva un po' nauseante, era diventato in seguito familiare, e senza di esso la polenta sarebbe sembrata sciocca. Quando era cotta, questa melma gialla striata di nero si scodellava in gavette e barattoli di latta. Tentavamo di eseguire l'operazione con ordine; ma a mano a mano ci si serrava intorno al bidone, e alla fine lo si assaltava per raschiare le ingrommature che aderivano alle pareti e al fondo.
La voglia immediata di polenta mi dava la pelle d'oca; scrostavo, a colpi goffi, e mi riempivo la bocca di un impasto soffuso del sapore del fumo di legna bruciata, i cui ultimi residui frangevo coi piedi. Riemergevo tra le gambe assiepate, con la bocca piena, e l'idea di aver sottratto agli altri una buona dose di questa polenta supplementare, anziché dispiacermi, mi dava soddisfazione.
Nella razione normale si metteva una fetta di margarina, per scioglierla nell'impasto caldo; questo piatto è buonissimo. C'è anche un altro modo di mangiare la polenta con la margarina, più raffinato: si prende un coperchio di latta, e ci si posano dentro bocconi di polenta tiepida, e un pezzo di margarina, e poi si mette questo coperchio sopra la brace, finché la polenta è fritta e trasuda un liquido oleoso.

Si sognava la fine della guerra, per vedere le ragazze coi bei vestiti, aprire un libro molto desiderato, fare un bagno, giocare una partita di pallone; ma queste cose impallidivano di fronte al pensiero che potremmo indurre le nostre famiglie a comprarci mezzo quintale, anche un quintale di farina gialla, e chili di margarina, o anche di burro; e friggere polenta dalla mattina alla sera e mangiarla con libertà e soprattutto adagio, e poi addormentarsi, e svegliandosi alla mattina ricominciare a friggere e a mangiare. (Il burro: era il punto sospeso in questa faccenda. Nel ricordo che ne avevamo appariva pallido, dolce; il sapore della margarina ci sembrava insuperabile, ma concettualmente sapevamo che il burro deve essere ancora migliore. La cosa non diceva nulla ai sensi, ma la nostra furba ragione sapeva che è vera, e in certi momenti ci immaginavamo di friggere, appena venuta la pace, la polenta col burro; era come quelle iperboli delle gioie del paradiso, confrontate con le più lancinanti gioie che ci sono sulla terra.). In principio, ogni tanto si mangiava anche pane; si andava a prenderlo nei luoghi dove lo portavano su dai paesi di notte; poi si marciava il resto della notte con gli zaini colmi. Quando ci andai anch'io, a uno di questi trasporti, scelsi subito le due pagnotte che spettavano a me, e detti un morsicone alla prima, per segnale, e un morsicone alla seconda; poi le consegnai a qualcuno che me le mettesse nel suo zaino, per protezione, ma arrivando al campo mi venne una crisi, me le feci ridare urgentemente, e le divorai prima ancora di sfilarmi lo zaino, e così mentre gli altri mangiavano io non ne avevo più, e inoltre avevo il singhiozzo. Ma dopo un po' questi rifornimenti di pane dai paesi finirono. Dei paesi non sapevamo più nulla.

Dall'aria continuarono invece ad arrivare, sempre di notte, campioni di roba da mangiare molto esotica, una specie di manna moderna, più bella che buona, come io ho sempre sospettato che fosse anche la manna antica. C'erano alcuni rotoli di uno strano prodotto chiamato *bacòn*, composto principalmente di sale; e qualche scatola di una pasta pallida e liscia, che non sapeva di nulla, ed era formaggio canadese; e c'era la polvere d'uovo. Questa non era affatto appetitosa, ma la prima volta che arrivò, mentre noi stavamo lì a guardare perplessi il pacchetto, Lelio e un ragazzo di Roana si fecero forza e si

misero a mangiarsela con le mani. Lelio ne mangiò una mandatella, e poi si fermò; il ragazzo di Roana mangiò tutto il resto, e ci bevve sopra una borraccia d'acqua, perché impastava la bocca. Poi si sentì male; e gli altri si misero a fargli bere dell'altra acqua per rianimarlo. Quando entrò in coma, lessi cos' era scritto sul pacchetto, perché c'era una scritta in inglese. Diceva: «Polvere ad altissima concentrazione: 100 uova di gallina canadese: mescolata con l'acqua riacquista il volume naturale».
II ragazzo di Roana, era più di là che di qua. Mi dissi: tutto dipende dalla velocità di fermentazione. Fu infatti una gara di velocità: ora pareva che vincessimo noi, ora la fermentazione. Alla fine avevamo vinto noi, e il ragazzo di Roana si riprese. In seguito bastava dirgli: «Coccodè» per farlo svenire.

From "I piccoli maestri" ("The Outlaws") by Luigi Meneghello

Hunger was ever-present but it was not sad; it was a cheerful hunger. I know what true hunger is because I know people who have known it well, especially at Auschwitz but also at Belsen, where it was even worse, although there it almost wasn't felt any longer. Not much is said about this hunger, or about the whole story, but it is understood nonetheless; this communication takes place in a very curious way: almost no one says anything and yet all of a sudden we know almost everything. Our hunger was not true hunger at all, simply a great desire to eat and a great shortage of stuff. There was yellow flour and margarine, which was of course rationed; it was rationed in time (once daily) and in quantity.
The flour was cooked in water in a black tin parachute bin. The polenta tasted of paint, and this taste, that in the beginning was a bit nauseating, slowly become familiar, to the point that without it the polenta would have seemed silly. When it was ready, this yellow slime with black stripes was ladled into makeshift bowls and tin cups. We tried to perform this operation in an orderly fashion, but as we tightened around the barrel, we'd end up assaulting it to scrape the crust that stuck to the sides and the bottom.
The immediate craving for polenta gave me goose bumps; I would clumsily scrape the barrel and fill my mouth with this soft burnt-wood tasting mush, the last remnants of which I would break loose with my feet. Re-emerging among all those legs pressed against the barrel with my mouth full and with the idea of having stolen from the others a good bit of extra polenta instead of giving me sorrow gave me satisfaction.
In the normal ration we would put a pad of margarine and let it dissolve in the hot mixture; this dish is delicious. There is also another way to eat polenta with

margarine, this time a bit more refined: you take a tin lid and place bites of warm polenta in it as well as a pad of margarine; then you set this lid over hot coals until the polenta is fried and exudes an oily liquid.
We would dream of the end of the war to see girls wearing pretty dresses, to open a much desired book, to go swimming, to play soccer; but these dreams paled at the thought that we would get our families to buy half a ton, or even a ton of yellow flour, and kilos of margarine, or maybe even butter, and fry polenta from morning to evening and eat it freely and especially slowly, and then we'd fall asleep and wake up in the morning and start to fry and to eat again. (Butter: it was the unclear element in this matter. In our memory it was pale, sweet; the taste of margarine seemed unbeatable, but conceptually we knew that butter must be even better. This didn't speak to our senses, but we knew that our smart brains were right, and sometimes we imagined new times of peace and us frying polenta with butter; it was like one of those hyperboles of the joys of paradise, compared with the most excruciating joys that there are on earth.) In the beginning we would occasionally eat bread; we would go get it from the places where at night they brought it up from the villages; then we would march for the rest of the night with our backpacks filled. When I went on one of these transport missions, I immediately chose my two loaves and bit into the first one, to mark it, and bit into the second one; then I gave them to someone who put them in his backpack for me as protection, but when we got to the camp I had a crisis and made him give me them to me urgently and devoured them before even taking off my knapsack, and so while the others were eating I had no more, and also had the hiccups. But after a while 'the supply of bread from the villages ended. Of these towns we knew nothing anymore.
From the sky always at night, samples of stuff to eat, all very exotic, a kind of modern godsend, more beautiful than good, as I have always suspected that ancient godsends were. There were a few rolls of a strange product called bacòn, *composed mainly of salt, and a box of a smooth and pale paste, that did not taste of anything, and it was Canadian cheese; and there was the egg powder. It was not appetizing, but the first time it arrived, while we were looking at the package perplexed, Lelio and a kid from Roana gathered up their courage and began to eat it with their hands. Lelio ate a handful and then stopped, the Roana kid ate everything else, and washed it down with a bottle of water because it was making his mouth sticky. Then he started to feel sick and the others began giving him water to feel better. When he fell into a coma, I read what was written on the package, because it was written in English. It said: "High concentrate powder: 100 Canadian chicken eggs. Regains natural volume when mixed with water."*
The Roana kid was more dead than alive. I told myself: everything depends on the speed of fermentation. It ended up being a game of who was faster: now it seemed that we were gaining the upper hand, and then fermentation would make a come-back. In the end we did win and the Roana kid recovered. Afterwards all we had to do was say "Coccodè" to make him faint.

BROCCOLO FIOLÀRO DI CREAZZO

Appartenente alla famiglia delle *Brassicacee* conosciuta in Europa fin dall'epoca romana, il broccolo fiolaro ha la particolarità di non assomigliare né per forma, né per gusto alle altre varietà di broccolo: a differenza dei fratelli, non forma infatti il fiore, ma dei piccoli germogli secondari inseriti lungo il fusto della pianta che sono chiamati *fioi*, da cui il nome broccolo fiolaro. Coltivata sulle colline di Creazzo almeno dal XVIII secolo, questa pianta ha trovato un terreno ideale e ricco di sorgenti sui pendii esposti a sud nella zona di Rivella-Beccodoro-Rampa, dove l'inverno è asciutto, non troppo freddo, ma caratterizzato da quelle brevi gelate novembrine (-8/10°C) che la rendono più saporita: la pianta, che si raccoglie poi fino a febbraio, in questo primo periodo si difende infatti dal gelo limitando la presenza di acqua nei tessuti e aumentando cosi la concentrazione di sali e zuccheri. Goethe che assaggiò il broccolo fiolaro durante la tappa vicentina del suo famoso viaggio in Italia del 1786, ne rimase affascinato: all'epoca i baroni Scola coltivavano 150 mila piante l'anno e il prodotto era conosciuto e rinomato in tutta la provincia, poi con l'evoluzione del mercato si cominciarono a prediligere le coltivazioni di serra meno stagionali e la produzione scese fino alle 30 mila piante l'anno. Oggi questo prodotto sta ritornando in auge anche grazie alle riconosciute proprietà: ricco di vitamine, sali minerali, magnesio, potassio (toccasana per gli ipertesi) e calcio, il fiolaro, come tutti i broccoli, ha un elevato contenuto di sostanze antiossidanti che lo rendono un importante antimutageno e anticancerogeno, preventivo dei tumori dell'apparato digerente, polmonare, del seno, della prostata e dell'endometrio; inoltre è raccomandato agli anemici, per la grande presenza di clorofilla che favorisce la produzione d'emoglobina, ed è utilizzato anche dalla medicina popolare in quanto il torsolo e le costole possiedono un succo sieroso che è capace di far scomparire i porri.

Belonging to the Brassicacee *family known in Europe since Roman times,* fiolaro *broccoli is peculiar because it does not resemble other varieties of broccoli either in form or in taste. Unlike other broccoli, it does not form a flower, but small secondary shoots along the stem of the plant which are called* fioi *and have given the name to this peculiar type of broccoli. Grown on the hills of Creazzo at least since the eighteenth century, this plant has found a rich soil on the slopes exposed to the south in the area of Rivella-Beccodoro-Rampa, where the winter is dry, not too cold, but with brief November frost (-8/10°C) that make it more tasty. The plant, which is harvested at the end of February, protects itself from the frost by limiting the amount of water it takes in, which increases the concentration of salts and sugars. Goethe, who tasted this peculiar broccoli during his during famous trip to Italy in 1786, was fascinated by it. The barons of Scola grew 150 thousand plants per year and the product was known and renowned throughout the province, then by the evolution of the market began to favor greenhouse crops which were less seasonal and production fell to 30 thousand plants per year. Today this product is back in vogue thanks to its known properties: rich in vitamins, minerals, magnesium, potassium (cure for hypertension) and calcium, fiolaro, like all the broccoli, has a high content of antioxidants that make it an important preventive for cancer of the digestive system, lungs, breast, prostate and endometrium. It is recommended for the anemic, given the large presence of chlorophyll, which promotes the production of hemoglobin, and is also used by folk medicine.*

Sformato di fiolàro e scampi, ovvero "Collina e mare"

500 gr di broccolo fiolàro di Creazzo
2 uova
1 tuorlo
2 cucchiai di Grana Padano
300 ml di latte
½ bicchiere di vino bianco
1 bicchiere di panna liquida fresca
4 scampi
1 cucchiaio fra sedano, carota e cipolla tritati
2 pomodori maturi
50 gr di burro
sale e pepe

Cuocere in abbondante acqua salata i broccoli fiolari, scolarli, raffreddarli subito in acqua e ghiaccio, strizzarli bene e passarli al mixer. Aggiungere a questi il latte, il formaggio, le uova sbattute con una forchetta, il sale ed il pepe. Prendere quattro stampi individuali, tipo quelli da crème caramel, imburrarne l'interno e distribuirvi il composto di broccoli. Cuocere a bagnomaria in forno caldo a 180°C per 20 minuti circa. Nel frattempo in una padella dai bordi alti mettere il restante burro e le verdure tritate e appena iniziano a imbiondire aggiungere gli scampi. Rosolare per un paio di minuti a fuoco moderato e bagnare con il vino bianco. Appena riprende a bollire, togliere gli scampi, staccare le code e rimettere le teste nella padella, aggiungendo i pomodori tagliati a cubetti e la panna. Far addensare e con l'aiuto di un passino e di un pestello filtrare, schiacciando bene così da ottenere una bella salsina. Regolare di sale e pepe. Quando gli sformatini saranno cotti, toglierli dal forno e farli riposare per 5-6 minuti, quindi staccarli delicatamente capovolgendoli su piatti caldi. Mettere su ognuno una coda di scampo, dopo averla sgusciata e riscaldata nella salsa,, ricoprire con la salsina e servire.

Sformato of fiolàro and shrimp, or "Hill and the sea"
Cook 500g fiolari broccoli in salted water, drain, and cool immediately in ice water, remove excess water and mash them. Add 300ml milk, 2 tablespoons grana, 2 eggs beaten with a fork, salt and pepper. Take four individual molds, such as those for crème caramel, butter the inside and distribute the broccoli mixture. Bake in a water bath at 180°C for 20 minutes. Meanwhile in a skillet place 50g butter and 1 tablespoon chopped celery, carrot and onion and just as they start to wilt add scallops. Stir for a couple of minutes on moderate heat and add ½ cup white wine. Just as it starts to boil, remove the scallops, remove tails and replace them in in the pan. Add 2 ripe tomatoes, cut into cubes and 1 cup fresh cream. Let thicken, crush and filter in order to get a nice sauce. Taste for salt and pepper. When the broccoli molds are ready, remove them from the oven and let sit for 5-6 minutes; then gently let them fall out of the dishes by slowly inverting them. Place a shelled and heated scallop tail on the broccoli mould, cover with the sauce and serve.

Vino consigliato/*suggested wine:*
Vicenza Sauvignon D.O.C.

ASPARAGO BIANCO DI BASSANO

L'asparago è originario dell'Asia Minore, reperti sembrano testimoniare che fosse conosciuto già nell'antico Egitto e proprio da li si sarebbe diffuso nel bacino del Mediterraneo. Tra i Romani era uno dei piatti più ricercati, tant'è vero che ne stimolavano la coltivazione nelle terre conquistate. La Serenissima considerava l'asparago cibo nobile: se ne trova traccia nella contabilità di banchetti offerti ad ospiti di gran riguardo già nel primo Cinquecento e dal Seicento era coltivato diffusamente negli Orti di Terraferma. Pianta poliennale, che vive e produce in media per una decina d'anni, l'asparago è un fusto sotterraneo che produce delle gemme da cui nascono dei bianchi turioni, la parte commestibile, che sbucando dalla terra alla luce del sole assumono mano a mano un colore verde-violaceo. Pare che la scoperta dell'asparago bianco sia stata del tutto casuale: nel cinquecento una violenta grandinata distrusse le piantagioni a metà della crescita e i contadini cercarono allora di cogliere quello che rimaneva sottoterra, cioè la parte bianca; si accorsero che era buona e da allora cominciarono a cogliere l'asparago prima che spuntasse da terra. L'Asparago Bianco di Bassano presenta turioni allungati, di colore bianco-rosato, ben formati, dritti, interi, con apice serrato, che per via della loro delicatezza e fragranza possono essere gustati in tutta la loro lunghezza. Persino i padri in viaggio per il Concilio della Controriforma di Trento (1545-1563), transitando da Bassano, ebbero modo di gustare il prodotto locale e ci fu chi, tra loro, lasciò scritto dei suoi pregi dietetici. Studiato in passato soprattutto per le sue qualità medicamentose e terapeutiche, come testimonia il nome botanico *Asparagus officinalis*, l'asparago veniva tradizionalmente usato nel trattamento dell'artrite, dei reumatismi, come depurativo e diuretico; ricco di proteine, fibre, vitamina C, carotenoidi e sali minerali (calcio, fosforo e potassio), esso riduce infatti il ristagno di liquidi nei tessuti ed è indicato per chi vuole eliminare la cellulite, mentre è sconsigliato per chi soffre di disturbi renali, di calcoli, prostatiti e cistiti. Infine pare che il particolare odore che gli asparagi rilasciano nelle urine sia causato da un aminoacido chiamato asparagina e che sia segno di un apparato renale ben funzionante.

Asparagus is originally from Asia Minor, artifacts seem to testify that it was already known in ancient Egypt, and from there it would spread throughout the

Mediterranean basin. Among the Romans it was one of the most sought after dishes, so much so that they encouraged its cultivation in newly conquered lands. The Rebublic of the Serenissima considered the asparagus to be a noble food; we know from accounts of banquets that it was offered to guests of great respect in the first sixteenth century. During the seventeenth century it was widely cultivated in the gardens of the mainland. A plant which lasts on average for ten years, the asparagus is an underground stem that produces buds from which white shoots are born. These shoots are the edible part, which emerge from the earth and slowly turn purplish-green in the sunlight. It seems that the discovery of the white asparagus was entirely accidental: in the sixteenth century a violent hailstorm destroyed the plantations in the middle of the growth season and farmers then tried to collect what was underground, that is to says, the white part. They realized that it was good and began to collect the asparagus before it emerged from underground. The white asparagus of Bassano are elongated shoots of whitish-pink color, well formed, straight, with tight tips, which because of their delicacy and fragrance can be enjoyed in all their length. Even the fathers on their way to the Council of Trent during the Counter Reformation (1545-1563), passing through Bassano, were able to taste the local product and there were those who wrote about the merits of the white asparagus. Studied in the past for its medicinal and therapeutic qualities, as the botanical name Asparagus officinalis *suggests, asparagus was traditionally used in the treatment of arthritis, rheumatism, as well as a purifying and diuretic. It is rich in protein, fiber, vitamin C, carotenoids and minerals (calcium, phosphorus and potassium). It reduces stagnant fluid in the tissues and is suitable for those who want to eliminate cellulite, while it is not recommended for those who suffer from kidney stone, cystitis and prostatitis.*

Vellutata di capesante e asparagi

Per la vellutata:
800 gr di asparagi bianchi di Bassano
200 gr di porro
200 gr di brodo vegetale
50 gr di farina
25 gr di olio extravergine d'oliva
25 gr di burro
sale
2 rossi d'uovo
150 gr di panna liquida fresca

Per i fagottini:
6 capesante
200 gr di pasta sfoglia
25 gr di burro
sale e pepe

Preparare un fondo di porro e farlo appassire in olio e burro assieme agli asparagi (tenendo da parte le punte). Cospargere con poca farina bianca, mescolare ed irrorare con brodo vegetale ben caldo. Sobbollire per 30 minuti, poi frullare e passare al colino fine. Nel frattempo aprire a crudo le capesante, sbarbarle, lavarle, cospargerle di sale e pepe, irrorarle con un filo d'olio d'oliva e farle cuocere in forno dentro il loro guscio. Sbollentare le punte degli asparagi mantenendoli al dente, quindi saltarle velocemente con burro e sale. Tagliare le capesante a fettine e mescolarle alle punte degli asparagi. Lasciare intiepidire, quindi riempire con le capesante e le punte d'asparago dei dischi di pasta sfoglia chiudendoli a fagottino e cuocerli in forno fino a doratura. Versare nei piatti la passata di asparagi e porro, resa vellutata dall'aggiunta dei tuorli freschi sbattuti con poca panna liquida; su questa, a lato, adagiare un fagottino di capesante e asparagi.

Cream of scallops and asparagus
Thinly slice 200g leeks, brown in 25g oil and 25g butter with 800g white asparagus whose tips have been removed and set aside. Sprinkle with a little flour, mix and add 200g warm vegetable broth. Simmer for 30 minutes, then mash and filter through a fine strainer. Meanwhile open 6 raw scallops, wash them, sprinkle with salt and pepper, pour a little olive oil over them and bake in the oven in their shells. Boil the asparagus tips keeping them slightly firm, and then sauté quickly with butter and salt. Cut the scallops into slices and mix with the asparagus tips. Let cool, then fill disks of puff pastry (200g) with the scallops and asparagus tips. Close the disks into bundles and cook in oven until golden. Beat 2 egg yolks with 150g fresh cream and add to the asparagus cream, then ladle into bowls and place a scallop asparagus bundle on the side.

Vino consigliato/*suggested wine:*
Vespaiolo D.O.C. Breganze

Torta d'asparagi e patate al filetto di vitello

100 gr di patate
300 gr di asparagi di Bassano
300 gr di filetto di vitello
1 rosso d'uovo sodo
1cipolla
prezzemolo
burro
farina bianca 00
½ bicchiere di vino bianco
sale e pepe

Lessare gli asparagi e le patate e farli raffreddare. Tagliare le patate a cubetti e mescolarle con metà degli asparagi tagliati a tocchetti. Con questo composto preparare 4 tortini, usando una padellina antiaderente con un poco d'olio e rosolandoli da entrambi i lati. A parte saltare la cipolla tritata, aggiungere il filetto di vitello tagliato a tocchetti e leggermente cosparso di farina, farlo rosolare quindi bagnarlo con il vino bianco e un pò d'acqua di cottura degli asparagi. A fine cottura aggiungere gli altri asparagi tagliati a pezzetti. Servire il tortino con sopra il filetto e guarnire con il rosso d'uovo sodo passato al setaccio e con il prezzemolo tritato.

Potato asparagus patties and veal filet
Boil 300g asparagus and 100g potatoes and let cool (retain some of the water). Cut the potatoes into cubes and mix with half the asparagus, cut into pieces. Prepare four patties using this compound in a Teflon pan with a little oil. Brown the patties on both sides. Brown one thinly sliced onion in a separate pan and add lightly floured veal (300g) sliced in small pieces. Let cook and add ½ glass white wine and some of the water from the boiled asparagus. When done, add the chopped asparagus. Serve the patty with the veal filet and garnish with mashed boiled egg yolk and chopped parsley.

Vino consigliato/*suggested wine:*
Pinot bianco D.O.C. Breganze

Santi asparagi

Leggenda narra che Sant'Antonio, di ritorno dall'Africa dove si era recato per opere missionarie, venisse pregato di intervenire presso il tiranno Ezzelino da Romano chiedendo la grazia per alcuni prigionieri politici condannati a morte. Fu così che il Santo partì per Bassano, dove venne accolto con grandi manifestazioni di simpatia da parte dei cittadini, e grazie alla loro collaborazione riuscì a convincere Ezzelino a concedere la libertà ai prigionieri. Ritornando a Padova, Sant'Antonio si accorse di avere in saccoccia delle sementi che aveva raccolto in Africa e, volendo ringraziare i Bassanesi le disperse sulle terre tra Bassano e Rosà. In primavera le sementi germogliarono, ma nel frattempo Ezzelino, pentito di aver ceduto alle preghiere di Sant'Antonio e dei Bassanesi, stava mettendo a ferro e fuoco il territorio, sicchè i germogli, spaventati, misero in mostra solo le loro punte. La fame, che era tanta, e la miseria, che non era meno, spinsero i Bassanesi a tranciare sottoterra quei germogli ed a mangiarli, scoprendo con meraviglia che si trattava di una prelibatezza. La leggenda potrebbe anche contenere delle verità perché Sant'Antonio da Padova, nato nel 1195 e morto nel 1231, era contemporaneo di Ezzelino da Romano, ma non risulta da nessun documento storico che il Santo si sia recato a Bassano. Sarà una coincidenza, ma la stagione degli asparagi di Bassano finisce proprio il 13 giugno, giorno di Sant'Antonio da Padova, e comincia con la Pasqua, con la tradizionale *sparasada* alla moda bassanese: *sparasi e ovi, sale e pevare, oio e aseo!*

Legend has it that St. Anthony, after returning from Africa where he had gone to do missionary work, was asked to speak to the tyrant Ezzelino Romano to ask pardon for certain political prisoners sentenced to death. Thus the saint left for Bassano, where he was received with great sympathy by the people, and thanks to their collaboration he succeeded in convincing Ezzelino to grant freedom to the prisoners. On his way back to Padua, Sant'Antonio noticed that in his bag he still had seeds from his trip to Africa and, wanting to thank the people of Bassano, he dispersed the seeds on the land between Bassano and Rosà. In spring, the seeds sprout, but in the meantime Ezzelino, having regretted his decision to yield to the prayers of St. Anthony and of the people of Bassano, was waging war throughout the country, so the sprouts, frightened, only let their tips show. Hunger and misery drove the people of Bassano to cut and eat the underground sprouts; they thus discovered with astonishment that the sprouts were a delicacy. The legend could also contain some truth, because St. Anthony of Padua, who was born in 1195 and died in 1231, was a contemporary of Ezzelino of Romano, but no historical document states that the saint ever went to Bassano. It may be coincidence but the asparagus season of Bassano ends June 13, the day of St. Anthony of Padua, and begins with Easter, with the traditional Bassano-style sparasada: *eggs and asparagus, salt and pepper, oil and vinegar.*

FAGIOLO DI POSINA SCALDA

Coltivata almeno dal XVIII secolo nella Val Posina, l'antica varietà di fagiolo Scalda, della famiglia *Phaseolus vulgaris* originaria delle Americhe, è abbastanza piccola, di forma globosa colore bianco-livido con qualche zebrinatura verdastra che converge verso l'ombelico bianco cerchiato di giallo-arancione. Considerati nel 1936 i migliori d'Italia (*Il fagiolo*, XIV anno fascista, Biblioteca per l'Insegnamento Agrario Professionale), e assieme al Borlotto di Vigevano "i fagioli più quotati in commercio", sono coltivati oggi per lo stretto consumo familiare e i produttori locali sostengono curiosamente che, sebbene correttamente essiccati, questi fagioli sono facilmente attaccati dal baco del fagiolo quando vengono portati fuori dalla zona di Posina, Arsiero e Laghi. Non sappiamo se questo sia vero ma sicuramente è nei terreni freschi, sciolti e poco argillosi della Val Posina che i fagioli scalda hanno trovato il loro habitat ideale: seminati agli inizi di giugno, vengono lasciati seccare sulla pianta fino a fine settembre, poi si stendono i baccelli su dei graticci, in una stanza aerata, asciutta e fresca, per una decina di giorni, una volta seccati si presentano marroncini con una riga color oro; al palato sono dolci e farinosi e tengono bene la cottura nonostante la buccia sottile. In passato la sgranatura avveniva poco prima del consumo e i fagioli venivano conservati in un doppio sacchetto, di tela internamente e di carta da pane esternamente; era uso comune infilare una posata di metallo tra i fagioli per tenere lontano le muffe o il famigerato tonchio, un tarlo che si sviluppa nel seme riducendolo in polvere. Chissà se è per questo motivo che gli Scalda venivano chiamati anche *scalda fero*, o se il nome si riferisce alle numerose officine che lavoravano il ferro e i metalli presenti nella zona, un tempo ricca di miniere; forse la parola ha origini nel cimbro, antica lingua germanica parlata anticamente nella zona (come "Posina" che significa seno, anfratto e corrisponde al tedesco *busen*) o forse deriva semplicemente dal latino *calidus* e indica le indubbie proprietà energetiche del fagiolo.

Cultivated at least since the eighteenth century in the Val Posina, the ancient variety of Scalda *bean,* Phaseolus vulgaris *of the family originally from the Americas, is quite small, globular in shape and mostly white with some greenish stripes that converge towards the white navel circled in yellow and orange. In 1936 it was considered the best in Italy (*Il fagiolo, *XIV anno fascista, Biblioteca per* *l'Insegnamento Agrario Professionale), and together with the* Borlotto *bean of Vigevano was the most quoted bean on the market. Today it is produced for immediate consumption and local producers argue that even when they are properly dried, the beans are easily attacked by a specific parasite when it is brought out of the area Posina, Arsiero and Laghi. We do not know if this is true but it is certainly in the fresh loose and loamy soil of Val Posina that* Scalda *beans have found their ideal habitat: sown in early June, they are left to dry on the plant until the end of September, then the pods are placed on mats in a ventilated, dry, cool room for about ten days. Once they have been dried they turn brownish with a marked golden line; they taste sweet and floury and do not lose consistency when cooked despite the thin skin. Ginning in the past was done just before consumption and beans were stored in a double bag lined internally with canvas and externally with paper used for bread. It was common practice to place a piece of silverware with the beans to prevent mold from forming and to keep away the infamous* Tonchio, *a bug that grows in the seed reducing it to powder. Who knows if it is for this reason that the beans were also called "metal* scalda,*" or if the name refers to one of the many workshops that worked iron and metal in the area, which was once rich in mines. Perhaps the word has Cimbro roots, an ancient Germanic language once spoken in the area (such as "Posina" which means insenature, cleavage and corresponds to the German* busen*) or perhaps it simply derives from the Latin word* calidus *(hot) and indicates the undoubted properties of the bean.*

Risotto "Scalda funghi"

300 gr di Riso Carnaroli di Grumolo delle Abbadesse
100 gr di fagioli Scalda secchi
30 gr di prosciutto
1 bustina di funghi porcini secchi
1 cipolla
vino bianco
vino Marsala secco
Grana Padano grattugiato
½ foglia d'alloro
30 gr di burro
olio extravergine d'oliva
sale e pepe

Ammorbidire i funghi porcini in acqua tiepida. Mettere i fagioli, tenuti a bagno tutta la notte precedente, in acqua fredda non salata e aromatizzata con l'alloro e farli lessare, quindi scolarli conservando l'acqua di cottura. Strizzare i funghi e tagliarli a listarelle sottilissime, sbucciare e tritare la cipolla e farla imbiondire in una casseruola con l'olio; unire i funghi, bagnare con un goccio di Marsala e far evaporare. Aggiungere il riso e tostarlo mescolando per qualche minuto. Spruzzare con il vino bianco, far evaporare e proseguire la cottura del risotto mescolando sempre e aggiungendo, man mano che serve, l'acqua di cottura dei fagioli mantenuta ben calda. A tre quarti cottura unire i fagioli lessati, regolare di sale e finire di cuocere. Alla fine mantecare con il burro e il Grana grattugiato, mantenendo il risotto bello all'onda.

Scalda & mushroom risotto
Soften 1 bag of porcini mushrooms in warm water. Place 100g of Scalda beans, which have been kept in water overnight, in cold unsalted water flavored with ½ bay leaf and boil them; then drain and retain the cooking water. Squeeze the mushrooms dry and cut them into thin strips, peel and chop 1 onion and brown it in a saucepan with oil; combine the mushrooms, add a little dry Marsala and let it evaporate. Add 300g of Carnaroli rice and toast, stirring for a few minutes. Add white wine, let evaporate and continue cooking the risotto stirring and adding the cooking water from the beans, which should be kept warm, as needed. At about the three-quarter point of cooking the rice, add the boiled beans and adjust for salt. When done add 30g butter and grated Grana Padano.

Vino consigliato/*suggested wine:*
Vicenza Raboso D.O.C.

La carne dei poveri

"Mangia fagioli" era l'appellattivo che con disprezzo classista veniva riservato, in epoche non remote, ai forzati consumatori di questo umile e generoso legume; la carne infatti è stata per secoli appannaggio quasi esclusivo dei ricchi e alla popolazione povera toccava sopperire alla mancanza di proteine consumando legumi. Del resto, come sostiene Umberto Eco: "*se siamo ancora qui questo è dovuto ai fagioli; senza i fagioli, la popolazione europea non sarebbe raddoppiata in pochi secoli*". I fagioli sono infatti molto nutrienti e ricchi di vitamine A, B, C ed E; contengono inoltre sali minerali e oligominerali, come potassio, ferro, calcio, zinco e fosforo. Come tutti gli altri legumi sono ricchi di lecitina, un fosfolipide che favorisce l'emulsione dei grassi, evitandone l'accumulo nel sangue e riducendo di conseguenza il livello di colesterolo; e sono ricchi di fibre, soprattutto solubili, che favoriscono una migliore digestione. Dal punto di vista proteico, i fagioli superano quantitativamente sia il pesce che la carne, ma le loro proteine sono dette povere poichè mancano di alcuni amminoacidi essenziali, così chiamati proprio perchè il corpo non è in grado di produrli ma deve necessariamente trarli dagli alimenti. Tuttavia questi amminoacidi sono contenuti nei cereali, pertanto la combinazione dei due alimenti assicura l'assunzione dell'intera gamma degli amminoacidi necessari all'organismo per produrre le proteine: ed ecco spiegato perchè i nostri antenati mangiavano pasta e fagioli!

"Bean-eaters" was the derogative term with which upper class people would refer to those who had no choice but to eat this humble and generous legume. For centuries meat was almost exclusively reserved to the rich whereas the poor made up for the of protein by consuming legumes. As Umberto Eco points out: "If we are still here, this is due to beans; without beans, the European population would not be doubled within a few centuries". *Beans are very nutritious and rich in vitamins A, B, C and E; they also contain mineral salts and trace elements such as potassium, iron, calcium, zinc and phosphorus. Like all other legumes, they are rich in lecithin, a phosphor-lipid that promotes the emulsification of fat, avoiding its accumulation in the blood and reducing the level of cholesterol; they are also rich in fiber, which is particularly soluble and which promote better digestion. As far as amount of protein goes, beans surpass both fish and meat, but their proteins are known as poor because they lack some essential amino acids, which the body cannot produce but must necessarily take them from food. However, these amino acids are found in cereals, so the combination of the two ensures the intake of the full range of necessary amino acids: that's why our ancestors ate pasta and beans!*

TARTUFO NERO DEI BERICI

Il tartufo ha una storia molto antica: i greci lo chiamavano *Hydnon,* da cui deriva "idnologia" la scienza che si occupa dei tartufi, mentre in latino era il *Tuber,* dal verbo tumere (gonfiare). Plinio il Vecchio nel libro della *Hystoria Naturale* diceva del tartufo che "*sta fra quelle cose che nascono ma non si possono seminare*", mentre Plutarco affermava che il tubero nasceva dall'azione combinata dell'acqua, del calore e dei fulmini. In realtà i tartufi sono funghi ipogei, organismi che vivono sottoterra; fanno parte del genere *Tuber* ma non hanno nulla a che fare con le patate, perchè sono sprovvisti di parti verdi e quindi non possono ricavare attraverso la fotosintesi clorofilliana le sostanze necessarie al loro sviluppo; essi infatti assumono gli zuccheri dalle radici di alcune piante con cui instaurano un rapporto di simbiosi, fornendo loro in cambio acqua e sali minerali. Inoltre, formandosi nel sottosuolo anche a 60 cm di profondità i tartufi non possono diffondere le spore come fanno i funghi di superficie, pertanto attirano con il loro spiccato aroma insetti, lumache, roditori e cinghiali, i quali si cibano dei tuberi e disperdono poi con le proprie deiezioni le spore nel terreno, dando l'avvio ad un nuovo ciclo. Difficile da coltivare, questo tubero cresce spontaneo sui Colli Berici e nella zona orientale dei Monti Lessini, nei Comuni di Nanto, Arcugnano, Longare, Castegnero, Mossano, Barbarano Vicentino, Villaga e Zovencedo. Qui, dove da secoli questo prodotto è ricercato e apprezzato e rientra in numerose ricette tradizionali; se ne trovano quattro specie: quella di prevalente interesse è il tartufo nero estivo, o scorzone (*Tuber Aestivum*) cui si affianca il tartufo d'inverno (*Tuber Brumale*) quello pregiato (*Tuber Melanosporum),* e quello ordinario (*Tuber Mesentericum*), l'unico di scarsa rilevanza gastronomica. Grande come un pisello oppure come una grossa arancia, il tartufo comincia il suo periodo di maturazione a maggio, ma quelli più profumati si raccolgono tra agosto e settembre; spesso la loro posizione è segnalata da un rigonfiamento del terreno e dalla presenza di caratteristiche fessure, ma per una ricerca seria è necessario l'ausilio di un cane addestrato allo scopo, che individui rapidamente dove scavare con l'apposito vanghetto.

The truffle has a very ancient history: the Greeks called it Hydnon, *from which derives the Italian word "idnologia," the science that deals with truffles, while in Latin it was called* Tuber, *from the verb* tumere *(to inflate). Pliny the Elder in the book of* Natural Hystoria *wrote that the truffle* "is among those things that are born but that you can not sow ", *while Plutarch said that the* tubero *was born by the combined action of water, heat and lightning. In fact, the truffles are hypogeous mushrooms, organisms that live underground and that are part of the* Tuber *genus but they have nothing to do with potatoes, because they are devoid of green parts, and therefore can not get substances required for their development through photosynthesis. In fact they absorb sugars from the roots of plants with which they establish a relationship of symbiosis; in exchange they give these plants water and mineral salts. Moreover, since they develop underground, at 60 cm, truffles can not spread spores like surface mushrooms do; therefore, their strong aroma attracts insects, snails, rodents and wild boars by their strong aroma insects, which eat tubers and then disperse the spores with their droppings in the soil, thus beginning a new cycle. Difficult to cultivate, this tuber grows spontaneously on the Berici Hills and in the area east of the Lessini Mountains, in the municipalities of Nanto, Arcugnano, Longare, Castegnero, Mossano, Barbarano Vicentino, Villaga and Zovencedo. Here, where for centuries the product has been appreciated and part of many traditional recipes, they are four species: the most interesting is the black summer truffle, or* scorzone *(*Tuber Aestivum*) together with the winter truffle (*Tuber Brumale*), the* pregiato *(the precious one,* Tuber Melanosporum*), and the* ordinario *(the common one,* Tuber Mesentericum*), the only one not significant gastronomically. Ranging in size from that of a pea to that of a large orange, the truffle begins its period of maturation in May, but the most fragrant are collected between August and September. Often their location is marked by a swelling of the soil and the presence of cracks. If you are seriously searching for truffles you need the help of a specifically trained dog, which can quickly find the spot where to dig.*

Gnocchi di ricotta alle erbe con piselli e tartufo nero estivo dei Berici

1 kg di ricotta vaccina freschissima
350 gr di farina bianca
6 tuorli
1 kg di patate dorate delle terre rosse del Guà
30 gr di tartufo nero estivo dei Colli Berici
10 gr di pasta di tartufo
100 gr di pancetta affumicata
1 scalogno

300 gr di piselli piccoli sgusciati di Lumignano o di Borso del Grappa
100 gr di Grana Padano
100 gr di burro
30 gr di prezzemolo
30 gr di maggiorana
50 gr di olio extravergine d'oliva
sale e pepe

Cuocere le patate, spellarle e passarle allo schiacciapatate; stenderle su una spianatoia con la farina, la ricotta, i tuorli, parte del Grana, il sale e il pepe necessari, metà del prezzemolo e della maggiorana tritati, impastare e formare gli gnocchetti. In un tegame soffriggere lo scalogno tritato con l'olio e unirvi la pancetta a dadini. Incorporare i piselli e metà del tartufo nero tagliato a pezzettini, bagnare con poca acqua e incoperchiare. Stufare il tutto per 10 minuti, quindi frullare la metà dei piselli aggiungendo un poco d'acqua e mescolare. Cuocere gli gnocchetti in abbondante acqua bollente e salata, una volta saliti a galla sgocciolarli con un mestolo forato e adagiarli in una capace pirofila; aggiungere il burro, la pasta di tartufo nero, i piselli, il rimanente Grana e il resto delle erbe, amalgamare bene e servire.

Ricotta herb gnocchi with peas and Berici summer truffles
Cook 1 kg of potatoes, peel them and mash coarsely; stretch on a board with 350g flour, 1 kg of ricotta, 6 egg yolks, 50g of Grana Padano, salt and pepper to taste, 15g parsley and 15g minced marjoram; knead the dough and form the dumplings. In a saucepan sauté 1 chopped shallot with 50g oil and add 100g diced bacon. Incorporate 300g peas and 15g black truffle cut in small pieces, sprinkle with a little water and cover. Simmer for 10 minutes, then blend half the pea mixture, adding a little water. Cook the dumplings in boiling water and salt, once they rise to the surface drain with a perforated ladle and a place them in a large pan, add 100g butter, 10g black truffle paste, the peas, other 50g of Grana Padano, 15g parsley and 15g marjoram. Mix well and serve.

Vino consigliato/*suggested wine:*
Pinot Grigio D.O.C. Breganze

PATATE DI ROTZO

Arrivata in Europa dopo la scoperta dell'America, la patata fu inizialmente utilizzata come cibo per animali, ed entrò a far parte dell'alimentazione quotidiana delle famiglie solo alla fine del '700, trovando largo consenso proprio nelle zone montane e quindi anche sull'Altopiano di Asiago, dove il mais cresceva con difficoltà. A Rotzo in particolare la patata ha trovato un contesto ambientale ideale che ne esalta le qualità organolettiche: aria fresca e pulita, suolo soffice e sabbioso, inverni rigidi che neutralizzano molte malattie ed estati fresche e asciutte che favoriscono al meglio la fruttificazione. La coltivazione tradizionale della patata di Rotzo è citata già nelle *Memorie storiche dei Sette Comuni Vicentini*, scritte dall'abate Agostino Dal Pozzo ed edite dal Comune di Rotzo nel 1820, dove si parla di una patata dalla buccia violacea, o nera, che allietava le tavole dei vicentini. Questa varietà oggi non è più coltivata in Altopiano ma non di meno la produzione locale è ancora molto apprezzata per le sue qualità uniche e inconfondibili: la patata di Rotzo ha buccia bianca o rossa, forma rotondeggiante, polpa bianca o gialla chiara, soffice e farinosa e si distingue per un alta presenza di amidi e un minor contenuto d'acqua che la rendono conservabile più a lungo. Coltivata secondo il metodo tradizionale da pochi piccoli agricoltori su terreni di montagna tra i 700 e i 1.000 metri sul livello del mare, viene raccolta tra settembre e ottobre ed è reperibile solo vicino alla zona di produzione, dove è largamente consumata ed usata nella preparazione di piatti tardizionali come la polenta *considera*, a base di cipolla, strutto e cannella, e gli gnocchi.

The potato arrived in Europe after the discovery of America and was first used as food for animals; it did not become part of daily food until the end of 1700, when it became popular in mountainous areas and therefore also on the Asiago Plateau, where corn grew with difficulty. In Rotzo the potato found a particularly ideal environment, which enhances the organoleptic qualities of the plant: fresh and clean air, soft, sandy soil, cold winters that neutralize many diseases and fresh and dry summers that favor its development. The traditional cultivation of the Rotzo potato is already mentioned in the Memorie storiche dei Sette Comuni Vicentini, *written by the abbot Agostino Dal Pozzo and published by the City of Rotzo in 1820. The author speaks of a purple skinned potato, sometimes referred to as black, which enhanced the cuisine of Vicenza. This variety is no longer cultivated but the local production is still appreciated, the potato being very popular for its unique and unmistakable qualities: the Rotzo potato has white or red skin, a round shape, white or light yellow flesh; it is soft and mealy and distinguished by a high presence of starch and a lower water content which allows it to keep longer. It is grown the traditional way by a few small farmers in mountainous terrain between 700 and 1,000 meters above sea level and is harvested between September and October. It can only be found near the production area, where it is widely consumed and used in the preparation of traditional dishes such as* polenta considera, *made with onion, lard and cinnamon, and gnocchi.*

Torta di patate di Rotzo e zucchine

400 gr di patate di Rotzo
200 gr di zucchine
60 gr di burro
200 ml circa di latte
100 ml di panna
1 spicchio d'aglio
sale e pepe

Tagliare le patate con l'affettatrice a fettine sottilissime, come le chips, dopo averle lavate e sbucciate. Affettare gli zucchini a rondelle dello spessore di 3 mm. Ridurre a fettine anche lo spicchio d'aglio e mescolarlo alle patate e alle zucchine. Mettere le verdure in una casseruola con abbastanza latte da ricoprire il tutto. Far bollire per 5 minuti. Aggiungere la panna, il sale e il pepe e far ribollire per un attimo, quindi togliere dal fuoco. Imburrare una pirofila e stendervi il composto in maniera uniforme. Aggiungere il restante burro a fiocchetti e mettere in forno caldo a 160°C fino a quando la torta raggiunge una bella consistenza e forma una dorata crosticina.

Rotzo potato and zucchini cake
Wash, peel and very thinly slice 400g of Rotzo potatoes; they should be as thin as chips. Slice 200g zucchini into rounds 3 mm thick. Slice 1 clove garlic and mix with potatoes and zucchini. Put the vegetables in a saucepan with enough milk to cover it all (approximately 200ml). Boil for 5 minutes. Add 100ml cream, salt and pepper and let boil for a minute, then remove from heat. Butter an ovenproof dish and spread the mixture evenly. Add the remaining butter (50g) and put place in oven (160°C) until it obtains a nice texture and a golden crust.

Vino consigliato/*suggested wine:*
Chardonnay D.O.C. dei Colli Berici

Il ragazzo delle patate

«Sempre più vuoti sono i paesi delle Alpi. Eppure amiamo la nostra terra. Oggi sono andato a fare provvista di patate in un paese di 600 abitanti diviso in tre frazioni. I campi al sole, gli orti davanti alle case, il bosco che avanza e la montagna alle spalle; lindore, aria pulita, gente serena che poco chiede. Gli altri nativi sono in Canada, Australia, Francia...Il ragazzo dal quale ho comprato due quintali di patate concimate con il letame e coltivate senza prodotti chimici dopo aver disossato un terreno vegro (pascolo non brucato), è diplomato, ma piuttosto che scendere a lavorare in città o emigrare, preferisce stare quassù con maggior lavoro e minor guadagno.»

Mario Rigoni Stern

«More and more towns are empty in the Alps. Yet we love our land. Today I went to buy potatoes in a village of 600 people divided into three fractions. The fields in the sun, the gardens in front of the houses, the woods that advance and the mountains in the background; tidiness, clean air, peaceful people who asks for very little. The other natives live in Canada, Australia, France...The guy from whom I bought two hundred kilos of potatoes, which had been fertilized with manure and grown without chemicals on a land not used for pasture, has a degree, but rather than go to work in cities or emigrate, he preferred to stay up here where work is more and the profit less.» (Mario Rigoni Stern)

FARINA DI MAIS MARANO

Il Mais Marano fu creato nel 1890 da Antonio Fioretti, un intraprendente agricoltore di Marano che provò ad incrociare nel suo podere due varietà di mais locali, Pignoletto d'Oro e Nostrano, nella speranza di adattare al meglio la pianta alle terre ghiaiose del Leogra, coniugando la qualità del primo alla resa del secondo. Si rivelò una felice intuizione, Fioretti riuscì a rendere pressoché costante la produzione di almeno due spighe complete per pianta, cosa che nel vecchio Nostrano locale avveniva in una minima percentuale. Così dopo un'opera di selezione durata ben vent'anni, si arrivò alla fissazione e stabilizzazione di quelle pregevoli caratteristiche che hanno reso il Marano ricercato e preferito dagli agricoltori: pannocchie di piccola taglia con cariosside completamente vitrea e di colorazione rosso aranciato acceso e chicchi ricchi di glutine (altri comuni mais contengono più amidi) da cui si ricava una farina ideale per la polenta, con un contenuto proteico più elevato e una colorazione gialla più intensa rispetto alle farine derivate dagli ibridi più diffusi. La polenta che ne risulta ha un colore giallo intenso, screziato da caratteristiche pagliuzze marroni, un inconfondibile gradevolissimo sapore e un intenso profumo. Dopo la morte del Cav. Antonio Fioretti, il Mais Marano fu curato dai figli fino al 1934, quando intervenne la Stazione sperimentale di maiscoltura di Lonigo a dirigerne, in collaborazione con l'Ispettorato Provinciale dell'agricoltura di Vicenza, la selezione di massa e a disciplinarne la produzione controllata in una zona tipica. I più anziani ricordano che in tutta la porzione Nord-Est del territorio di Marano, gravitante attorno alla casa Fioretti, era obbligatorio seminare soltanto granturco Marano per evitare l'impollinazione e l'ibridazione da altre varietà. Nel 1940 il grano Marano ottenne il marchio governativo dallo Stato e la coltivazione si diffuse in gran parte del nord Italia, tanto da essere una delle varietà più utilizzate. Dal secondo dopoguerra il prodotto conobbe una forte crisi, con la graduale scomparsa della polenta dalle tavole e l'affermarsi dei mais ibridi provenienti dagli Stati Uniti che garantivano una resa molto più elevata. E' solo nell'ultimo decennio, con la riscoperta dei prodotti di qualità e con una rinnovata attenzione per le nostre antiche tradizioni gastronomiche, che il Mais Marano (nome ufficiale) è tornato in auge, insieme alla polenta. Di questa farina originale oggi se ne produce una quantità molto limitata, reperibile presso il Consorzio, le aziende agricole o i molini, e in alcuni ristoranti attenti alla valorizzazione della cultura gastronomica locale.

Marano corn was created in 1890 by Antonio Fioretti, an enterprising farmer of Marano who tried to cross two local varieties of corn, Pignoletto d'Oro and Nostrano, hoping to create a plant that would better adapt to the gravelly lands of Leogra, as well as combining the quality of the first and the yield of the second. It was a good idea; Fioretti's production almost constantly yielded at least two full ears per plant, which in the old local Nostrano occurred very infrequently. So after a selection period of twenty years, the valuable features that have made Marano corn sought after and preferred by farmers were confirmed: small size ears with completely transparent caryopsis; reddish orange color and gluten-rich kernels (other common corn contains more starch) from which we get the ideal flour for polenta, with a higher protein content and a more intense yellow color compared to flour obtained from the most popular hybrid. Polenta made with this flour is an intense yellow color with brown flakes, a unique pleasant taste and intense aroma. After the death of the Cav. Antonio Fioretti, the production of Marano corn was continued by his sons until 1934, when the Experimental Station of Grain Culture of Lonigo intervened to manage its production in collaboration with the Provincial Inspectorate of Vicenza. They regulated its mass production. Older people remember that in the entire northeast portion of the territory of Marano, the area around the house Fioretti, only Marano corn could be grown to prevent pollination and hybridization from other varieties. In 1940 Marano corn was officially recognized by the state and its cultivation became widespread throughout much of northern Italy, and became one of the most used varieties. Since the Second World War the product has known a severe crisis, with the gradual disappearance of polenta from family tables and the arrival of hybrid corn from the United States which ensured a much higher yield. It has been only in the last decades, with the rediscovery of quality products and a renewed focus on our ancient culinary traditions, that Marano corn is back in vogue, along with polenta. The original flour is produced in very limited quantities, at farms or mills, and in some restaurants which pay particular attention to local food culture.

Polenta di Marano con coniglio

400 gr di farina di mais Marano
1 coniglio a pezzetti
500 gr di funghi porcini freschi
100 gr di salsiccia
1 spicchio d'aglio
½ bicchiere di vino rosso
500 ml di brodo di carne
½ cipolla
½ costa di sedano
1 carota piccola
salvia
rosmarino
poca farina bianca 00
concentrato o passato di pomodoro
olio extravergine d'oliva
sale e pepe

Infarinare i pezzetti di coniglio e rosolarli in un tegame con un filo d'olio, l'aglio sbucciato, la cipolla, il sedano e la carota tagliati tutti a dadini. Aggiungere la salsiccia privata del budello e leggermente sbriciolata, la salvia e il rosmarino legati con un pezzetto di filo da cucina. Lasciare insaporire qualche minuto a fuoco medio, salare, pepare e bagnare con il vino. Cuocere a tegame coperto aggiungendo di volta in volta un poco di brodo caldo, nel quale si sia precedentemente sciolto il concentrato di pomodoro oppure la passata. Nel frattempo preparare la polenta con un litro e mezzo o poco più di acqua salata in lieve ebollizione e la farina di Mais Marano fatta scendere a pioggia, mescolando inizialmente con una frusta e poi con la mescola di legno, per circa 40 minuti. Dopo un'ora di cottura del coniglio, pulire i funghi, affettarli e aggiungerli alla carne. Terminare la cottura a tegame scoperto, facendo addensare il sugo e regolando di sale. Distribuire la polenta di Marano nei piatti, aggiungere il coniglio, dopo aver tolto l'aglio, irrorare con il sugo e servire.

Marano Polenta with rabbit
Flour the rabbit pieces and brown in a pan with a little oil, 1 husked garlic clove, ½ onion, ½ stick of celery and 1 small carrot, all cut into cubes. Add 100g of sausage meat, slightly crumbled, sage and rosemary tied with a piece kitchen string. Allow a few minutes over medium heat for flavors to combine, add salt and pepper and moisten with ½ glass red wine. Bake in covered pan adding a little warm beef broth (500ml), in which tomato concentrate has been diluted. In the meantime, prepare the polenta with a liter and a half or so of slightly salted water and boil the Marano corn, mixing first with a whip and then with a wooden spoon for about 40 minutes. After an hour of cooking the rabbit, clean 500g of fresh porcini mushrooms, slice and add to meat. Finish cooking in the pan uncovered, let the sauce thicken and taste for salt. Distribute the polenta on the plate, add rabbit, after removing the garlic, cover with the sauce and serve.

Vino consigliato/*suggested wine:*
Rosso di Barbarano D.O.C.

Nel nome del Mais

Gli aztechi lo chiamavano *mahiz*, ma gli italiani stranamente lo chiamano granoturco, anche se è noto che arrivò dalle Americhe portato da Cristoforo Colombo nel 1492. L'origine di questo nome è incerta, forse con "turco" si intendeva che era straniero, o forse che arrivava attraverso i commerci con le regioni ottomane, ma una teoria accreditata sostiene che il nome deriva da una erronea traduzione dall'inglese *wheat of Turkey*, cioè grano per tacchini, visto che all'inizio questo era il suo utilizzo principale. In Veneto il mais (*Zea Mays*), che si diffuse già tra la fine del '500 e gli inizi del '600 diventando presto il prodotto più importante per l'alimentazione e l'agricoltura, veniva chiamato *sórgo* oppure *formenton*, ma entrambi i termini danno luogo a fraintendimenti: sórgo infatti in italiano indica le piante della famiglia del *Sorgum vulgare* come la saggina o sórgo rosso; *formenton* invece è il nome dialettale del grano saraceno (*Fagopyrum esculentum*). Entrambi i cereali erano largamente utilizzati per fare la polenta prima dell'arrivo del mais, dal grano saraceno ad esempio si otteneva una deliziosa polenta nera. Probabilmente fu proprio perchè subentrò al loro posto nella cucina tradizionale che il nuovo prodotto continuò ad essere chiamato con le parole in uso nella lingua comune per indicare i cereali da polenta. Così oltre a soppiantarli nell'agricoltura e nella gastronomia il mais rubò anche i nomi a questi frutti della terra che per secoli avevano nutrito l'uomo ma che ormai sono quasi dimenticati.

The Aztecs called it mahiz *but oddly enough the Italians call it* granoturco *(Turkish grain), although it is well known that corn came from the Americas thanks to Columbus in 1492. The origin of this name is uncertain, perhaps with "turkish" it was intended that it was of foreign origin, or maybe that it came to Italy through the trade with the Ottoman regions. According to one widely recognized theory the name derives from an erroneous translation of the English "wheat of Turkey", i.e. wheat for turkeys, since in the beginning this was its main use. In the Veneto region maize* (Zea mays), *which was already widespread in the late 1500s and early 1600s and quickly becoming the most important for food and agriculture, was called* formentòn *or sorghum, but both terms give rise to misunderstandings: sorghum in Italian refers to the plants of the* Sorgum vulgare *family;* formenton *is the dialect word for buckwheat* (Fagopyrum esculentum). *Both cereals were widely used to make polenta before corn; from buckwheat, for example, a delicious black polenta was obtained. It was probably because corn took the place of sorghum and buckwheat that it was called with the same name. So corn not only took their place in agriculture and in the kitchen but stole their name as well.*

Torta sbrisolona

200 gr di farina di mais Marano
200 gr di farina bianca 00
200 gr di mandorle spellate
200 gr di zucchero
200 gr di burro
2 tuorli d'uovo
scorza di ½ limone grattugiata

1 pizzico di sale
zucchero a velo

Setacciare le due farine insieme, ammorbidire il burro e tritare grossolanamente le mandorle; amalgamare tutti gli ingredienti, ottenendo un'impasto sbriciolato. In una tortiera con cerniera adagiare la carta da forno e su di essa versare l'impasto distribuendolo uniformemente senza premere. Mettere a cuocere per circa 40 minuti in forno caldo a 180°C. Volendo si possono segnare gli spicchi prima di infornare per agevolarne poi lo sporzionamento, oppure servire il dolce su un piatto di portata e dividerlo al momento assestando un bel pugno nel mezzo della sbrisolona.

Sbrisolona cake
Sieve 200g of Marano corn flour and 200g of white flour, soften 200g of butter and coarsely chop 200g of almonds; mix these ingredients with 200g sugar, 2 egg yolks, lemon zest, 1 pinch of salt, obtaining a crumbly dough. Place wax paper in a spring pan and spread the dough evenly without pressing. Let cook for about 40 minutes at 180°C. You can trace the slices before baking, or serve the cake on a serving dish and divide it by punching it in the middle

Vino consigliato/*suggested wine:*
Recioto Spumante D.O.C. Gambellara

RISO DI GRUMOLO DELLE ABBADESSE

Importato in Europa all'indomani dei viaggi di Marco Polo in estremo oriente, il riso si diffuse sulle tavole degli italiani nel quattrocento divenendo presto un prodotto strategico per la popolazione, grazie alla sua alta resa e al buon apporto nutritivo. Ma la storia del riso di Grumolo inizia con l'anno Mille, quando il territorio boscoso e paludoso che comprende gli abitati di Grumolo, Camisano, Lerino e Sarmego viene concesso dal vescovo di Vicenza alle monache dell'abbazia benedettina di San Pietro, le quali con acuta lungimiranza iniziano a bonificare e disboscare i terreni, costruendo canali per l'irrigazione e l'azionamento dei mulini. Nel cinquecento le monache decidono di destinare le proprietà risanate alla coltura del riso, che mano a mano è sempre più richiesto, tanto che le Abbadesse nel seicento continuano ad estenderne la coltivazione. È questo il periodo d'oro del riso: i barconi carichi avanzano sul canale della Meneghina, che attraversa il centro di Grumolo, sospinti da pertiche o trascinati da cavalli da tiro che li precedono sugli argini, e diretti al magazzino delle badesse dove il riso viene stipato in attesa della vendita. Presto la coltura del riso viene imitata e si diffonde nella zona, anche i nobili veneziani sono spinti dalla precarietà del commercio con l'Oriente allo sfruttamento dell'entroterra e le monache, le cui sterminate terre cominciano a diventare difficili da gestire, iniziano a cedere porzioni di terreno a piccoli affittuari. Nel 1806, con la soppressione di molti ordini religiosi da parte di Napoleone, i beni delle benedettine sono incamerati dal demanio e suddivisi tra piccoli e grandi acquirenti, che continuano la risicoltura ma col tempo la crisi di questa coltivazione riduce drasticamente le dimensioni delle risaie e quindi della produzione. Il Vialone Nano locale, dai minuscoli chicchi, dotati di una straordinaria capacità di assorbire i condimenti liquidi, viene oggi sempre più affiancato dal Carnaroli, riso dal granello molto lungo e grosso, consistente perchè ricco di amilosio, più produttivo e adatto a tutte le ricette, in particolare al risotto perchè, grazie all'amido che rilascia la sua parte superficiale, resta al dente pur aiutando la mantecatura,. Piantato in primavera e raccolto a settembre, il riso fornisce una buona percentuale di calorie e di zuccheri, possiede discrete quantità di vitamine, ferro e fosforo e ha proprietà antiuriche.

Imported to Europe after the voyages of Marco Polo to the Far East, rice became widespread in Italian cuisine in the 1400s and soon became a strategic product for the people, thanks to its high yield and nutritional value. However, the history of Grumolo rice begins in the year one thousand, when the wooded and swampy area which includes the settlements of Grumolo, Camisano, Lerino and Sarmego, was granted by the Bishop of Vicenza to the former Benedictine nuns of St. Peter, which with acute vision began to reclaim the land, clearing it, building canals for irrigation and for the operation of mills. In the 1500s the nuns decide to allocate the land to the cultivation of rice, the demand of which gradually grew to the point that in the 1600s the nuns continued to extend its cultivation. This is the golden age of rice: rice laden barges on the Meneghina canal, which crosses the center of Grumolo, would advance either pushed by poles or dragged by horses on the embankment, and the rice would be stored in the warehouse where it would await sale. Soon the cultivation of rice was imitated and spread in the area; the precariousness of the trade with the East drove noble Venetians to exploit the hinterland and the Benedictine nuns, whose huge lands were becoming difficult to manage, started to yield portions of land to small tenants. In 1806, with the deletion of many religious orders by Napoleon, the property of the Benedictine nuns was forfeited and divided between large and small buyers, who continued growing rice, but over time a crisis of this crop drastically reduces the size of rice fields and then its production. Local Vialone Nano, characterized by very small kernels with an extraordinary ability to absorb liquids, is now joined by Carnaroli, rice characterized by a very long and large kernel, consistent because it's rich in amylose, more productive and suitable for all recipes, in particular for risotto because, thanks to the amids let off by its surface, the rice stays al dente. Planted in spring and harvested in September, rice provides a good percentage of calories and sugar, has a discrete amount of vitamins, iron and phosphorus.

Tortino di riso con pomodori

300 gr di riso Vialone Nano di Grumolo delle Abbadesse
70 gr di Grana Padano grattugiato
1 cipolla
400 gr di polpa di pomodoro
2 pomodori maturi
basilico fresco
timo fresco
1-2 mozzarelle (meglio se di bufala)

origano
olio extravergine d'oliva
sale
poco peperoncino

Tritare la cipolla e farla appassire in un tegame con un poco d'olio. Unire la polpa di pomodoro, salare e insaporire con un pizzico di peperoncino e di origano. Cuocere per 7-8 minuti. Lessare il riso in acqua salata bollente, scolarlo al dente e condirlo con il grana, la salsa di pomodoro, il timo e il basilico spezzettato a mano. Foderare una tortiera a cerniera con della carta da forno leggermente unta d'olio. Versarvi dentro metà del riso, distribuirvi sopra metà della mozzarella tagliata a fettine e ricoprire con il restante riso. Decorare la torta di riso con i pomodori freschi tagliati a spicchi, disponendoli lungo tutto il perimetro, nel centro mettere la mozzarella rimasta tagliata a fettine. Coprire con della carta stagnola e passare in forno caldo a 180°C per circa 15 minuti. Trascorso questo tempo togliere la carta e far cuocere per altri 5-6 minuti. Servire decorando con basilico in foglia oppure frullato assieme a dell'olio d 'oliva a guisa di pesto.

Rice cake with tomatoes
Chop 1 onion and let wilt in a pan with a little oil. Add 400g tomato pulp, season with salt and a pinch of red pepper and oregano. Cook for 7-8 minutes. Boil 300g Vialone Nano Grumolo delle Abbadesse rice in boiling salted water, drain when al dente and season with 70g Grana Padano cheese, the cooked tomato sauce, thyme and basil shredded by hand. Line a spring pan with wax paper slightly greased with oil. Pour in half the rice, distribute a mozzarella (preferably bufala mozzarella) cut into slices and cover with the remaining rice. Decorate the rice cake with two fresh tomatoes cut into wedges, arranging them along the entire perimeter; in the center put the remaining mozzarella cut into slices. Cover with aluminum foil and place in the oven heat (180°C) for about 15 minutes. After this time, remove the foil and cook for another 5-6 minutes. Serve decorated with basil leaf, which you can also mix together with extra virgin olive oil and use as pesto.

Vino consigliato/*suggested wine:*
Breganze Bianco D.O.C.

CORGNOI DE CRESPADORO

Derivata probabilmente da usanze alimentari dei Cimbri, il popolo di origine germanica che colonizzò queste montagne nel Medioevo, la tradizione della raccolta e vendita di chiocciole nel comune di Crespadoro è antichissima e documentata fin dall'età medioevale, quando era attivo uno dei mercati principali del nord Italia. In alcune pubblicazioni del 1600 si riferisce addirittura di nobili vicentini che inviavano la loro servitù a far provvista di *corgnoi* di Crespadoro considerati una vera leccornia. Appartenenti alla specie *Helix Pomatia* i corgnoi sono chiocciole selvatiche di varietà opercolata, l'unica che chiude con un opercolo il proprio guscio durante l'inverno. Il corpo è un mollusco molle ed è costituito dalla testa, con una bocca e quattro tentacoli, e dal piede, formato da numerosi tubercoli irregolari. Il colore del guscio varia molto in quanto dipende dall'alimentazione e dal tipo di ambiente circostante. La raccolta è consentita solo nel periodo estivo ed è fatta generalmente a mano o con l'aiuto di un attrezzo, il *raspa-corgnoi*: si prelevano le chiocciole interrate e si sistemano nella *corgnolara*, dove vengono alimentate con erba fresca, zucca e altro fino al tardo autunno, quando sono pronte per essere mangiate. Ricca di proteine, minerali e povera di grassi, la carne bianca e tenace dei *corgnoi* era un tempo considerata un economico "mangiar di magro" e si consumava tradizionalmente in quaresima o la vigilia di natale.

Derived most likely from the dietary habits of the Cimbri, a people of German origin who colonized the mountains in the Middle Ages, the tradition of the harvest and sale of snails in the municipality of Crespadoro is documented in ancient times as well as during the medieval age, when there was an active market in northern Italy. In some publications of 1600 noble families from Vicenza would send their servants to purchase corgnoi *of Crespadoro, which were considered a real delicacy. Belonging to the species* Helix pomatia, corgnoi *are a wild variety of snail, the only kind that closes its shell during the winter. The body is soft and is composed of the head, with a mouth and four tentacles, and a foot, composed of numerous irregular tubercles. The color of the shell varies greatly and depends on the snail's environment. It may only be collected during the summer; the collection is usually done by hand or with the help of a particular tool called the* raspa-corgnoi*: you take the snails that are buried underground and settle them in the* corgnolara *where they are fed fresh grass and pumpkin until late autumn, when they are ready to be eaten. Rich in protein, minerals and low in fat, the white meat of* corgnoi *was once* *considered a convenient way of "eating lean" and was traditionally consumed during Lent or Christmas eve.*

Lumache in crema alle erbette

50 lumache
100 gr di lardo
6 spicchi d'aglio
1 manciata di prezzemolo tritato
1 tuorlo d'uovo
1 cucchiaino di senape forte
1 l di vino bianco
1 l di acqua
1 cipolla piccola
poca panna
poca maizena o fecola
timo
alloro
6-7 gambi di prezzemolo
4 chiodi di garofano
pepe in grani
sale

Preparare il court bouillon mettendo il vino e l'acqua in una pentola d'acciaio. Unire a freddo la cipolla pelata, il timo, l'alloro, i gambi di prezzemolo, i chiodi di garofano, 5-6 grani di pepe e poco sale, quindi far bollire il tutto per mezz'ora. Passato il tempo, filtrare il brodo, rimettere sul fuoco e tuffarvi le lumache, cuocendole fino ad intenerirle, poi spegnere e lasciare in infusione. In un tegamino sciogliere il lardo tritato finissimo, aggiungere l'aglio tritato, il prezzemolo e le lumache scolate. Continuare la cottura per 4-5 minuti a fuoco vivace, aggiungendo circa un quarto di litro di court bouillon caldo. Continuare mescolando e all'occorrenza aggiungere altro brodo se le lumache si asciugano troppo o non sono ancora tenere; in ogni caso il sughetto deve ricoprire le lumache appena. Al momento di servire, diluire il rosso d'uovo con poca panna e facendo attenzione a non farlo bollire, versarlo sulle lumache mescolando velocemente. Se serve, addensare la salsa con un poco di farina fecola o maizena, diluita con un goccio di latte freddo. Aggiustare di sale e servire.

Snails in cream with herbs
Prepare the court bouillon by placing 1 lt water and 1 lt white wine in a pot. Combine 1 peeled onion, thyme, bay leaves, a handful of chopped parsley, 4 cloves, 5-6 pepper corns and a little salt, then boil for half an hour. Filter the broth, set it back on the flame and immerse 50 snails in it; cook until the snails soften, then turn off and let sit. In a pan melt 100g of finely chopped lard, add chopped garlic (6 cloves), parsley and the drained snails. Continue cooking for 4-5 minutes over a lively fire, adding about a quarter of a liter of the warm court bouillon. Continue stirring and adding more broth if the snails are too dry or not yet soft enough; the sauce should just cover the snails. Right before serving, dilute 1 egg yolk with a little heavy cream and being careful not to boil it, pour it on snails stirring quickly. If necessary, thicken the sauce with a little flour or Maizena starch, diluted with a drop of cold milk. Add salt and serve

Vino consigliato/*suggested wine:*
Durello D.O.C. Superiore Tranquillo Monti Lessini

TORRESANI DI BREGANZE

Uccello di dimensioni relativamente ridotte e piumaggio di vari colori (grigio, nero, bianco e marrone, con varie sfumature e disegni variopinti soprattutto sulle ali), il Torresano, è un colombo di torre ed è pertanto facile che sia divenuto il piatto tipico di Breganze, il cui centro storico era caratterizzato da un elevato numero di queste *colombare*. Erette inizialmente con funzione militare o di prestigio per i nobili proprietari, con l'avvento della pace generale conseguente al dominio della Repubblica Veneta, le torri persero le loro funzioni difensive e furono adibite ad uso civile: probabilmente fu allora che nacque l'abitudine di allevarvi i colombi, prima come piccioni viaggiatori e poi come prelibato piatto. Il *toresàn*, come è chiamato a Breganze, è un piccione di circa 30 giorni e viene ammazzato quando il suo piumaggio è pienamente completato e ha appena iniziato o sta per accingersi ad abbandonare il nido; inoltre, a differenza della maggior parte degli animali di allevamento, esso si nutre solo delle granaglie che gli vengono procacciate dai genitori pertanto le sue carni sono molto tenere, succulente e genuine. Allevati tutt'oggi in *colombare* o grandi voliere esposte al sole, i toresàni depongono due uova alla volta e il maschio e la femmina si alternano nella covata e nella cura dei piccoli.

The Torresano *is a pigeon of relatively small size and plumage of various colors (gray, black, white or brown, and colorful designs on the wings). It is raised in pigeon towers, which is why pigeon became a typical dish of Breganze, the historic center of which is characterized by a great number of* colombare *(dove towers). The towers were originally built for military purposes or as status symbols for noble families. However, with the advent of peace following the rule of the Venetian Republic, the towers lost their defensive purpose and were put to civilian use. It was perhaps at this moment that that the tradition of raising pigeons began. The birds were first used as message carriers and then became part of a delicious local dish. The* toresàn, *as it is called in Breganze, is a pigeon about 30 days old which is killed when its plumage is fully completed and it is preparing to leave the nest. Also, unlike most human-raised animals, it feeds only on grain that it obtains from its parents. This makes the young bird's meat very tender, succulent and genuine. They are still farmed today in* colombare *or large aviaries exposed to the sun; the birds lay two eggs at a time and the male and female take turns in the care of the offspring.*

Torresani di Breganze arrosto con salsa al tartufo dei Berici

2 piccioni di torre pronti per la cottura
pepe bianco
3 cucchiai di olio extravergine d'oliva
10 gr di burro
brodo
sale

Per la salsa:
200 ml di fondo scuro di piccione
10 gr di burro
30 gr di tartufo nero
vino marsala secco
½ spicchio di aglio
pochissima farina bianca

Cospargere i piccioni con sale e pepe e legarli con del filo da cucina. Scaldare l'olio in una padella assieme al burro e rosolarvi i volatili dalla parte del petto per pochi minuti. Girarli, farli dorare brevemente anche dall'altro lato, quindi passarli nel forno preriscaldato a 180°C per 15-18 minuti, bagnandoli spesso con il loro fondo di cottura. Verificare il grado di cottura inserendo la punta di uno spiedino d'acciaio nel punto più spesso della coscia: se fuoriesce un succo rosato significa che la carne non è ancora cotta. Il giusto punto di cottura si raggiunge quando pungendo la carne fuoriesce una goccia di umore trasparente. Al termine lasciarli riposare per 3-4 minuti. Sezionare i piccioni arrostiti praticando un taglio fra il petto e le cosce e ruotando queste ultime verso l'esterno fino a staccarle. Dividere i due petti effettuando un taglio lungo lo sterno, quindi separarli dalla carcassa. Togliere anche le ali all'altezza dell'articolazione. Porre le carcasse dei piccioni in una casseruola assieme ad una noce di burro, spolverare leggermente con poca farina, far tostare e aggiungere del brodo caldo. Far bollire fino ad ottenere una salsina. Con uno schiacciapatate rivestito con un telo pulito spremere le ossa con forza per far uscire tutto il succo possibile. Preparare la salsa: mettere l'aglio tritato assieme ad un cucchiaio di olio d'oliva in una casseruolina e far imbiondire. Unire il tartufo tritato fine, tenendone da parte un pò tagliato a lamelle per la guarnizione finale, e sfumare con un goccio di marsala secco. Aggiungere il fondo scuro di piccione e incorporare il burro molto freddo. Portare a ebollizione la salsa al tartufo, quindi mescolarvi il succo ricavato dalle carcasse. Porre la carne dei piccioni in due piatti individuali sopra un letto di polenta appena fatta, cospargere il tutto con la salsa, guarnire con le lamelle di tartufo e servire.

Roasted Breganze pigeons with Berici truffle sauce
Sprinkle 2 pigeons with salt and pepper and tie with kitchen string. Heat 3 tablespoons oil in a frying pan with 10g butter and brown the birds breast-side down for a few minutes. Turn them, briefly brown the other side, and then cook in the preheated oven at 180°C for 15-18 minutes, occasionally spooning the juices on the birds. Check doneness by inserting the tip of a steel skewer in the thigh: if the juice is golden the meat is not cooked yet. It is done when the liquid is transparent. Let rest for 3-4 minutes. Cut the roasted pigeon between the breast and thighs and turn the thighs outward to detach them. Split the two breasts by cutting along the sternum, and then separate from the carcass. Remove the wings. Lay the carcasses of pigeons in a saucepan with a pad of butter, sprinkle lightly with a little flour, toast them and add some hot broth. Boil until it becomes a sauce. With a potato press covered in a clean cloth squeeze the bones in order to force out all the juice possible. To prepare the sauce: brown ½ clove crushed garlic in a tablespoon of olive oil. Combine 30g chopped black truffle, keeping some aside for garnish. Add a drop of dry marsala. Add 200ml of bird drippings and incorporate 10g of very cold butter. Bring to the truffle sauce to a boil, then mix the juice pressed from the carcasses. Place the pigeon meat in two plates over polenta, top with sauce, garnish with strips of truffle and serve.

Vino consigliato/*suggested wine:*
Pinot nero D.O.C. Breganze

Nei tempi antichi, anco' e doman sol Breganze sa far el toresan

Lodi e onori a Torreglia,
città d'arte tanto sveglia,
un torto solo da apuntare:
voler un bon piatto sfidare.
No le xè robe da tregenda
desiar un Piatto da legenda,
occor però far attension
co se attenta na Tradission.

Imitar ben? No gavì speranze
se se trata del Piatto de Breganze,
dixe la Storia da tempi lontani:
sol Breganze , sa fare i Toresani.

Na gran gran riceta, in fede mia,
fruto de inteligensa e alchimia,
nessun foresto la podrà copiare
parchè la assa al fiol el pare.

Anca Torreglia, gà un piatto bon,
ma se sente che xè n'imitassion,
comunque valtri, no devine a male,
vegnì a Breganze a gustar l'Originale.

Tutto se poe metarse a posto:
ben distinto xè lo speo da l'arosto,
difarenti, ma speciali son i sapori,
Breganze e Torreglia meritan onori.

Nò a Campanilismi, disse il Saggio,
più che la disfida, val il Gemellaggio,
se se deventa un doman amissi boni
capirì la difarenza tra Toresan e picioni

Se volì na vita allegra e non anemica
Entrè ne "Del Toresan la Accademia",

magnando insieme se scurtan le distanze
tra la bella Torreglia e la dolse Breganze.

Anonimo Breganzese

"Nei tempi antichi, oggi e domani solo Breganze sa fare i torresani"
Lodi e onori a Torreglia/ città d'arte tanto sveglia,/ un torto solo da appuntare:/ voler un buon piatto sfidare./ non è cosa da finimondo/ desiderare un piatto da leggenda./ occore però fare attenzione/ quando si attenta ad una tradizione./ Imitare bene? Non avete speranze/ se si tratta del piatto di Breganze,/ dice la storia da tempi lontani:/ solo Breganze sa fare i Torresani./ Una grande ricetta, in fede mia,/ frutto di intelligenza e alchimia,/ nessuno straniero la potrà copiare/ perchè la lascia al figlio il padre./ Anche Torreglia ha un piatto buono,/ ma si sente che è un'imitazione,/ comunque voi, non prendetela male,/ venite a Breganze ad assaggiar l'originale./ Tutto si può mettere a posto:/ ben diverso è lo spiedo dall'arrosto,/ differenti ma speciali sono i sapori,/ Breganze e Torreglia meritano onori./ Niente campanilismi, disse il saggio,/ più che la sfida vale il gemellaggio,/ se si diventa domani amici buoni/ capirete la differenza tra Torresani e Piccioni/ Se volete una vita allegra e non anemica/ entrate ne" Del Torresano l'Accademia",/mangiando insieme si accorciano le distanze/ tra la bella Torreglia e la dolce Breganze.

"Yesterday, today and tomorrow, only Breganze knows how to make toresan"
Praise and honor to Torreglia,/ such a bright city of art,/ just one thing needs to be pointed out:/ they think they can challenge a great dish./ It's not tragic to want a legendary Dish,/ but one has to pay attention/ when undermining a Tradition./ You think you imitate it well? Not a chance/ if it's Breganze's Dish we're talking about/ Ancient history says:/ only Breganze knows how to make toresan It's a great recipe, if you ask me,/ born of intelligence and alchemy,/ no foreigner could ever copy it/ because it's handed down from father to son./ Torreglia too has a good dish,/ but you can tell it's an imitation;/ Don't take it badly, guys,/ come to Breganze to taste the original./ Everything can be fixed,/ rotisserie and roast are two separate things,/ different but with special flavors,/ Breganze and Torreglia both deserve honors./ The Wise man said: Look beyond your belltower;/ rather than competition, work together,/ if tomorrow you become good friends/ you will understand the difference between torresani and pigeons./ If you want a happy life that's not anemic/ become part of the Torresan Academy/ Feasting together will shorten the distance/ between the beautiful Torreglia and sweet Breganze. (Anonymous from Breganze)

OCO DEI BERICI

Un tempo nelle campagne venete, in particolare nei Colli Euganei e nella bassa vicentina, si allevavano oche bigie e oche pezzate grigie e bianche, soppiantate nel tempo dalle grandi Romagnole bianche. Ai primi di novembre, per San Martino, si macellavano le oche d'autunno che erano più grasse e saporite grazie alle erbe con cui si erano nutrite per tutta l'estate. Seguendo una ricetta di probabile origine ebraica le carni rosse e compatte venivano separate dalle parti grasse, tagliate a pezzetti e lasciate riposare sotto sale per alcuni giorni. Successivamente le carni si riponevano direttamente in un orcio di terracotta o vetro alternando pezzetti di carne, grasso d'oca fuso e foglie d'alloro. Un ultimo strato di grasso completava il vasetto che veniva poi chiuso ermeticamente. A volte le carni di oca erano leggermente cotte prima di essere riposte sotto grasso. In questo modo si conservavano a lungo, tutto l'inverno, volendo anche un paio d'anni; al momento del bisogno si estraeva dall'orcio la quantità di oca che serviva e la si cuoceva in casseruola per servirla come sugo o come secondo piatto. Oggi questa prelibatezza è quasi introvabile, le oche tradizionali venete sono pressoché scomparse e in commercio si trovano solo oche bianche romagnole, tuttavia alcuni piccoli allevatori stanno tentando un recupero delle razze autoctone, cresciute con un'alimentazione naturale, ideali per produrre un'oca in onto di gran qualità.

Once upon a time in the Venetian countryside, particularly in the Colli Euganei and the lower region of Vicenza, gray or gray and white geese were raised. They were eventually replaced by large white geese. In early November, for Saint Martin's day, you would slaughter the autumn geese, which were fattier and tastier due to the herbs they were fed throughout the summer. Following a recipe of probable Jewish origin the red meat was separated from the fat, cut into pieces and let sit in salt for a few days. Subsequently, the meat is placed directly into a terracotta or glass jar, alternating pieces of meat, melted goose fat and laurel leaves. A final layer of fat was placed on top and the jar was closed tightly. Sometimes the goose meat was slightly cooked before being placed under fat. This way the meat kept for a long time, all winter, or even for a couple of years; when needed, some goose meat was taken from the jar and cooked in a casserole as a sauce or a main course. Today, this delicacy is almost impossible to find, the traditional Venetian geese have all but disappeared as only the white geese are marketed, but some small farmers are seeking to recover the indigenous breed, raising them naturally in order to produce traditional high quality geese.

"Oco in onto" dei Berici

1 oca giovane
5 spicchi d'aglio
2 rametti di rosmarino
olio di vinaccioli
acqua
sale grosso
grasso d'oca o strutto di maiale (eventuale)

Tagliare a pezzi regolari, senza spezzare le ossa, una bella oca pulita dalle interiora. Porre sul fuoco una casseruola, meglio se di terracotta, con due bicchieri di acqua fredda, l'aglio schiacciato, il rosmarino e una manciata di sale grosso. Sistemarvi i pezzi d'oca cercando di formare un solo strato, far alzare l'ebollizione poi abbassare la fiamma al minimo, incoperchiare e lasciar sobbollire dolcissimamente per circa 3 ore, avendo cura di girare di tanto in tanto i pezzi d'oca. Trascorso questo tempo la parte liquida sarà evaporata completamente e il grasso dell'oca si sarà sciolto in maniera uniforme. Prendere dell'olio di vinaccioli e immergervi o spennellare con esso i pezzi d'oca, in modo che ne siano completamente rivestiti. Sistemarli in una capace terrina, anch'essa spennellata d'olio, e coprirli con il grasso ancora bollente, filtrandolo attraverso un colino. Se il grasso non fosse sufficiente aggiungerne altro di oca o di maiale, sciolto a parte. Coprire il tutto con un foglio di carta da forno e conservare la preparazione in cantina, al buio e al fresco. L'oca così cotta e conservata sotto grasso va mangiata fredda e utilizzata sia per antipasti, sia per primi, senza disdegnare l'accompagnamento di una calda polentina. L'olio di vinaccioli terrà separati i pezzi d'oca che altrimenti per l'azione del grasso si attaccherebbero tra loro e al grasso stesso.

"Oco in onto" the Berici
Cut a cleaned goose into regular pieces, paying attention not to break its bones. Place a saucepan (preferably terracotta) on the fire with two glasses of cold water, crushed garlic (5 cloves), rosemary and a handful of coarse salt. Arrange the pieces of goose trying to form a single layer, bring to a strong boil then lower the flame to a minimum, cover and let simmer for about 3 hours, taking care to turn the meat over from time to time. The liquid will completely evaporate and the fat of the goose will dissolve. Brush the pieces of duck with grape seed oil, so that they are completely coated. Put them in a large bowl which has also been brushed with oil. Pour the boiling fat over the meat, filtering it through a strainer. If the fat is not enough, add another goose grease or pork lard, which has been melted separately. Cover everything with a sheet of baking paper and store it in the basement, where it is dark and cool. The goose should be eaten cold and used both for appetizers and for first courses, maybe accompanied by hot polenta. The grape seed oil will keep the pieces of goose separate; otherwise, they would coagulate and stick together.

Vino consigliato/*suggested wine:*
Merlot D.O.C. dei Berici

COESSIN CON LA LENGUA

La produzione del cotechino è tipica dei comuni del Basso Vicentino dove la cultura del *far sù el màs-cio* si è tramandata di padre in figlio insieme alle tecniche di lavorazione e conservazione di tutte le parti del maiale, perchè nulla andasse sprecato e qualcosa durasse fino all'uccisione del *màs-cio novo*. Il coessin co la lengua è una variante del normale cotechino creata per utilizzare la lingua del maiale, e veniva consumata nel giorno dell'Ascensione perchè si credeva che ciò avesse il potere di far ammazzare un altro maiale entro l'anno, di preservare dal morso delle bisce e di esorcizzare le malelingue. Tradizionalmente i cotechini venivano conservati *sotto ònto,* cioè riposti in olle (*pegnàte*) di terracotta o in bocce di vetro scuro con del lardo fuso versato all'interno. Oggi il cotechino viene fatto con la cotica, le parti muscolari più dure (orecchie, pezzi di tendini), la polpa nervosa e il lardo; il tutto viene impastato con sale grosso, con la concia (*cónza*) fatta con cannella, pepe, chiodi di garofano (eventualmente altri sapori a seconda delle usanze d'ogni famiglia) e aglio tritato o a spicchi e poi insaccato in budello di vacca o cavallo. La lingua (o anche il muso del maiale) vengono messi a salare su di un ripiano mobile di legno di castagno, leggermente inclinato perchè sgocciolino. Tolto il sale residuo non assorbito, la lingua viene ricomposta per essere inserita all'interno dell'insaccato in modo che al taglio risulti concava, a forma di "U".

The production of cotechino is typical of the municipalities of the Basso Vicentino where farmers would kill a pig in autumn; they handed down the technique which stress the conservation of all parts of the pig, because nothing was to go to waste and something had to last until the killing of the new pig. Coessin co la lengua *is a variant of normal cotechino created to use the pig's tongue, which was eaten on Ascension day, because it was believed that this would ensure you would kill another pig within the year, and it protected you from snake bites and exorcise from evil tongues. Traditionally they were kept* sotto onto, *that is stored in terracotta dishes or dark-glass bowls with melted lard poured inside. Today cotechino is made with the tougher pig muscles (ears, pieces of tendons), the nerve pulp and lard, mixed with salt, cinnamon, pepper, cloves (and possibly other flavors depending on the customs of each family) and minced garlic. The meat is then stuffed in cow or horse intestine sack. The tongue (or even the snout of the pig) is salted and placed on a shelf of chestnut wood, which is slightly tilted to allow draining. After removing the salt that was not absorbed, the tongue is inserted in the sausage so that when the sausage is cut tongue retains a concave shape.*

Coessin con la lengua, fasoi e nose

1 cotechino con la lingua
300 gr di fagioli cannellini secchi
2 cipolle piccole
1 carota
1 costa di sedano
1 foglia d'alloro
4 cucchiai di noci pelate e tritate
½ cucchiaio di senape dolce
1 cucchiaio di Miele di acacia
olio extravergine d'oliva
sale e pepe

Prendere il cotechino e con uno stuzzicadente pungerlo in più punti. Immergerlo in acqua fredda, portare a bollore, poi abbassare la fiamma e far sobbollire fino a cottura, cambiando l'acqua almeno una volta oppure togliendo con un mestolo tutto il grasso che affiora in superfice. In una pentola mettere i fagioli, tenuti a bagno per una notte, insieme alla carota, al sedano , all'alloro e ad una cipolla, coprirli d'acqua fredda e far cuocere. In una padella imbiondire un poco di cipolla con tre cucchiaiate d'olio, versare i fagioli con un poca d'acqua di cottura e regolare di sale e pepe. Dopo aver spellato e tritato le noci amalgamarle alla senape e al miele aggiungendo 1 o 2 cucchiaini di acqua calda per diluire la salsa. Servire in un piatto il cotechino tagliato a fette con i fagioli cannellini, la salsa di noci, dadoni di polenta abbrustolita e della mostarda vicentina.

"Tongue" cotechino with beans and nuts
Take a "tongue" cotechino and prick it with a toothpick in several places. Soak in cold water, bring to a boil, then lower the flame and let simmer until cooked, changing the water at least once, or removing with a spoon all the fat that surfaces.

In a saucepan put 300g dried cannellini beans which have soaked overnight, along with 1 carrot, 1 stick of celery, a bay leaf and 1 small onion, cover them in cold water and cook. In a frying pan brown one small onion in three tablespoons of oil, pour in the beans with a little cooking water and adjust for salt and pepper. After peeling and chopping walnuts mix ½ tablespoon sweet mustard and 1 tablespoon acacia honey and add 1 or 2 teaspoons of hot water to dilute the sauce. Slice the cotechino and serve in a dish with cannellini beans, the walnut sauce and roasted polenta squares.

Vino consigliato/*suggested wine:*
Cabernet D.O.C. di Breganze

SALAME D'ASINO

Il salame d'asino è tipico della zona della Comunità Montana Leogra Timonchio in provincia di Vicenza. La produzione di questo salume è antica, ed era legata al diffuso allevamento di asini di razza furlana a pelo grigio, di taglia media, che un tempo trasportavano i sacchi e i fagotti dei montanari sulle mulattiere e aiutavano nel lavoro sui campi. Oggi sono rimasti in pochi sia gli asini che i produttori di questo speciale salume vicentino, e sono oltretutto costretti ad affrontare una piccola battaglia per continuare a lavorare. Composto da un impasto di carni magre d'asino e grasso di maiale (pancetta o lardo), aromatizzato con cannella, pepe, chiodi di garofano, salvia e aglio a seconda delle ricette, e insaccato in budello naturale bovino, il salame d'asino si impasta infatti su tavole di legno, si lega con lo spago, si asciuga con la stufa a legna, si appende con pertiche in legno e si stagiona nelle cantine per due-tre mesi; tutti elementi essenziali per una produzione organoletticamente eccellente, ma non ammessi dalle normative igienico-sanitarie vigenti. Il risultato tuttavia è eccellente: un salame a pasta grossa, di colore rosso scuro, dal gusto forte e dolciastro, ovviamente con le dovute differenze date dalle ricette locali. A Posina, Arsiero e Laghi ad esempio la carne si fa macerare prima nel vino rosso e si impasta con un 40% di pancetta di maiale, aromatizzando con noce moscata, pepe e cannella; nella zona di Valdagno, invece, non si usano aromi, alla carne di asino si aggiunge un 40% di lardo (a volte anche meno) e il tocco finale è dato da un leggero affinamento con del fumo di ginepro. La carne d'asino, come tutte le carni equine, fornisce proteine di alto valore biologico ma ha due particolarità che la rendono unica: un elevato contenuto in ferro e un basso contenuto in grassi, con scarso colesterolo, per cui è facilmente digeribile e poco calorica. Inoltre è una delle poche carni che contengono zuccheri (in particolare il glicogeno, che rappresenta una sorta di riserva energetica disponibile per i muscoli) ed è per questo che risulta leggermente dolce al palato.

Donkey salami is typical of Leogra Timonchio in the province of Vicenza. The production of this salami is ancient, and was linked to the widespread breeding of gray haired furlana *donkeys, which were used to carry mountain people's bags and bundles on mule tracks as well as to work in the fields. Today there are few of this breed of donakey and very few producers of this special salami, who are forced to battle to keep working. Composed of a mixture of lean donkey meat and fat pork (bacon or lard), flavored with cinnamon, pepper, cloves, sage and garlic according to the recipes, and pressed into in natural beef casing, salami donkey needs to be kneaded on wooden tables, bound with twine, dried over a wood stove, and hung in a cellar for two to three months. These elements are essential for its production but not admitted under current sanitary regulations. The result, however, is excellent: a thick grained, dark red and strong sweet tasting salami, of course with differences depending on the local recipes. In Posina, Arsiero and Laghi the meat is first soaked in red wine and mixed with 40% of pork bacon, flavored with nutmeg, pepper and cinnamon; in Valdagno, however, flavors are not used; donkey meat is simply added to 40% lard (sometimes less) and the final touch is given by juniper smoke. The donkey meat, like all horse meat, provides protein of high biological value but has three special features that make it unique: high iron content, low fat and low cholesterol; it is easily digestible and low in calories. It is also one of the few meats that contain sugars (particularly glycogen, which is a sort of reserve energy for muscles) and that is why it is slightly sweet on the palate.*

Risotto di asparagina selvatica con salame d'asino

160 gr di riso Vialone Nano di Grumolo delle Abbadesse
140 gr di asparagina
20 gr di pasta di salame d'asino
1 scalogno
2 cucchiai di olio extravergine d'oliva
vino bianco
burro fresco
Grana Padano
sale e pepe

Mondare l'asparagina, lavarla, tagliare la parte di gambo più dura e affettarla tenendo da parte le punte, che vanno bollite in acqua salata. Scaldare l'olio in una casseruola e farvi appassire lo scalogno tritato, aggiungere l'asparagina, la pasta di salame sgranata e cuocere per circa 10 minuti, rigirando spesso. Versare il riso, tostarlo finchè diventa lucido, quindi sfumare con il vino bianco. Mettere da parte le punte di asparagina bollite e con la loro acqua cuocere il riso, regolando di sale. Quando il riso è cotto, spegnere il fuoco e mantecare con grana, burro e, se piace, una macinatina di pepe. Servire con le punte di asparagina sopra il riso.

Risotto with wild asparagus and donkey
Peel 140g asparagus, wash, cut off the hard stems. Slice and set aside the tips which are to be boiled separately in salted water. Heat 2 tablespoons oil in a saucepan and brown 1 minced shallot. Add the asparagus, 20g of donkey salami paste and cook for about 10 minutes, stirring often. Pour in 160g rice, roast until it becomes shiny and add white wine. Drain the asparagus tips retaining the water which you then add to the rice mixture. Taste for salt. When the rice is cooked, remove from heat and whisk with Grana Padano cheese, butter and ground pepper. Ladle in bowls, arrange asparagus tips on top and serve.

Vino consigliato/*suggested wine:*
Bianco D.O.C. Vicenza

Adorabile asino

Oggetto di culto nell'antichità classica dell'oriente ed africana, l'asino era l'animale totem del dio egiziano Set e nella mitologia cinese era la magica cavalcatura di Chang-Kuo-lao, uno degli otto Immortali, che conduceva il suo padrone per centinaia di miglia e quando non serviva più, poteva essere docilmente ripiegato e riposto, come un piccolo pezzo di carta. Nella tradizione ebraica era chiamato *Homer*, che in origine indicava il peso che questo animale poteva portare; era animale da soma e da sella, cavalcatura privilegiata di patriarchi, giudici, re, profeti e personaggi di rilievo. Nella Bibbia gli fu riservata una parte importante poichè gli ebrei ritenevano che questo animale, fatto da Dio nel sesto giorno della creazione, era destinato ad apparire nei momenti più solenni della loro vita religiosa: famoso è l'asino di Balaam, che ebbe per primo il privilegio di vedere l'angelo che doveva parlare con il suo padrone e che poi servì ad Abramo per portare sul monte la legna destinata al sacrificio del figlio e che infine condusse nel deserto la moglie ed i figli di Mosè. Anche nei Vangeli l'asino compare più volte: riscalda Gesù nella grotta, lo trasporta durante la fuga in Egitto e quando entra trionfante in Gerusalemme nella Domenica delle Palme. I Romani trovarono in questa importanza riservata all'asino motivo di scherno contro ebrei e cristiani, nacque così la calunnia che i primi cristiani praticassero l'onanismo, adorando Gesù nell'aspetto di asino. Rappresentazioni di crocifissi con teste d'asino sono stati rinvenuti a Cartagine ed a Roma sul colle Palatino. I Romani del resto attribuivano a questo animale, pur fondamentale nella loro economia, un valore simbolico meno positivo: si ricordi la storia di Re Mida, che un giorno, osò disapprovare la vittoria di Apollo in una gara musicale contro Pan. Il Dio offeso lo punì facendogli crescere un paio di orecchie d'asino, che re Mida vergognoso nascose sotto una tiara. Solo il suo barbiere era a conoscenza del segreto, ma moriva dalla voglia di raccontarlo e così scavò una buca nella terra, vi infilò la testa e si sfogò lontano da tutti. Da questa buca nacquero però delle canne che, percosse dal vento, ripetevano con il loro stormire: "Re Mida ha le orecchie d'asino!", così che il segreto finì con l'essere noto a tutti.

The donkey was an object of worship in ancient times both in the Far East and in Africa. It was the animal of the Egyptian god Set and, according to Chinese mythology, the magical ride of Chang Kuo-lao, one of the eight Immortals. The donkey led his master for hundreds of miles and when it was no longer needed, it could be folded and stowed away like a little piece of paper. In the Jewish tradition the donkey was called Homer, *a name which originally indicated the weight this animal could carry. It was both a work and transport animal, preferred by patriarchs, judges, kings, prophets and people of prominence. In the Bible the donkey plays a prominent role because the Jews believed that this animal, created by God on the sixth day of creation, was to appear in the most solemn moments of their religious life. The donkey of Balaam is particularly famous: it was the first to have the privilege of seeing the angel who was speaking with his master, was then used by Abraham to carry wood for the sacrifice of his son and finally led Moses' children and wife into the desert. The donkey appears several times in the Gospels as well: it provides warmth for the infant Jesus, it carries him during the flight into Egypt and when he enters triumphantly into Jerusalem on Palm Sunday. The Romans found in the importance given to the donkey a reason to scorn Jews and Christians. The rumor was circulated that early Christians adored Jesus in the appearance of a donkey. Representations of crucifixes with donkey heads have been found in Carthage and Rome on the Palatine hill. Despite the importance of the donkey in Roman economy, the Romans also attributed to this animal a slightly negative symbolic value associated with King Midas. One day King Midas dared to disapprove of Apollo's victory in a music competition with Pan. The insulted god punished Midas by making a pair of donkey ears grow on his head, a shameful thing that King Midas hid under a tiara. Only his barber knew the secret, but was burning to tell someone. The barber thus dug a pit in the ground, put his head in it and let out the secret far away from everyone. From this hole, however, bamboo stalks grew and when the wind blew on them they would repeat: "King Midas has donkey ears!" The secret ended up being known to all.*

MOSTARDA VICENTINA

Alimento nato dalla necessità di conservare la frutta fuori stagione, la mostarda è una confettura di frutta candita, speziata con senape forte. Il suo nome deriva dal latino *mustus ardens*, che significa mosto ardente cioè piccante. Le prime notizie storiche di questo tipo di preparazione si hanno nella seconda metà del XV secolo nel *Libro de arte coquinaria* di Maestro Martino, cuoco del patriarca di Aquileia, che prescriveva di pestare la senape con frutta come uva passa, cannella e chiodi di garofano. Nel vicentino, la tradizione culinaria legata alla mostarda è antica e la particolarità di questo prodotto è legata alle mele cotogne, frutto tipico del Veneto, importato dalla Repubblica di Venezia dal Medio Oriente. La ricetta Vicentina, che a differenza di quella Cremonese prescrive la frutta solo in piccolissimi pezzi, sembra essere stata elaborata per la prima volta dalla famiglia Breganze, in un ricettario familiare del 1879. La polpa di mela cotogna, già ricca di pectine addensanti e gelificanti, viene fatta cuocere assieme ad un 40% di zucchero a 60°C per circa 45 minuti, quindi si lascia raffreddare, si mescola minutamente e si aggiunge la senape e una piccola quantità di frutta candita. La mostarda è di per sé un conservante e non ha bisogno di protezioni antimicrobiche, poichè spezie, mosto e senape hanno proprietà antibatteriche. La mostarda vicentina si presenta come una confettura opaca, abbastanza densa, di color giallo paglierino, contiene pezzi di frutta in percentuale non molto elevata; il sapore e l'odore sono molto forti, piccanti e acri ma il gusto è dolce e gradevole.

Mostarda *was born from the need to keep fruit out of season; it is a jam of candied fruit with spicy strong mustard. Its name derives from the Latin* mustus ardens, *meaning burning (spicy) must. The first historical news of* Mostarda *goes back to the second half of the fifteenth century. In the* Libro de arte coquinaria *by Maestro Martin, the chef of the patriarch of Aquileia, had a recipe in which mustard was beaten with fruit, raisins, cinnamon and cloves. In Vicenza, the culinary tradition tied to this ancient mustard is peculiar: this product is linked to the quince, a typical fruit of the Veneto, which was imported by the Republic of Venice from the Middle East. The recipe of Vicenza, which unlike that of Cremona prescribes only fruit in small pieces, seems to have been produced for the first time in the Breganze family, according to a family cookbook in 1879. The flesh of quince, already rich in gelling and thickening agents, is cooked with 40% sugar at 60 ° C for about 45 minutes, then allowed to cool, mixed thoroughly. To this mix mustard and candied fruit is added in small quantities. The mustard is in itself a preservative and does not need antimicrobial protection, as spices, wine and mustard have antibacterial properties.* Mostarda *of Vicenza is an opaque jam, fairly dense, pale yellow in color, it contains a low percentage of pieces of fruit, the taste and smell are very strong and spicy but the taste is sweet and pleasant.*

Costoletta di maiale col pien picantin

costolette di maiale con l'osso
Mostarda Vicentina
Grana Padano
farina bianca 00
uovo
pangrattato
burro
olio extravergine d'oliva
sale e pepe

Una costoletta di maiale può trasformarsi in una piacevole sorpresa se si provvede ad aprirla a libro e a farcirla con un cucchiaio di mostarda e delle scaglie di formaggio grana, richiudendola poi con degli stuzzicadenti o con del filo da cucina. Passarla quindi nella farina bianca, nell'uovo sbattuto e nel pangrattato e cuocerla a fuoco dolcissimo, in padella con olio e burro, salandola e pepandola a fine cottura e appoggiandola su un piatto coperto con carta assorbente.

Pork cutlet with spicy filling
A cutlet of pork can be a pleasant surprise if it is opened and stuffed with a tablespoon of spicy mustard and slivers of Grana cheese, then closed with toothpicks or kitchen string. Coat with flour, a beaten egg and breadcrumbs and cook over a gentle fire, in a pan with oil and butter; add salt and pepper when done; place on a plate covered with paper towels.

Vino consigliato/*suggested wine:*
Cabernet D.O.C. Colli Berici

MIELI DELL'ALTOPIANO DI ASIAGO

Tutto ebbe inizio in un'epoca lontana quando i Cimbri provenienti dal nord, scelsero come terra promessa un'area di montagna che si estendeva tra la pianura veneta e il nord Europa e che oggi è chiamata Altopiano di Asiago, o dei Sette Comuni. Qui i Cimbri si insediarono, conservando intatte per secoli le loro tradizioni, la loro lingua e soprattutto l'arte di saper ricavare dalla natura alimenti ed utensili: producevano un ottimo formaggio, lavoravano la lana e ottenevano dai fiori e dai frutti mieli e confetture squisite. Da secoli presente e integrata perfettamente nel sistema economico locale, l'apicoltura sull'altopiano di Asiago dà infatti ottimi frutti, grazie alla presenza di numerosissime specie floreali e all'aria fresca e pulita. Le api sono infatti molto sensibili all'inquinamento, tanto che anche sull'altipiano le arnie vengono portate in zone periferiche poco contaminate per la raccolta del nettare. Una volta concluso il periodo di fioritura delle piante, si procede alla smielatura: i favi, tagliati gli opercoli che li sigillano, vengono messi in un'apposita macchina che, tramite centrifugazione, fa fuoriuscire il miele. Questo viene filtrato, anche più volte, per togliere i residui di cera e quindi lasciato decantare per 4-5 giorni, dopo di che è pronto per l'invasettatura. E' consigliato il consumo entro 3 anni dalla produzione, anche se l'elevata componente zuccherina del miele funge da conservante naturale. I Mieli dell'Altopiano di Asiago presentano differenti caratteristiche organolettiche in base alle diverse varietà di fiori da cui l'ape ha succhiato il nettare: il miele di tarassaco, che è la prima dominante fioritura dell'anno, ha profumo intenso e colore giallo-oro come il fiore da cui proviene; cristallizza facilmente e ha un particolare gusto dolce-amarognolo; il miele di Millefiori, ricavato dagli oltre 1500 tipi di fiorellini del fieno, si presenta di colore bruno con riflessi rossicci, abbastanza trasparente; rimane liquido fino ai primi freddi ed ha un sapore gradevole e delicato; infine, ultima produzione stagionale dell'altopiano, il miele di Alta Montagna che, contenendo anche una percentuale di melata di abete, presenta un colore ambrato scuro ed un sapore intenso, molto pregiato. E' importante sapere che la cristallizzazione è un processo naturale e un segno di genuinità; riscaldato il miele torna liquido, ma oltre i 40° C gli enzimi, le vitamine e gli altri principi attivi in esso contenuti vengono danneggiati: è pertanto consigliabile non aggiungerlo mai a bevande bollenti.

It all began in an era when the Cimbri from the north chose as their "promised land" a mountainous area that stretched between the Veneto plain and northern Europe. Today it is called the Asiago plateau, or the Seven Municipalities. Here the Cimbri settled, preserving their traditions, their language and especially the art of obtaining food and nature. They produces great cheese, they worked the wool and obtained delicious honeys and jams from flowers and fruit. For centuries apiculture has flourished in the Asiago plateau thanks to the numerous species of flowers and the pure fresh air. Bees are very sensitive to pollution, so that even in Asiage hives are carried to non-contaminated areas just to collect the nectar. Once the plants have flowered, the process of extracting honey begins: the seal of the honeycombs is cut and they are placed in a machine that, by centrifugation, expels the honey. It is filtered, several times to remove residual wax, and then it sits for 4-5 days, after which it is ready to be put in jars. It should be consumed within three years although the high sugar content of honey acts as a natural preservative. The honeys from Asiago have different characteristics due to different varieties of flowers from which the bee has sucked the nectar: dandelion honey, which is the first flowering of year, and has an intense yellow-gold color as the flower from which it comes; it crystallizes easily and has a particular bitter-sweet taste; millefiori honey, derived from over 1,500 kinds of hay flowers, it is brown with some reddish hues, fairly transparent; it remains liquid until the first cold sets in and has a pleasant and delicate taste; finally, the last production of the Asiago season, is the High Mountain honey that also contains a proportion of spruce sap, has a dark amber color and an intense precious flavor. It is important to know that crystallization is a natural process and a mark of genuineness; when heated honey becomes liquid again, but if heated over 40° C the enzymes, vitamins and other active ingredients contained in it are damaged: it is therefore advisable not to add to hot drink.

Fiorentine farcite

150 gr di burro
150 gr di zucchero semolato
45 gr di miele d'acacia dell'altopiano di Asiago
45 gr di panna liquida
50 gr di mandorle tritate finemente
50 gr di mandorle tagliate a filetto
50 gr di mandorle tritate grossolanamente
35 gr di scorza d'arancia candita tritata
25 gr di scorza di cedro candita tritata

20 gr di farina bianca 00
½ bastoncino di vaniglia
cioccolato di copertura per la glassatura
sale

Mettere in una casseruola il burro, lo zucchero, il miele e la panna e cuocere il tutto fino a quando il composto preso tra due dita immerse in acqua fredda formerà un filo sottile. Unire le mandorle, il cedro e l'arancia canditi, la farina, la vaniglia e un pizzico di sale; cuocere fino a che il "masso" non si stacchi dalle pareti del recipiente. Dividere l'impasto in 25 mucchietti uguali e disporli su una placca con carta da forno. Cuocere in forno già caldo a 200°C. A fine cottura lasciar raffreddare quindi immergere la base di ogni biscotto nel cioccolato di copertura e lasciar raffreddare e rapprendere.

Honey almond cookies
In a saucepan put 150g butter, 150g sugar, 45g honey and 45g cream and cook until the mixture taken between two fingers dipped in cold water form a thin line. Add 50g finely chopped almonds, 50g sliced almonds and 50g coarsely chopped almonds, 25g citron zest, 35g candied orange zest, 20g flour, ½ stick vanilla and a pinch of salt, cook until the dough does not stick to the bowl. Divide the dough into 25 equal parts and place on a sheet lined with wax paper. Bake in a 200°C preheated oven. At the end of cooking allow to cool, then dip the base of each cookie in melted chocolate to cover and let cool.

Vino consigliato/*suggested wine:*
Torcolato di Breganze D.O.C.

Ricotta al miele dell'altopiano con salsa di more

un cestino di more
2 cucchiai di zucchero di canna
2 cucchiai di ricotta fresca di mucca
1 cucchiaio di miele di acacia
2 cucchiai di yogurt greco o yogurt denso cremoso

Far cuocere le more con lo zucchero in un pentolino (meglio se antiaderente) a fuoco medio per circa 10 minuti o fino a quando non si ottiene uno sciroppo denso. Non aggiungere acqua perchè basta il liquido rilasciato dai frutti. Nel frattempo lavorare la ricotta con il miele di acacia e lo yogurt fino ad ottenere una crema morbida. Riempire con questa crema una coppetta da dolce e far riposare per qualche minuto in frigorifero. Accompagnare con la salsa di more appena tiepida.

Honey Ricotta with blackberry sauce from Asiago
Cook 1 basket of blackberries with 2 tablespoons brown sugar in a pan (preferably non-stick) on medium heat for about 10 minutes or until you get a thick syrup. Do not add water – let cook in liquid released from the fruits. Meanwhile mix 2 tablespoons ricotta with 1 tablespoon acacia honey and 2 tablespoons of greek yogurt until you get a soft cream. Fill a small mould (similar to the ones you would use for crème caramel) with this cream and let stand for a few minutes in the refrigerator. Accompany with the sauce still slightly warm.

Vino consigliato/*suggested wine:*
Durello Passito D.O.C.

Lune di miele

Fu probabilmente imitando il comportamento degli orsi che l'uomo scoprì il miele: un graffito rinvenuto in Rhodesia e risalente a trentacinquemila anni fa rappresenta un uomo che scaccia le api per sottrarre i favi. La caccia alle api selvatiche fu infatti il metodo più diffuso per trovare il miele fino a che non si cominciarono a costruire le prime rudimentali arnie, circa 7-8000 anni fa. Di li a poco gli apicoltori egiziani cominciarono a spostarsi lungo il Nilo per seguire la fioritura delle piante e presso i Babilonesi il furto del miele dall'arnia venne punito con severe pene dal famoso Codice di Hammurabi (1792-1750 a.C.). Da sempre ritenuto di gran valore, il miele (la parola deriva dall'ittito *melit*, che significa molle, morbido, piacevole) in Grecia era il cibo degli dei mentre a Roma era quello degli imperatori: Ottaviano Augusto diceva che il segreto della sua lunga vita era "miele dentro e olio fuori". In effetti le proprietà terapeutiche attribuite al miele dai popoli antichi sono state quasi tutte confermate dalla scienza moderna: potentissimo dolcificante, il miele è un ottimo ricostituente, contiene enzimi, microelementi (bario, argento, palladio, cadmio, titanio) e sostanze ipotensive e anticoagulanti. Fondamentale soprattutto nella nutrizione dei lattanti, non provoca acidità dell'intestino, contraria la forte fermentazione ed infine i suoi liberi acidi aiutano ad assorbire e metabolizzare i grassi. Ingerito in soluzione acquosa cura l'indigestione e le malattie infettive gastroenteriche; anticamente era infatti utilizzato nella terapia delle gastriti e delle ulcere gastroduodenali per le sue proprietà antibatteriche, utili anche sulle abrasioni e per alcune malattie dermatologiche. Non comprovate sono le presunte proprietà afrodisiache, ma il termine "luna di miele" per indicare il primo periodo dopo le nozze sembra confermarle: il modo di dire risale ai babilonesi, e deriva dal fatto che per tutto il mese il suocero aveva l'obbligo di rifornire il genero del liquido d'oro affinché fosse stimolato e sostenuto nelle fatiche amorose!

It was probably by imitating the behavior of bears that man discovered honey: a graffito found in Rhodesia and dating back 35,000 years shows a man driving bees from hives in order to extract the honeycombs. Hunting wild bees was in fact the most popular method to find honey until the first rudimentary hives were built (about 7000-8000 years ago). Soon Egyptian beekeepers began to move down the Nile to follow the flowering of plants. The Babylonians punished the theft of honey from the hive with harsh penalties found in the famous Hammurabi Code (1792-1750 BC). Considered of great value, honey (the word derives from the Hittite melit*, which means soft and pleasant), was the food of the gods in Greece, while in Rome it was that of emperors: Octavian Augustus said that the secret of his long life was "honey on the inside and oil on the outside." In fact, the therapeutic properties attributed to honey by ancient peoples have almost all been confirmed by modern science: a powerful sweetener, honey is an excellent tonic, contains enzymes, trace elements (barium, silver, palladium, cadmium, titanium) and relaxing substances and anticoagulants. Important especially for the nutrition of infants, it does not cause acidity of the intestine, it fights fermentation, and finally its free acids absorb and metabolize fats. Diluted in water it helps indigestion and gastro-infectious diseases. In ancient times it was used to treat gastritis and gastric ulcers for its antibacterial properties. It helped on abrasions and to treat some skin diseases. It is not proved that it has aphrodisiac properties, but the term "honeymoon" used to indicate the period following the wedding ceremony seems to confirm an ancient belief. In fact, the Babylonians had a ritual in which the father was obliged of supply his son-in-law with the liquid gold so that it would give him strength for the labors of love!*

GRAPPA VENETA

La distillazione delle vinacce è cominciata nel Veneto tra il 1200 e il 1300 quando Venezia era un importante mercato di acquavite, esportata in Germania e Oriente come rimedio contro la peste e la gotta. L'uso della grappa era essenzialmente terapeutico e la sua produzione riservata ai farmacisti, ai medici e agli alchimisti. Nel 1800 il ricercatore Emilio Comboni contribuì al miglioramento qualitativo di questo distillato perfezionando l'alambicco a fuoco diretto, la caldaia in cui vengono distillate le vinacce: il vapore che si sprigiona dalla loro cottura viene raccolto e portato allo stato liquido attraverso una tubatura. Questo procedimento di condensazione ha in realtà origini povere, probabilmente nacque dalla necessità di sfruttare ulteriormente le vinacce, il materiale di scarto della produzione del vino, altrimenti destinate a concimare il terreno. Quindi la grappa veniva prodotta un pò ovunque: dai maestri distillatori che, con un alambicco sul carretto, giravano per le cascine in cerca di vinacce, o nelle case contadine, nei calieri di rame della polenta. Ingrediente fondamentale dell'aperitivo agricolo e del grigioverde con la menta, offriva ristoro dal freddo e sostegno alla fatica; in caso di febbre veniva servita con il latte caldo per favorire abbondanti sudate e poteva essere usata anche come primitiva anestesia per i bambini che si toglievano i dentini da latte.

The distillation of pomace began in the Veneto region between 1200 and 1300 when Venice was an important market for spirits, which was exported to Germany and to the Orient as a remedy for fever and gout. The use of grappa *was essentially therapeutic, and it was produced mainly by pharmacists, physicians and alchemists. In the 19th the researcher Emilio Comboni contributed to the improvement of the quality of this distilled liqueur by perfecting the direct fire alembic, the boiler in which the crushed grape skins were distilled: the steam it gives off is collected and then liquefied in a pipe where it condenses. This ingenious process of condensation was actually born out of necessity, probably from the need to further exploit the grape skins resulting from wine production, otherwise used to fertilize the soil. Hence in the past* grappa *was produced almost everywhere: master distillers with alembics on their carts would go from farm to farm in search of pomace. An essential ingredient of agricultural drinks and of* grigioverde *with mint, it offers respite from the cold and an extra kick when under stress; in case of fever it was served with hot milk to promote abundant sweating and could also be used as primitive anesthesia for children losing their first teeth.*

Frittelle di semolino (ricetta veneta per carnevale)

1 l di latte fresco intero
250 gr di semolino
5 uova
scorza di 1 limone e 1 arancia biologici
5 cucchiai di zucchero
50 gr di burro
100 gr di farina 00
50 gr di uvetta
30 gr di pinoli
1 bicchierino di grappa Veneta
olio di semi di arachidi per friggere, sale

Far bollire il latte e versarvi a pioggia il semolino. Cuocere per circa 3 minuti sempre mescolando, quindi lasciar intiepidire. A parte montare a neve i 5 albumi con un pizzico di sale. Alla polentina di semolino unire i 5 tuorli, le scorze grattugiate del limone e dell'arancia, lo zucchero, il burro, la farina, la grappa, l'uvetta e i pinoli. Mescolare bene tutto poi lentamente aggiungere gli albumi montati. Friggere le frittelle, buttando l'impasto a cucchiaiate in olio di semi di arachidi ben caldo e quando sono dorate sgocciolarle, farle asciugare su carta assorbente e spolverizzarle di zucchero. Servirle ancora calde.

Semolina fritters (Venetian carnival recipe)
Boil 1 lt of fresh whole milk and pour 250g semolina in a steady flow. Cook for about 3 minutes stirring, then let cool. Beat 5 egg whites with a pinch of salt. Add 5 egg yolks, lemon and orange zest, 5 tablespoons sugar, 50g butter, 100g flour, 1 small glass of grappa Veneta, 50g raisins and 30g pine nuts. Mix everything well then slowly add the egg whites. Fry the fritters, dropping the dough in spoonfuls into hot peanut oil and when they are golden, drain them, dry them on absorbent paper and sprinkle with sugar. Serve warm.

Vino consigliato/suggested wine:
Recioto di Gambellara passito D.O.C.

Il mistero del Grappa

Come sia nata la grappa di preciso non lo sa nessuno; i veneti sostengono che i Burgundi, attraversando quelle terre nel VI secolo d.C., si dettero alla distillazione, ma questo è difficile da provare anche se l'etimologia della parola "grappa" sembra sostenere la pista tedesca: il termine ha infatti origine dalla radice germanica *krap* che significa uncinato, adunco e da cui derivano, "aggrappare", "grappolo" e "raspo". Alla veneta *graspa*, possono essere collegati anche la trentina *brasca* e l'emiliana *brusca*, che in dialetto significano vinaccia ;in Friuli, oltre alla *trapa* si trova anche la *sgnape,* che richiama il tedesco *snaps.* Irrisolta invece rimane la questione del presunto legame con il Monte Grappa, in passato chiamato anche Alpe Madre. L'origine del suo nome è incerta e forse l'omonimia col locale distillato è casuale ma su quel monte l'acquavite veneta si sposò alla storia, confortando i giovani combattenti di tutta Italia durante le due disastrose guerre che si susseguirono sulla sua cima. Emblema di questo legame è oggi il palladiano Ponte Vecchio di Bassano del Grappa, che, distrutto dalle truppe naziste in ritirata, fu ricostruito dagli alpini nel 1947 (da allora è chiamato Ponte degli Alpini) e dove si trovano tutt'oggi due delle più antiche e famose distillerie della zona.

Nobody really knows how grappa was born. The Veneti claim that the Burgundians started to distill it when they passed through the lands in the 700s, but this is difficult to prove even though the etymology of the word grappa *seems to confirm a Germanic origin: the term derives from the Germanic root* krap *which means hooked and from which the words* aggrappare *(to cling),* grappolo *(grape bunch) and* raspo *(small bunch of grapes) derive from. The Venetian word* grappa *may also be connected to the Trentino word* brasca *and the Emilian word* brusca, *which in local dialect means pomace, in Friuli, in addition to* trapa *there is also the word* sgnape, *which recalls the German* schnaps. *The question of the alleged link with Monte Grappa, which in the past was known as the Mother Alp, remains unresolved. The origin of its name is uncertain, and perhaps the fact that it has the same name as the local brandy is a coincidence but* grappa *is historically tied to this mountain, in that it comforted young soldiers from across Italy during the two disastrous wars which played out on it. The symbol of this story is the Ponte Vecchio of Bassano del Grappa, which was destroyed by Nazi troops in retreat and rebuilt by the Alpini in 1947 (since then it has been called Ponte degli Alpini) and where there are still two of the most ancient and famous distilleries of the area.*

TREVISO

Ala de capon, culo de castron e tete de massara,
xè una cossa rara

Chi magna fala, e chi beve ciapa la bala

Ala di cappone, culo di castrone e tette di massaia sono cose rare
Wings of a capon, butt of a castrata, and breasts from an old lady are rare things.

Chi mangia fa indigestione e chi beve si ubriaca
Those who eat get indigestion and those who drink get drunk

Perché siamo

di Andrea Zanzotto

Perché siamo al di qua delle alpi
su questa piccola balza
perché siamo cresciuti tra l'erba di novembre
ci scalda il sole sulla porta
mamma e figlio sulla porta
noi con gli occhi che il gelo ha consacrati
a vedere tanta luce ed erba

Nelle mattine, se è vero,
di tre montagne trasparenti
mi risveglia la neve;
nelle mattine c'è l'orto
che sta in una mano
e non produce che conchiglie,
c'è la cantina delle formiche
c'è il radicchio, diletta risorsa
profusa alle mie dita,
a un vento che non osa disturbarci

Ha sapore di brina
la mela che mi diverte,
nel granaio s'adagia un raggio amico
ed il vecchio giornale di polvere pura;
e tutto il silenzio di musco
che noi perdiamo nelle valli
rende lento lo stesso cammino
lo stesso attutirsi del sole
che si coglie a guardarci .
che ci coglie su tutte le porte.

O mamma, piccolo è il tuo tempo,
tu mi vi porti perch'io mi consoli
e là v'è l'erba di novembre,

là v'è la franca salute dell'acqua,
sani come acqua vi siamo noi;
sana azzurra sostanza
vi degradano tutte le sieste
cui mi confondo e che sempre più vanno
comunicando con la notte
Né attingere al pozzo né alle alpi
né ricordare come tu non ricordi:
ma il sol che splende come cosa nostra,
ma sete e fame all'ora giusta
e tu mamma che tutto
sai di me, che tutto hai tra le mani.

Con la scorta di te e dell'erba
e di quella lampada precaria
di cui distinguo la fine,
sogno talvolta del mondo e guardo
dall'alto l'inverno del nord.

"Because we are" by Andrea Zanzotto

Because we are on this side of the Alps/ on this small hump/ because we grew up among/ November grass/ the sun warms us at the door/ mother and son at the door/ our eyes that frost has consecrated/ to see such light and grass/ In the mornings, if it is true,/ snow of three transparent mountains/ awakens me;/ in the mornings the vegetable garden/ which fits in one hand/ and only produces shells,/ the ant cellar,/ the radicchio, beloved resource/ profuse in my fingers,/ a wind that dares not disturb us/ The apple I enjoy tastes like frost,/ in the barn a friendly ray gently lies down/ and the old newspaper of pure dust;/ and all the silence of musk/ that we lose in the valleys/ slows down our walks/ as well as the cushioning of the sun/ which catches us looking at each other/ which catches us at all doors./ O mother, little is your time,/ You bring me there so I will find solace/ there is the November grass,/ there the honest health of the water,/ there we are healthy as water;/ sound blue substance/ all siestas are degraded/ siestas which confound me and that more and more/ communicate with night/ Neither drawing from the well nor from the Alps/ nor remembering as you don't remember:/ but the sun that shines like ours,/ but thirst and hunger at the right time/ and you Mother, who everything/ know of me, who everything hold in your hands./ With you and the grass as companions/ and the precarious lamp/ whose end I foresee,/ sometimes I dream of the world and look/ down upon the winter of the north.

RADICCHIO ROSSO DI TREVISO

Il radicchio rosso di Treviso (*Cichorium intybus*),la più prelibata delle cicorie e padre di tutte le altre varietà, ha un'origine incerta: sia testi romani sia testi cinquecenteschi parlano di lattughe venete rosse, spontanee, ma la tecnica di forzatura, necessaria per ottenere il prodotto che conosciamo oggi, sembra sia nata alla metà del XVI secolo in provincia di Treviso, presso Dosson, anche se i documenti la nominano solo a partire dalla seconda metà dell'800. Questo processo fu poi perfezionato dall'olandese Van den Borren, progettista di parchi e giardini che sperimentò sul radicchio veneto le tecniche utilizzate per l'imbianchimento dell'indivia belga. Oggi il radicchio di Treviso viene seminato in estate su terreni argillosi dove, con l'abbassamento della temperatura, cambia gradatamente colore dal verde intenso, a volte screziato di rosso, al rosso vinoso. La varietà precoce viene raccolta verso la metà di settembre, mentre quella tardiva a metà novembre. Entrambe vengono messe in ampie vasche coperte dove scorre sulle radici l'acqua sorgiva di pozzi artesiani alla temperatura costante di 17 gradi. Ciò permette la forzatura, ossia la produzione di nuovi germogli che, in assenza di luce, hanno pochi pigmenti verdi e perdono la consistenza fibrosa, diventando croccanti e amarognoli. Dopo otto, dieci giorni, i mazzi vengono portati in stalla e tenuti su un letto di segatura o paglia, per altri due giorni, in modo che portino a termine la maturazione e si asciughino. A questo punto si tolgono le foglie marcite esterne, si pela la radice, si lava e si mette in cassetta. È quindi la forzatura-imbianchimento a dare al radicchio le sue famose caratteristiche: cespo allungato, foglie rosso intenso con costola bianca, sapore amarognolo e consistenza croccante. Dal punto di vista nutrizionale, il radicchio di Treviso è ricco di sali minerali e di antocianine, di vitamine A, C, B1, B2 e PP. Ideale nelle diete e coadiuvante nella diuresi, ha proprietà lassative, facilita la digestione, la funzione epatica e stimola la secrezione biliare. La radice può essere bollita e anche se un po' amara ha un meraviglioso potere depurante per il sangue, come pure l'acqua della bollitura. Il suo succo viene utilizzato in cosmesi per produrre preparati per la pelle irritata. Il radicchio può essere conservato alcuni giorni in frigorifero prima del suo consumo, avendo però l'accortezza di mantenere le foglie asciutte per evitare che perdano le vitamine.

Red Radicchio of Treviso (Cichorium intybus), *the most delicious of chicory and father of all the other varieties, is of uncertain origin: both Roman texts and texts dating from the sixteenth century mention wild Venetian red lettuce, but the technique of* forzatura *(forcing it), which is necessary to obtain the product that we know today, seems to have been born in the mid-sixteenth century in the province of Treviso, near Dosson, even if documents only mention this technique starting in the second half of the nineteenth century. This process was later refined by the Dutchman Van den Borren, a designer of parks and gardens, experimented on radicchio Veneto, applying techniques used to bleach the Belgium endive. Today, Treviso radicchio is sown in summer in clay soils where, as autumn temperatures decrease, it gradually changes color from green, sometimes mottled with red, to a reddish wine color. The early variety is harvested in mid-September, while the later variety is harvested in mid-late November. Both are placed in large covered tanks in which spring water at a constant temperature of 17 degrees Celsius flows over the roots. This allows the* forzatura, *production of new shoots that in the absence of light lose their green pigment as well as their fibrous consistency becoming crisp and bitter. After eight to ten days, the bundles are brought indoors and kept on a bed of sawdust or straw for another two days to finish maturing and to dry. Then you remove the rotted external leaves, you peal the root, wash it and put in crates. It is thus the forced bleaching that gives the radicchio its famous characteristics: elongated head, deep red leaves, white ribs, slightly bitter flavor and crispy texture. From the nutritional point of view, the radicchio of Treviso is rich in minerals and antocianine, of vitamins A, C, B1, B2 and PP. A perfect diet food and helpful for diuresis, it has laxative properties, facilitates digestion and liver function, and stimulates bile secretion. The root can be boiled and even if it's a little bitter it has a wonderful power for purifying the blood, as does the water in which it was boiled. Its juice is used to produce cosmetic preparations for irritated skin. The radicchio can be stored in the refrigerator several days before its consumption, but you should keep the leaves dry to prevent loss of vitamins.*

Torta fior d'inverno

150 gr di radicchio tardivo di Treviso
3 uova
200 gr di amaretti
90 gr di zucchero a velo
30 gr di farina bianca 00
30 gr di fecola di patate o maizena
1 bustina di lievito per dolci

Per la crema:
500 ml di latte
vanillina
buccia di limone biologico
3 tuorli d'uovo
200 gr di zucchero
60 gr di farina
40 gr di cacao in polvere
100 gr di panna montata
1 bicchierino di Amaro di Treviso
8 gr di colla di pesce

Sbriciolare gli amaretti in una ciotola e unirvi il radicchio affettato sottile. Montare i rossi delle uova con lo zucchero fino ad ottenere un composto bello gonfio, unire la farina setacciata assieme alla maizena e al lievito in polvere, mescolando con un cucchiaio di legno. Incorporare quindi il radicchio e gli amaretti. Montare gli albumi delle uova con un pizzico di sale e unirli al composto di radicchio, con movimenti dall'alto verso il basso e viceversa. Cuocere in forno caldo a 180°C per 25 minuti circa, fino a che infilando uno stuzzicadente al centro della torta, questo ne esca asciutto. Togliere quindi dal forno e lasciar raffreddare. Preparare la crema pasticcera al cioccolato: bollire il latte (tenendone da parte un goccio per dopo) con un pizzico di vanillina e una scorzetta di limone (solo la parte gialla). In una ciotola battere con la frusta i rossi d'uovo con lo zucchero, la farina, il cacao in polvere e il goccio di latte freddo. Quando il latte bolle versarlo sul composto, mescolando velocemente con la frusta. Rimettere nella pentola e portare il tutto di nuovo a bollore per un minuto, mescolando continuamente. Mettere la colla di pesce in ammollo in acqua fredda; in un pentolino scaldare l'amaro di radicchio, lasciando bruciare l'alcool, aggiungere poi la colla di pesce strizzata dall'acqua e farla sciogliere mescolando bene. Quindi aggiungere e amalgamare tale composto alla crema tolta dal fuoco. Lasciar raffreddare con dello zucchero semolato cosparso sopra per evitare il formarsi della pellicina. Montare la panna. Prendere circa

300 grammi dalla crema al cioccolato raffreddata, sbatterla con un cucchiaio di legno e unirvi la panna molto delicatamente. Tagliare in due la torta e farcirla, se avanza crema distribuirla sul secondo disco con l'aiuto di una tasca da pasticcere. Mettere in frigo 4-5 ore

Flower of the Winter cake
Crumble 200g amaretti in a bowl and add 150g of sliced late-harvest radicchio. Beat 3 egg yolks with 90g of icing sugar until you have a fluffy mixture, combine 30g of sifted flour with 30g potato starch and 1 packet of cake yeast, stirring with a wooden spoon. Then add the radicchio and amaretti. Beat 3 egg whites with a pinch of salt and add them to the radicchio mixture, stirring first from top to bottom and then vice versa. Bake at 180°C for 25 minutes or until a toothpick inserted in the center of the cake comes out dry. Then remove from oven and cool. Prepare the chocolate pastry cream: boil 500ml milk (keep a little for later) with a hint of vanilla and a bit of lemon zest (yellow part only). In a bowl whip 3 egg yolks with 200g sugar, 60g flour, 40g cocoa powder and a drop of cold milk. When the milk boils pour it into the bowl, stirring rapidly with whisk. Replace the pot on the heat and bring it back to boil for one minute, stirring constantly. Put 8g isinglass (gelatin) to soak in cold water; in a small pan heat the Radicchio Amaro liqueur and let the alcohol burn off, then add the isinglass from which excess water has been squeezed and dissolve by mixing well. Mix this sauce to the cream. Let cool after having sprinkled with sugar to prevent the formation of a thin film. Whip 100g of heavy cream. Take about 300g of the cooled chocolate cream, beat with a wooden spoon and add the whipped cream very gently. Cut the cake in two and fill it with the chocolate cream; if there is leftover filling spread it on the second disk with the help of a pastry bag. Refrigerate 4-5 hours.

Vino consigliato/*suggested wine:*
Cartizze di Valdobbiadene D.O.C.

Leggendario Radicchio

Secondo la leggenda fu un uccellino a depositare i semi del radicchio rosso sul campanile di Dosson, affinchè i frati se ne occupassero, ma i semi non bastavano per ottenere il più pregiato e ricercato degli ortaggi invernali, era necessario scoprire la tecnica della forzatura, e allora la tradizone popolare racconta:"qualche contadino della zona, un inverno portò a casa dei radicchi di campo ammassati in un carrettino. I radicchi furono dimenticati in un angolo finché una sera, durante il filò, uno della famiglia avvicinatosi al carrettino, estrasse dal mucchio una piantina e, tolte le foglie esterne ormai appassite e guaste, si trovò fra le mani con sua grande sorpresa un bel radicchio dal cuore sano". Forse non andò proprio così ma di sicuro queste tecniche si svilupparono a partire dall'antica necessità dei contadini di conservare più a lungo possibile nei periodi invernali il radicchio prodotto nei campi. Il "fiore che nasce dalle acque d'inverno", come viene anche poeticamente chiamato, è così popolare che è finito persino in orbita, i suoi semi infatti assieme a quelli del Variegato di Castelfranco erano sullo Shuttle nella missione del 1998, nell'ambito del progetto Sem della Nasa, mirato alla sperimentazione degli effetti della microgravità sui semi e sulle piante.

According to legend it was a bird who deposited the seeds of red radicchio on the church bell tower of Dosson, while the monks were in the tower. But the seeds were not enough by themselves to get the most prized and sought after winter vegetable, it was necessary to discover the forzatura technique. Tradition tells us: "some peasants of the area brought home a cart piled up with radicchios. The radicchios were forgotten in the corner until one evening, during a group work session, one of the family passed by the cart, pulled a plant out of the pile, and removed the outer leaves that were by now dry and broken. He found in his hands to his surprise a beautiful radicchio heart, sound and healthy. Perhaps it did not go exactly like that but for sure the technique developed because of the needs of farmers to keep his winter radicchios as long as possible. The "flower that springs from the water in winter", as it is poetically called, is so popular that it has even been in orbit around the earth, as its seeds along with those of Radicchio Castelfranco Variegato were on a Space Shuttle mission in 1998, as part of NASA's Project Sem aimed at testing the effects of micro gravity on plants and seeds.

ASPARAGO BIANCO DEL SILE

L'asparago *(Asparagus officinalis)*, arriva da molto lontano, forse dall'antica Mesopotamia, la terra racchiusa fra il Tigri e l'Eufrate. Passando per la fertile Valle del Nilo, si diffuse un po' in tutto il bacino del Mediterraneo, inizialmente per le sue proprietà medicamentali, poi in epoca romana come specialità gastronomica.. Il nome ha origine dal greco *asparagos*, derivato dal termine persiano *cperegh*, che significava punta o dentello o forse dal sanscrito, antico idioma dell'India, in cui si trova una parola analoga che esprime il concetto di "gonfiare" e "germogliare". In Veneto la coltivazione di questo prezioso ortaggio risale alla conquista dell'area da parte dei Romani ed è giunta ai giorni nostri grazie alle amorevoli tradizioni perpetuate nei monasteri; tuttavia le prime notizie certe della sua coltivazione si trovano in registrazioni di acquisto effettuate per conto dei dogi veneziani nella prima metà del '500. Amante dei suoli sabbiosi e limosi di origine alluvionale, l'asparago nel trevigiano ha trovato il suo habitat ideale vicino ai territori dei fiumi Dese, Zero e Sile, che gli conferiscono caratteristiche organolettiche uniche. La coltivazione dell'asparago è piuttosto complessa: il terreno va preparato nell'autunno precedente l'impianto della asparagiaia che, concimata e lavorata con le dovute cure, comincerà a dare i suoi frutti dal terzo anno. La raccolta dei giovani germogli, chiamati turioni, effettuata nei mesi primaverili, avviene tramite un coltello apposito detto *sgorbia* o *sgubia*. Legati in mazzi e pronti per la vendita gli asparagi presentano una colorazione bianco-avorio con eventuale sfumature rosa e una punta non totalmente compatta. II loro sapore fine e delicato rappresenta un'irresistibile ghiottoneria e proprio per assaporarlo al meglio è consigliabile usare sempre asparagi freschi, al massimo conservati in frigorifero per qualche giorno, ben avvolti in un panno umido, e cucinarli a vapore, in modo da ridurre al minimo il rischio di perdita dei valori nutritivi. L'asparago é infatti ricco di patrimonio vitaminico e minerale (vitamine R-B-C, ferro, calcio e fosforo), ha proprietà depurative e diuretiche e contrasta le situazioni d'astenia (sia fisica che mentale), l'anemia, l'artrite, le malattie cardiovascolari, i reumatismi. Combatte la ritenzione idrica ed è ricco di acqua e fibre, per questo viene indicato nelle diete dimagranti.

The asparagus officinalis *comes from far away, perhaps Mesopotamia, the land between the Tigris and Euphrates rivers. Imported into the fertile Nile Valley, it spread little by little around the Mediterranean, initially as medication, then in Roman times as a culinary specialty. The name originates from the Greek* asparagos, *derived from Persian word* cperegh *which meant tip or stamp or perhaps from Sanskrit, an ancient language of India, where there is a similar word that expresses the concept of "inflating" and "sprout". In the Veneto, the cultivation of this valuable vegetable goes back to the conquest by the Romans, with techniques carried to the present day thanks to the traditions perpetuated in monasteries. The first documentation of its cultivation is found in records of purchase on behalf of Venetian Doges in the early 1500s. Lover of sandy and loamy soils of alluvial origin, asparagus in Treviso has found its ideal habitat in areas near the rivers Dese, Zero and Sile, giving it unique characteristics. The cultivation of asparagus is quite complex: the soil must be prepared before planting in the autumn, and with fertilizers and due care, will begin to bear fruit the third year. The collection of the young shoots, called* turioni, *is conducted in spring, with a special knife called a* sgorbia *(gouge). The asparagus are tied in bundles when ready to sell, a white and ivory color with shades of pink and a tip that is not completely hard. Their fine and delicate flavor is an irresistible delicacy, and to sample it at its best one should use fresh asparagus, stored in the refrigerator for at most a few days, well wrapped in a damp cloth. Cook should always be with steam so as to reduce to minimize the risk of loss of nutritional value. Asparagus is rich in vitamins and minerals (RBC vitamins, iron, calcium and phosphorus), has diuretic and depurative properties and helps with fatigue (both physical and mental), anemia, arthritis, cardiovascular disease, and rheumatism. It also combats water retention and is rich in water and fiber, so it is often used for slimming diets.*

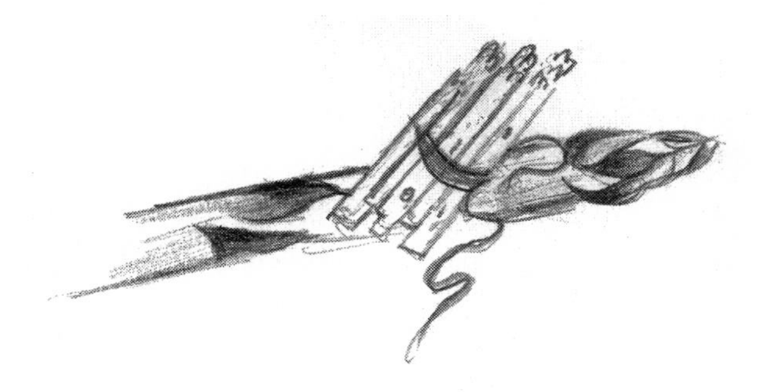

Torta di asparagi bianchi del Sile

1 mazzo di asparagi bianchi del Sile
250 gr di mascarpone
250 gr di ricotta
150 gr di biscotti secchi
100 gr di zucchero
100 gr di burro
3 uova
1 bustina di vanillina
1 cucchiaio di farina bianca
Sbriciolare i biscotti mettendoli in un mixer e aggiungere il burro sciolto a fuoco dolcissimo.In una tortiera a cerniera versare il composto di biscotti e burro e con l'aiuto di un cucchiaio premere bene, in modo da formare una bella base. Mettere in frigo. Lessare gli asparagi al dente, dopo averli pelati con un pelapatate ad archetto e pareggiati tagliando le parti più dure (tenere qualche punta per la decorazione), quindi lasciarli raffreddare. Preparare la crema montando bene i tuorli con lo zucchero; poi amalgamare la ricotta, il mascarpone e infine la farina setacciata assieme alla vanillina. Tagliare a pezzettini gli asparagi e incorporarli alla crema. Montare a neve ben ferma gli albumi con un pizzico di sale e unirli delicatamente al composto. Prendere dal frigo la tortiera con la base di biscotto e su questa versare la crema di asparagi. Livellare e cuocere in forno caldo a 170°C per circa 30 minuti. Lasciar raffreddare e decorare il centro del dolce con le punte di asparagi tenute da parte. Questa torta va servita fredda ed è ancora più buona il giorno dopo.

White asparagus Cake
Crumble 150g of dry biscuits by putting them in a mixer, and then add 100g of butter melted over a low fire. Put the mixture in a two-part cake pan, pressing well with the help of a spoon to form a good base, and then put in the refrigerator. Peel 1 bunch of white asparagus with a potato peeler, cutting off the hard parts but keeping a few tips set aside for decoration. Boil until they are al dente, and then let them cool. Prepare the cream by whipping 3 egg yolks well with 100g sugar, then

mix in 250g ricotta cheese, 250g mascarpone cheese, and finally 1 tablespoon of white sifted together with a package of vanilla. Cut the asparagus into pieces and blend them into the cream. Whip 3 egg whites until fluffy and stiff with a pinch of salt, and then add them gently to the compound. Take the cake base from the refrigerator and pour in the cream of asparagus. Smooth the top then bake in a hot oven at 170°C for about 30 minutes. Allow to cool and decorate the center of the cake with asparagus tips kept aside. This cake should be served cold, and it is even better the next day.

Vino consigliato/*suggested wine:*
Cartizze Spumante D.O.C.

L'asparago della discordia

Giulio Cesare, governatore nella Cisalpina dal 59 al 55 a.C, un giorno andò a Milano ospite nella magione di un certo Valerio Leonte. Questi fece preparare un suntuoso banchetto per il governatore e i suoi ufficiali, tra le cui portate c'era un magnifico piatto di asparagi al burro. I Romani usavano il burro principalmente come unguento pertanto non trovarono molto buoni gli asparagi conditi in quel modo e lo dimostrarono così apertamente da imbarazzare i padroni di casa. A quel punto Giulio Cesare, infastidito dal poco rispetto mostrato dai suoi ufficiali intervenne pronunciando la celebre frase: "*de gustibus non disputandum est*" ossia: non si può discutere sui gusti personali. In poche parole aveva fatto capire ai suoi ufficiali, che non si obbietta quando si è ospiti in casa d'altri.

Julius Caesar was governor of Cisalpina (today, northern Italy) from 59 to 55 BC. One day he went to Milan as a guest at the mansion of a certain Valerius Leonte. He prepared a sumptuous banquet for the Governor and his officers, including a wonderful plate of asparagus with butter. The Romans were used to butter mainly as an ointment, and therefore did not much like the asparagus dressed that way. They said so openly and embarrassed the hosts. Then Julius Caesar, bothered the disrespect shown by his officers, intervened saying the famous phrase: "de gustibus non est disputandum", *i.e. one cannot talk about personal tastes. In short, he made it clear to his officers that one does not object when you are a guest in another person's house.*

PEPERONI DI ZERO BRANCO

Proveniente dall'America del Sud, probabilmente dal Brasile o dalla Giamaica, il peperone (*Capsicum annuum*) ha fatto la sua comparsa sulle tavole europee nel XVI secolo. Nel territorio di Zero Branco, in provincia di Treviso la coltura del peperone ha trovato il suo habitat ideale: l'areale fresco e ricco d'acque delle risorgive e la particolarità delle condizioni climatiche conferiscono infatti alla produzione locale caratteristiche organolettiche di altissimo livello. Derivati da attente selezioni e meditati incroci tra le varietà del Quadrato d'Asti, i peperoni di Zero Branco sono caratterizzati da una forma cubico-allungata piuttosto regolare, polpa carnosa, colore giallo brillante e sapore dolce. Un tempo la coltivazione di questi peperoni rappresentava una buona fonte di reddito, dal momento che erano molto conosciuti e apprezzati sui mercati di Padova, di Milano ed anche in Germania. Nell'ultimo decennio del secolo scorso, per una serie di cause fra cui delle malattie che hanno colpito questo ortaggio, la produzione è andata diminuendo, tanto che ora non si arriva a una decina di ettari coltivati. Per combattere le malattie si è provato a coltivare i peperoni sotto tunnel freddi, ma i risultati non sono stati pienamente soddisfacenti. Attualmente sviluppo di alcune cooperative tra produttori pare stia incrementando la produzione, anche perché la richiesta dell'ottimo peperone di Zero Branco non è mai venuta meno. Piantato ad a marzo e colto in agosto, il peperone è una delle ricchezze dell'alimentazione nella seconda parte dell'estate e nel primo autunno: in assoluto l'ortaggio più ricco di vitamina C, ma anche di A, B1, P e K, è un ottimo antiossidante naturale, in quanto combatte i radicali liberi, responsabili delle alterazioni cellulari che sono causa anche del loro invecchiamento, dei tumori e delle malattie coronariche. Se il basso contenuto di sodio lo rende un alimento dalle capacità diuretiche, la presenza della capsaicina ne fa un ottimo alleato del sistema circolatorio, di quello digestivo e della cura dei disturbi reumatici e artritici. Infine è particolarmente utile alle persone che vogliono seguire una dieta per l'elevato contenuto di acqua e l'esiguo apporto calorico.

Coming from South America, probably Brazil or Jamaica, pepper (Capsicum annuum) *made its appearance on the tables in the sixteenth century in Europe. In the area of Zero Branco in the province of Treviso, the cultivation of pepper found its ideal habitat: the terrain and rich fresh water springs and special climatic conditions give the local production characteristics of the highest quality. Derived from careful selection and crossbreeding among the varieties of the Quadrato d'Asti pepper, the Zero Branco pepper is characterized by a pretty stretched cube shape, smooth, meaty flesh, bright yellow color and sweet taste. Once the cultivation of these peppers was a major source of income since they were very popular and appreciated in the markets of Padua, Milan and Germany. Over the last decade of last century, for a variety of causes including diseases that have affected this crop, the production has decreased, so that now there are barely ten hectares in cultivation. To combat diseases they tried to cultivate the peppers in a cold tunnel but the results were not fully satisfactory. Currently, development of cooperatives among some producers indicate the production is slightly increasing, in part because the demand for a good Zero Branco pepper has never failed. Planted in March and picked in August, the pepper is a wealth of food in the second half of summer and early autumn: it is the vegetable most rich in vitamin C, but also of A, B1, P and K, and is an excellent natural antioxidant, as it combats the free radicals responsible for cellular changes that due to aging, cancer and coronary heart disease. Its low sodium content makes it a food of diuretic ability, and the presence of capsaicin makes a good ally of the circulatory system, digestive system and the care of rheumatic and arthritic problems. Finally, it is particularly useful for people who want to follow a diet for the high water content and few calories.*

Bavarese di peperoni con caprino in sfoglia

1 kg di peperoni di Zero Branco
1 peperone rosso carnoso
1 confezione di pastasfoglia surgelata
3 caprini freschi
1 cipolla piccola
erba cipollina
2 fogli di colla di pesce
olio extravergine d'oliva
250 gr di panna liquida fresca
insalatina novella
1 uovo
sale e pepe

In una casseruola imbiondire la cipolla tritata nell'olio, unire i peperoni di Zerobranco a pezzi, salare, pepare, quindi portarli a cottura aggiungendo se necessario dell'acqua. Una volta cotti, frullarli molto bene e unirvi la colla di pesce, ammorbidita in acqua fredda e poi strizzata. Tagliare il peperone rosso a dadini e cucinarlo in poco olio, quindi unirlo alla crema e lasciar raffreddare. Tagliare a pezzettini l'erba cipollina,montare la panna e unire entrambi gli ingredienti al composto di peperoni, mescolando delicatamente con un cucchiaio di legno. Regolare di sale e mettere la bavarese in uno o più stampi e passare in frigo per tutta la notte. Stendere la pasta sfoglia sul tavolo infarinato e ritagliare 12 cerchi con l'aiuto di un bicchiere o di un tagliabiscotti. Tagliare a metà i caprini e metterli su 6 dischi, spennelare con l'uovo sbattuto i bordi e coprire con gli altri 6 dischi, spennellando sempre la superficie con l'uovo sbattuto. Infornare a 200°C per 15-20 minuti. Servire la bavarese di peperoni capovolta sul piatto accompagnando con insalatina novella e una sfoglia di caprino calda.

Bavarian peppers in puff pastry with goat
In a saucepan sauté 1 small chopped onion in oil, then add 1 kg of sliced peppers Zero Branco, some salt and pepper, then cook, adding water if necessary. Once cooked, whip very well and add 2 sheets of isinglass, softened in cold water and then squeezed (or gelatin). Cut 1 meaty red bell pepper into cubes and cook in a little oil, then add 250g of cream and allow to cool. Cut some chives into pieces, whip the cream and combine both ingredients to the pepper mixture, stirring gently with a wooden spoon. Adjust salt and put the mixture in one or more molds and place in the fridge all night. Roll out 1 box of frozen puff pastry on a floured table and cut out 12 circles with the help of a glass or cookie cutter. Cut in half 3 caprini goat cheeses and put them on 6 discs, brush with one beaten egg and cover the edges with the other 6 disks, brushing the top surface with beaten egg. Bake at 200°C for 15-20 minutes. Serve the pepper molds upside down, accompanying the dish with salad and a slice of warm goat cheese.

Vino consigliato/*suggested wine:*
Verduzzo D.O.C.

FUNGHI COLTIVATI DEL MONTELLO

Definiti nell'antica Roma "cibo degli Dei", i funghi spontanei erano noti come prelibata e rara pietanza già nell'anno 1000 a.C.. Tuttavia solo intorno al 1700 gli orticoltori francesi impararono a coltivarli nelle grotte e nelle cantine, e lentamente le loro tecniche si diffusero fino in Italia. All'inizio del secolo scorso, infatti, intere famiglie del bergamasco, del Lazio e del Veneto, andarono a lavorare nelle fungaie in grotta nei dintorni di Parigi, dove si coltivava un fungo bianco tipo prataiolo chiamato c*hampignon de Paris*; tornati in patria portarono con sé il loro bagaglio di conoscenze, dando vita nei loro paesi di origine alla fungicoltura. In Veneto queste coltivazioni ebbero grande successo e a Treviso, dove le prime fungaie nacquero solo negli anni '60 ad opera di alcuni imprenditori che operavano nelle zone del Montello, a Venegazzù e a Paese, già negli anni '70 si realizzava oltre il 50% della produzione nazionale. Sono tre le tipologie di funghi coltivati nella provincia di Treviso: il Prataiolo o Champignon (*Psalliota campestris*), caratterizzato da cappello bianco, globoso e convesso, lamelle di color rosa o brunastro, gambo tozzo e bianco e carne soda; il Pleuroto o Gelone o Orecchione o Sbrisa (*Pleurotus ostreatus*) con cappello color camoscio-bruno a forma di ventaglio, lamelle color bianco crema, gambo corto, robusto e posto lateralmente perchè inserito nel tronco della pianta che lo ospita, carne bianca e soda; il Piopparello (*Pholiota aegerita*) caratterizzato da cappello marrone, chiaro o scuro, convesso o piano, gambo cilindrico leggermente affusolato alla base di color bianco brunastro, e carne biancastra o bruna molto soda. Considerato un parente povero del porcino, lo champignon ha il vantaggio di essere reperibile fresco tutto l'anno e pertanto molto più economico. Può essere gustato sia cotto che crudo, prestando attenzione nel secondo caso a tagliarlo in fettine molto sottili, pelando la parte superiore che può essere filamentosa e conservandolo in acqua acidula per evitare che annerisca. Il valore nutritivo dei funghi varia leggermente da specie a specie: in generale contengono circa il 90% di acqua, sono scarsissimi di lipidi e carboidrati e ricchi di proteine, ma di scarso valore biologico rispetto a legumi e cereali. Interessante è invece il loro apporto di sali minerali, ferro, rame, fosforo, zinco e vitamine, in particolare la vitamina D, pressoché assente nei vegetali.

Known in ancient Rome as "food of the gods", wild mushrooms were known to be rare and delicious food as early as 1000 BC. However, only around 1700 AD did French gardeners learn how to cultivate them in caves and cellars, and their techniques slowly spread through Italy. At the beginning of the last century, in fact, whole families from Bergamo, Lazio and the Veneto went to work in the mushroom beds in grottos in the outskirts of Paris, where they cultivated a type of white mushrooms called champignon de Paris. *When they returned they brought with them their knowledge, starting fungiculture in their cities of origin. In Veneto these crops had great success, and in Treviso, where the first mushroom beds started in the 1960s in the areas of Montello, Venegazzù and Paese, by the 1970's produced about 50% of Italy's production. There are three types of mushrooms grown in the province of Treviso: Champignon* (Psalliota campestris), *characterized by white, globular and convex top, pink or brownish undersides, and white stocky stems; the* Preuroto *or* Gelone *or* Orecchione *(mumps) or* Sbrisa (Pleurotus ostreatus), *with a suede-brown color fan-shaped top, creamy white undersides, and short, white robust and lateral stems because they grow out of the sides of host plants; and the* Piopparello (Pholiota Aegeri) *characterized by light or dark brown, convex or flat top, a slightly tapered cylindrical stem with a brownish-white base, and white or dark brown flesh. Considered a poor relation of the porcini mushroom, the champignon has the advantage of being available fresh all year and is therefore much cheaper. It can be eaten raw or cooked, in the second case being careful to cut into very thin slices and peel the top. It should be kept in acidic water to prevent blackening. The nutritional value of mushrooms varies slightly from species to species: in general they contain about 90% water, very little fat and carbohydrates, and are rich in protein but lower in biological value than cereals and legumes. They are very rich in minerals, iron, copper, phosphorus, zinc and vitamins, particularly vitamin D, which is otherwise almost absent in plants.*

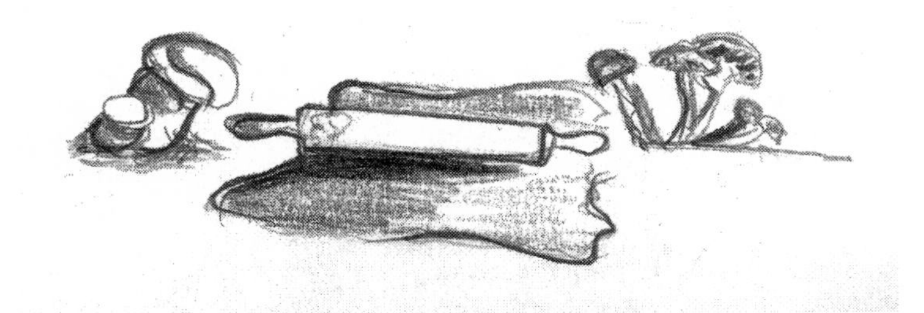

Sfogliata di funghi e tartufo

500 gr di funghi coltivati del Montello
100 gr di porcini
300 gr di pasta sfoglia
100 gr di prosciutto cotto
1 tartufo bianco
1 mestolo di fonduta o formaggio tipo crescenza
1 uovo
50 gr di burro
brodo
1 spicchio d'aglio
olio extravergine d'oliva
prezzemolo
timo secco
sale e pepe

Pulire e lavare i funghi coltivati poi tagliarli a lamelle sottili. Mondare i porcini, passarli con un panno umido per togliere le impurità e affettarli. Far imbiondire l'aglio tritato in una padella con olio e 30 gr di burro. Aggiungere i funghi e un paio di mestoli di buon brodo, condire con un pizzico di timo secco, un poco di prezzemolo tritato, sale e pepe e cuocere per almeno 15 minuti. Ricavare due dischi di pasta sfoglia e con il primo foderare una tortiera, ricoperta di carta da forno. Coprire con metà del prosciutto cotto tagliato a fette e aggiungere nell'ordine: parte della fonduta o della crescenza, i funghi, il tartufo a lamelle o tritato, il resto del formaggio e le altre fette di prosciutto cotto. Praticare con uno stampino o un taglia biscotto un foro al centro del secondo disco di pasta sfoglia, per permettere al vapore di uscire durante la cottura e chiudere con questo la torta. Spennellare la superficie con dell'uovo sbattuto e infornare a 160°C per 35-40 minuti.

Sfogliata mushrooms and truffles
Clean and wash 500g of Montello mushrooms and cut them into thin strips. Peel

100g of porcini mushrooms, patting them with a damp cloth to remove impurities and then slicing them. Sauté 1 clove of minced garlic in a pan with oil and 50g of butter. Add the mushrooms and a couple of scoops of good broth, season with a pinch of dried thyme, a little chopped parsley, salt and pepper and cook for at least 15 minutes. Take 300g of puff pastry and make two discs. With the first line a cake pan that has been covered with baking paper. Cover with 50g of sliced ham and add, in order: one ladle of cheese fondue, the mushrooms, one white truffle grated or ground, another ladle of cheese fondue and another 50g of sliced ham. Cut a hole in the center of the second disc of pastry to allow steam to escape during cooking, then use this disc to close the cake. Brush the surface with one beaten egg and bake at 160°C for 35-40 minutes.

Vino consigliato/*suggested wine:*
Venegazzù Rosso riserva D.O.C.

Funghi buoni e funghi cattivi

Strani, imprevedibili, velenosi, allucinogeni, i funghi sono avvolti dal mistero e dalla leggenda: forse generati dalle danze notturne di streghe e gnomi, o forse carne degli dei che rende immortali, sono sospesi tra la vita e la morte. In greco il loro nome è legato alla civiltà micenea (*mykés* significa fungo in greco) come racconta lo scrittore Pausinia (II sec.a.C.): Perseo dopo un lungo viaggio, stanco e assetato, si poté ristorare con l'acqua raccolta nel cappello di un fungo e decise quindi di fondare in quel luogo una nuova capitale e di chiamarla Micene. Al contrario in latino *fungus* significa portatore di morte (da *funus* "morte" e *ago* "porto, portare"): pare che l'imperatore Claudio, che ne era ghiottissimo, sia stato ucciso dalla moglie Agrippina, desiderosa di mettere sul trono il figlio Nerone , proprio con dei funghi velenosi.

*Strange, unpredictable, poisonous, and hallucinogenic, mushrooms are wrapped in mystery and legend. This was perhaps generated by the night dancing of witches and goblins, or perhaps the food of the gods which makes one immortal, suspended between life and death. In Greek their name is related to the Mycenaean civilization (*mykés *means mushroom in Greek), as related by the writer Pausini (II sec.BC): Perseus after a long journey, tired and thirsty, was able to refresh himself with the water collected in cap of a mushroom, so he decided to build in that place a new capital and called Mycenae. Instead* fungus *in Latin means bearer of death (from* funus *"death" and* ago *"carry"): it seems that the Emperor Claudius, who was a glutton, was killed with poisonous mushrooms by his wife Agrippina who was eager to put her son Nero on the throne.*

FAGIOLO BORLOTTO NANO DI LEVADA

Prima della scoperta dell'America in Europa si conoscevano solo i piccoli fagioli bianchi con macchia scura, i *Vigna sinensis* o *unguiculata* comunemente chiamati "dell'occhio", che provenivano dall'Africa subsahariana. Successivamente questa varietà venne soppiantata dai nuovi borlotti e cannellini, importati dagli Spagnoli nel XVI secolo e originari soprattutto del Messico e del Guatemala. Scientificamente chiamati *Phaseolus vulgaris,* questi legumi, ritenuti difficili da digerire, riuscirono lentamente a ritagliarsi un posto tra i prodotti coltivabili nelle terre venete grazie alla possibilità di consociazione con altre colture, come mais e patata, che permetteva agli agricoltori di ricavare dallo stesso appezzamento un maggior volume di prodotto. Insieme al mais, il fagiolo ha conquistato così il suo posto nella coltura agraria pedemontana, in particolare nella zona di Levada dove ha trovato, lungo la sponda del Piave, un clima e un terreno adatti, che ne esaltano le qualità organolettiche. Il fagiolo borlotto nano di Levada è di buone dimensioni, rotondeggiante e allungato, con una caratteristica buccia molto sottile di colore bianco screziato di rosso; i baccelli contengono da sei a otto fagioli e sono lunghi, appiattiti e screziati di rosso su un fondo bianco crema. La semina va dai primi di aprile fino a luglio, mentre la raccolta comincia da metà luglio e si protrae fino a metà settembre. Nel periodo della raccolta il fagiolo può essere acquistato fresco in baccello mentre nel resto dell'anno viene conservato in locali non umidi e ben areati e venduto secco. Coltivato con limitati trattamenti antiparassitari, il fagiolo è apprezzato perchè molto nutriente e, come tutti i legumi, ricco di proteine e di vitamina A, B1, B2, B6, C, E, inositolo e acido folico,. Contiene inoltre calcio, fosforo, ferro e potassio. Ha un azione ricostituente, diuretica, depurativa, tonica ed è utile in caso di diabete, carenze nutrizionali, reumatismi, gotta, olinurie, litiasi renale. Come tutti i legumi contiene la lecitina, un fosfolipide che favorisce l'emulsione dei grassi evitando che si accumulino nel sangue, e riducendo così il colesterolo.

Before the discovery of America, in Europe they knew only the small bean with dark spots, the Vigna sinensis *or* unguiculata *commonly called "the eye", which originated in Sub-Saharan Africa. Subsequently, this variety was supplanted by the new* borlotti *and* cannelloni *beans imported by the Spanish in the sixteenth century and originating mainly in Mexico and Guatemala, called* Phaseolus vulgaris *scientifically. These pulses, considered difficult to digest, slowly managed to carve out a place among the products cultivated in Venetian lands thanks to their ability to grow with other crops such as corn and potatoes and allow farmers to derive a greater volume of product from the same plot. Along with corn, beans won a place in the agrarian culture of the foothills, particularly in the area of Levada along the banks of the Piave. The climate and land there were well adapted, resulting in excellent qualities. The Bean* Borlotto Nano *of Levada is of good size, round and elongated, with a characteristic very thin white skin mottled with red, and pods containing six to eight and beans that are long, flattened and mottled with red on a white cream. Planting is from early April until July, while harvesting starts in mid-July and lasts until mid September. During the period of the bean harvest some are sold fresh in the pod, while the rest are stored locally in dry, well-ventilated rooms and sold dry. Grown with limited pesticide, the bean is much appreciated because its nutrient values, like all legumes, are rich in protein and vitamin A, B1, B2, B6, inositol, folic acid, C, and E. It also contains calcium, phosphorus, iron and potassium. It has a tonic, diuretic, purifying action and is useful in cases of diabetes, nutritional deficiencies, rheumatism, gout, olinurie, and renal lithiasis. Like all legumes it contains lecithin, a phospholipid that promotes the emulsification of fats to avoid their accumulation in the blood and reducing cholesterol.*

Maltaiăi con i fasiŏi de Levada

200 gr di polenta fredda
150 gr di farina bianca 00
1 tuorlo d'uovo
300 gr di fagioli borlotti nani di Levada freschi
brodo vegetale o di carne
1 carota
1 cipolla
1 costa di sedano
1 spicchio d'aglio grosso
250 gr di pomodori freschi
50 gr di pancetta affumicata
60 gr di Grana Padano
olio extravergine di oliva
sale e pepe

Impastare assieme alla polenta spezzettata la farina e il tuorlo d'uovo e lavorarli fino ad ottenere un impasto liscio e abbastanza sodo (se servisse aggiungere un goccio d' acqua fedda). Stendere la pasta con il mattarello o con l'apposita macchinetta e dalle strisce ottenute ritagliare tanti rombi. Tritare finemente la carota, il sedano e la cipolla e rosolarli in una casseruola con un poco d'olio e la pancetta tagliata a dadini; aggiungere i fagioli precedentemente lessati nel brodo e i pomodori privi di buccia. Regolare di sale e pepe e cuocere per circa 15 minuti. Nel frattempo lessare i maltagliati in acqua bollente salata, quindi scolarli e condirli con il sugo di fagioli e una bella manciata di Grana grattugiato.

"Maltaiăi" with Levada Bean
Mix together the 200g of cold polenta, 150gr of white flour and 1 egg yolk, kneading so as to obtain a smooth and fairly hard dough, adding a drop of cold water if needed. Roll out the dough with a rolling pin or with the appropriate machine and out of the strips cut many lozenges. Boil 300g of fresh Borlotto Nano di Levada beans in vegetable or meat broth. Finely chop 1 carrot, 1 stick of celery and 1 onion and brown in a saucepan with a little oil and 50g of bacon cut into cubes. Add the boiled beans and 250g of fresh, peeled tomatoes. Adjust salt and pepper and cook for about 15 minutes. Meanwhile boil the lozenges in boiling salted water, then drain and add the bean sauce together with and a nice handful of grated Grana Padano.

Vino consigliato/*suggested wine:*
Raboso D.O.C.

TROTA IRIDEA DEL SILE

La trota iridea è un pesce d'acqua dolce della famiglia dei Salmonidi ha un corpo slanciato e si differenzia da altri tipi di trote per la presenza di macchie nere sulla pinna caudale e della tipica banda iridescente sui fianchi, colorata come l'arcobaleno, che diventa particolarmente evidente durante il periodo riproduttivo. D'origine nord americana, fu importata in Italia verso il 1880, dove trovò uno degli habitat ideali lungo il corso del fiume Sile, nel trevigiano, le cui acque di risorgiva ossigenate, fresche e ricche di fitoplancton sono diventate, sin dalla fine degli anni Cinquanta, luogo di sperimentazione dei primi esempi di troticoltura in Italia. Apprezzata per il facile adattamento all'allevamento anche intensivo e per la buona crescita, la trota iridea non sempre riesce a riprodursi naturalmente pertanto nelle acquacolture le uova vengono spremute dagli organi riproduttori, irrorate col seme del maschio e immesse in speciali embrionatori per la fecondazione. Quindi vengono fatte schiudere nelle avannotterie dove i pesci rimangono finchè raggiungono i 100 grammi, poi vengono immessi in canali più capienti, con maggior disponibilità d'acqua dove rerstano circa 12-24 mesi finchè non raggiungono i 45-50 cm di lunghezza e il peso richiesto dal mercato. La trota iridea viene commercializzata viva per i laghetti di pesca sportiva, fresca per il consumo oppure per la trasformazione. Le sue carni sode, compatte e dal sapore delicato possono essere bianche o rosate, quest'ultime, dette anche salmonate, sono molto apprezzate e dipendono solamente dall'introduzione nella dieta di crostacei (in natura) o farine di gambero (in allevamento).

The rainbow trout is a freshwater fish of the Salmonidae *family; it has a slender body and differs from other types of trout for the presence of black spots on the caudal fin and the typical iridescent rainbow band on the flanks, which becomes particularly evident during the spawning period. Of North American origin, it was imported into Italy around 1880, where it found an ideal habitat in the river Sile, in Treviso, whose fresh water, rich in oxygen and phytoplankton, has been ideal for fish farming since the late 1950s. Rainbow trout adapt easily and grow very well, but they are not always able to reproduce naturally therefore eggs are fertilized artificially. They open in hatcheries where the fish remain until they weigh at least 100 grams, then they are placed in bigger canals, where they stay for approximately 12-24 months until they reach 45-50 cm in length and the weight demanded by the market. Rainbow trout is sold alive to fishing lakes, for fresh consumption or for processing. The meat is firm, compact and delicate in flavor; it can be white or pink - the latter, also known as* salmonata, *is greatly appreciated.*

Trotelle silenee

4 trote iridee del Sile
100 gr di burro
il succo di ½ limone
salsa Worcester
2 cucchiai di cipolla tritata
500 gr di funghi freschi
olio extravergine d'oliva
pan grattato
aglio tritato
Grana Padano grattugiato
prezzemolo tritato
½ bicchiere di vino bianco secco
timo
sale e pepe

Aprire le trote, togliere le interiora, le branchie e la lisca senza staccare la testa e la coda. Salarle, peparle e passarle nel pan grattato arricchito con 1 spicchio d'aglio tritato, poco Grana grattugiato e un pò del prezzemolo tritato. Sistemare le trote su una teglia, irrorarle con del burro chiarificato e passarle in forno caldo a 180°C per 15-20 minuti. Preparare intanto la fungata asciutta: tagliare a fettine sottili i funghi porcini, dopo averli mondati e puliti dalla terra con uno straccio da cucina bagnato, e farli appassire in padella con dell'aglio tritato. Salare, pepare e bagnare con il vino bianco, far evaporare e spolverizzare con un pizzico di timo. Lasciare il burro ad ammorbidire in una ciotolina, quindi aggiungervi il succo di limone, un pò di prezzemolo tritato e una spruzzatina di salsa Worcester. Una volta pronte le trote, spalmare su ognuna di esse un poco di burro aromatizzato, che subito si scioglierà impregnando di sapori le trote. Servirle con la fungata di porcini e delle patate, magari a purè.

Sile trout with mushrooms
Slice and gut 4 trout, but do not remove head or tail. Add salt, pepper, and dip in a mixture of bread crumbs, chopped garlic, Grana Padano cheese, and some parsley. Place trouts on a cookie sheet and drizzle with butter. Cook in 180°C oven for 15-20 minuti. Clean, wash and slice 500g fresh porcini mushrooms and sauté with crushed garlic in a pan. Add salt, pepper and half a glass dry white wine. Let evaporate and add a pinch of thyme. Melt 100g butter and add juice of half a lemon, parsley and some Worcester sauce. When the trout are done, spread with the aromatized butter. Serve with mushrooms and potatoes, preferably mashed.

Vino consigliato/*suggested wine:*
Sauvignon Colli Berici D.O.C.

LUGANEGA TREVIGIANA

La luganega è un'antichissima preparazione a base di carne di maiale, risalente all'epoca della presenza romana nel Veneto, quindi a oltre duemila anni fa, quando i legionari-contadini provenienti dal meridione arrivavano per bonificare e popolare le nuove aree conquistate. Il nome "luganega" infatti e' la traduzione veneta di "lucanica", cioè "degli antichi Lucani", che evidentemente ne facevano grande uso. La sua storia è comunque ben documentata dal XVI secolo, quando un'ordinanza del Podestà di Treviso ne definisce le caratteristiche per distinguerla e difenderla da imitazioni o contraffazioni. La luganega trevigiana si caratterizza per l'impiego delle parti meno nobili del maiale (i polmoni e il fegato), che vengono impastate con le carni migliori avanzate dopo la produzione di sopresse e salami. A Treviso le luganeghe vengono per tradizione confezionate in due versioni: quella *da rosto* detta magra e quella *da riso* detta bianca. Quest'ultima viene preparata con la pancetta di maiale, privata della cotenna e macinata fine. L'impasto viene quindi insaporito con sale marino e aromatizzato con la *dosa trevisana*, della quale fanno parte, in proporzioni fissate da secoli, pepe, cannella, chiodi di garofano, noce moscata, macis e coriandolo. Dopo un accurato mescolamento, l'impasto viene insaccato in budellino di maiale e legato circa ogni 8 cm. Con la luganega bianca era tradizione preparare la minestra di riso in brodo, alla quale la salsiccia cedeva tutti i suoi umori e profumi; la versione medioevale e' stata però oggi abbandonata ed e' prevalsa la versione più asciutta, il risotto "all'onda" con la luganega sminuzzata. Le luganeghe da arrosto invece, più magre e quindi meno bianche delle precedenti, vengono preferibilmente cotte in padella, ai ferri o alla brace, e servite con una bella fetta di polenta abbrustolita. In ogni caso la luganega trevigiana si consuma fresca, semplicemente cotta, senza bisogno ne' di maturazione ne' di stagionatura.

The luganega *is an ancient meat preparation of pork, from the time of the Roman presence in the Veneto over two thousand years ago, when the legionaries-peasants from the south came to reclaim and populate new areas conquered. The name* luganega *is the translation of the Veneto* lucanica, *meaning "from ancient Lucania", where this sausage was evidently in great use. Its history is well documented since the sixteenth century, when an order of the* Podestà *of Treviso defined the characteristics so as to distinguish it and defend it from imitation or counterfeit.*

The luganega Trevigiana *is characterized by the use of the less desirable parts of the pig (the lungs and liver), which are mixed with the leftovers of the more desirable parts after the production of sopressa and salami. In Treviso the* luganega *is traditionally wrapped in two versions: the* da rosto *(to roast) called lean and the* da riso *(for rice) called white. The latter is made with pork belly, without the rind and minced fine. The pork meat mixture is then flavored with sea salt and flavored with the* dosa trevisana, *which includes, in proportions fixed for centuries, pepper, cinnamon, cloves, nutmeg, mace and coriander. After a thorough mixing, the pork meat mixture is stuffed into pork intestines and tied approximately every 8 cm. With white* luganega *it was tradition to prepare a soup of rice in* luganega *broth, to which the sausage gave all its moods and scents. However, this medieval version is now abandoned in favor of the drier version,* risotto all'onda *with minced* luganega. *Roast* luganeghe, *by contrast, are more lean and hence less white, and are preferably cooked in a pan, grilled or barbecued and served with a nice slice of grilled polenta. In any case, the* luganega Trevigiana *is consumed fresh, cooked simply, without aging or ripening.*

Luganega in brioche

15 gr di lievito di birra
250 gr di farina bianca 00
2 cucchiaini di zucchero
2 uova sbattute
60 gr di burro fuso
250 gr di luganega Trevigiana
prezzemolo tritato
1 tuorlo
sale

Sciogliere il lievito in poca acqua tiepida. In una terrina mettere la farina, un pizzico di sale e lo zucchero, quindi aggiungere il lievito sciolto, le uova, il burro e mescolare bene. L'impasto si presenta molto appiccicoso all'inizio, ma si rassoda mano a mano che viene lavorato. Quando è pronto, sistemarlo in una ciotola spolverizzata con farina, coprire con un canovaccio da cucina e lasciar lievitare in luogo caldo finchè non avrà raddoppiato il volume iniziale. Lavorare nuovamente la pasta su un tavolo infarinato, quindi tirare una sfoglia rettangolare piuttosto lunga. Spolverizzare le salsicce con il prezzemolo tritato, quindi sistemarle in fila sulla pasta e avvolgerle bene, inumidendo i bordi prima di sigillarli (ovviamente si può fare la stessa cosa con ogni singola salsiccia, dividendo la pasta in più rettangoli e avvolgendole in ognuno di essi). Ungere d'olio uno stampo da plum cake da 1 kg e mettervi il rotolo di pasta con la linea di chiusura rivolta verso il basso, coprire con un canovaccio e lasciar lievitare fino a quando la pasta avrà raggiunto il bordo dello stampo. Portare il forno a 190°C. Spennellare la superficie della pasta con il tuorlo e infornare per 30-35 minuti, facendo attenzione che la superficie non colori troppo. Se è necessario coprire con carta da forno. Servire a fette ben caldo.

Sausage in brioche
Dissolve 15g of yeast in a little warm water. In a bowl put 250g white flour, some salt and 2 teaspoons sugar, then add the dissolved yeast, 2 beaten eggs, 60g of melted butter and mix well. The dough is very sticky at first, but becomes firmer as it is worked. When ready, fix it in a bowl sprinkled with flour, cover with a kitchen cloth and let rise in warm place until it has doubled its initial volume. To work the dough, sprinkle flour on a table, and then pull the mass into a long more or less rectangular shape. Sprinkle 250g luganega Trevigiana sausage with some chopped parsley, then place them in rows on the dough and wrap well, moistening the edges before sealing (optionally, you can do the same thing with each single sausage, dividing the dough into several rectangles and wrap each of them). Grease a 1 kg plum cake mold, then place the roll of dough inside with the line of closure facing down. Cover with a cloth and let rise until dough reaches the edge of the mold. Bring the oven to 190°C. Brush the surface of the dough with one egg yolk and bake for 30-35 minutes, taking care that the top does not get too brown. If you need to, cover with baking paper. Serve sliced hot.

Vino consigliato/*suggested wine:*
Merlot Colli Asolani D.O.C.

Timballo di penne melanzane e luganega

400 gr di penne
3 melanzane
1 cipolla piccola
2 uova
1 uovo sodo
1 mozzarella
250 gr di luganega trevigiana
100 gr di petto di tacchino
100 gr di piselli
100 gr di parmigiano
200 gr di salsa di pomodoro
olio per friggere
farina bianca 00
½ bicchiere di vino bianco secco
sale e pepe

Tagliare le melanzane in fette dallo spessore di 1 cm e salarle, lasciando che perdano l'acqua amarognola. Passarle nella farina e nelle uova sbattute con un pò di sale, friggerle nell'olio e farle asciugare su carta da cucina. Tritare la cipolla e farla appassire in una casseruola assieme alla salsiccia sbriciolata ed alla polpa di tacchino, scolare il grasso che si forma e bagnare con il vino bianco. Quando il vino è evaporato aggiungere la salsa di pomodoro e lasciar cuocere, bagnando se necessario con poca acqua alla volta e regolando di sale e pepe. Dieci minuti prima della fine della cottura aggiungere i piselli e poi lasciar raffreddare. Cucinare le penne al dente, raffreddarle e mescolarle con il ragù di salsiccia e piselli. Unire la mozzarella tagliata a cubetti e il parmigiano grattugiato. Foderare uno stampo grande oppure 6 piccoli con le melanzane, riempire con la farcitura di penne e chiudere con le melanzane. Coprire con un pò di carta stagnola e cuocere in forno caldo a 160°C per 25-30 minuti.

Timbale of eggplant and sausage penne
Cut 3 eggplant into 1cm slices and salt them, allowing them to lose their bitterness. Roll them in a mixture of flour, 2 beaten eggs and some salt, then fry them in oil and dry on kitchen paper. Chop 1 small onion and place it in a casserole dish together with 250g of ground luganega Trevigiana sausage and 100g of ground turkey. Drain the fat that is formed and splash with ½cup of white wine. When the wine has evaporated add 200g of tomato sauce and simmer, moistening if necessary with a little water and flavoring as desired with salt and pepper. Ten minutes before finishing cooking add 100g of peas and then leave to cool. Cook 400g of penne al dente, cool, and then mix with the sausage and pea mixture. Add 1 mozzarella cut into cubes and 100g of grated Grana Padano. Line a large mold or 6 small molds with the eggplants, fill with the sausage pea stuffing, then cover with more eggplant. Cover with a piece of aluminum foil and bake in hot oven at 160°C for 25-30 minutes.

Vino consigliato/*suggested wine:*
Malbec D.O.C.

I bigoli co la luganega

Me piase i bigoli co la lugànega
Marieta dàmela, Marieta dàmela,
me piase i bigoli co la lugànega
Marieta dàmela, per carità!

canzone popolare

Mi piacciono gli spaghetti con la salsiccia/ Marietta dammela, Marietta dammela,/ mi piacciono gli spaghetti con la salsiccia/ Marietta dammela, per carità!

I like spaghetti with luganega/ Marietta give it to me, Marietta give it to me,/ I like spaghetti with luganega/ Marietta give it to me, please! (folk song)

SOPRESSA TREVIGIANA

Le soppresse, il cui nome deriva dal provenzale *saupres sado* che significa salato e pressato , tradizionalmente venivano confezionate, come i musetti, i salami e altri insaccati, dall'esperto del luogo, il norcino, nelle corti delle famiglie agricole del trevigiano. A novembre nel giorno prestabilito il norcino veniva ad ammazzare il maiale, poi con l'aiuto degli uomini di casa appendeva l'animale ad un albero e provvedeva al taglio, quindi i praticanti lavoravano la carne per la preparazione dei vari prodotti. Era quello un periodo di intenso lavoro comunitario ma anche di grande festa e abbondanza. Vari documenti testimoniano che nel 1800 tali prodotti venivano appesi per 8-10 giorni nelle cucine in presenza di un braciere acceso, allo scopo di asciugare il prodotto fresco. Dopo questo breve periodo essi venivano posti in cantina o in un sottoscala fresco e sterrato per la conservazione. La sopressa trevigiana è un grosso salume con dimensioni variabili in base alle budella del bovino in cui viene insaccata, la forma è arcuata, il diametro và da 10 a 20 cm e il peso oscilla da 1 a 7 Kg. È prodotta con il 70% di carne magra, con il grasso sapido e morbido, con della pancetta, sale, pepe, cumino, talvolta un trito di chiodi di garofano e cannella. Il suo caratteristico sapore dolce e speziato è dato dall'aggiunta nell'impasto del vino Prosecco DOC. Dopo essere stata insaccata in un budello di vacca, la soppressa viene punta con un arnese chiamato *sponciarol*, per far uscire l'aria ed i liquidi dal budello, e in seguito messa ad asciugare al caldo per una decina di giorni. La stagionatura, che può durare da cinque mesi a quasi due anni, fa assumere esternamente alla sopressa il colore prima biancastro e poi grigio-marrone scuro della muffa di cui si ricopre. Al taglio, la carne appare di colore rosso tendente al rosaceo, con la caratteristica irregolare marezzatura bianca dovuta alla componente di grasso che avvolge la parte proteica.

Sopressa, *whose name derives from the Provençal* saupres sado *meaning salted and pressed, were traditionally wrapped, like musetti, salamis and other sausages, by the local expert, the* Norcino, *in the courts of agricultural households of Treviso. In November, on a prearranged day the* Norcino *came to kill the pig, then with the help of men of the house hung the animal on a tree and butchered it. The workers then prepared the various pieces of meat into different products. This was a period of intense work for the community but also of great celebration and abundance.*

Various documents show that in 1800 these products were hung for 8-10 days in the kitchens in the presence of a lit brazier in order to dry the fresh meat. After this brief period they were placed in the basement or in a cool indoor room for storage. The sopressa Trevigiana *is a big salami, with sizes varying according to the size of the intestines of the animal used to case it. Its shape is arched, the diameter ranging from 10 to 20 cm and weight ranging from 1 to 7 kg. It is made with 70% lean meat, with some soft and flavorful lard, and spiced with bacon, salt, pepper, cumin, and sometimes a mixture of cloves and cinnamon. Its characteristic sweet and spicy flavor is due to the addition to the mixture of DOC Prosecco wine. After being stuffed into a cow's intestine, the tip is removed with a tool called* sponciarol *to let air and liquids from the casing escape, and then put to dry in a warm place for about ten days. Aging, which can last from five months to nearly two years, causes the outside of the* sopressa *to turn first a whitish color and then later gray-brown due to the mold which covers it. When cut, the meat appears red in color tending to pinkish, with a characteristic irregular white marbling due to the fat that surrounds the protein.*

Frittata con sopressa e formaggio

100 gr di pane in cassetta
4 uova
50 gr di burro
100 gr di formaggio Gruviera o Emmental grattugiato
50 ml di latte intero
100 gr di sopressa Trevigiana
sale e pepe

Rompere le uova in una terrina, aggiungere il pane precedentemente ammollato nel latte e sbattere bene quasi a formare una crema, quindi aggiungere un pizzico di sale, il formaggio grattugiato e la sopressa tagliata a striscioline. Mescolare fino ad ottenere un composto omogeneo e, se piace, insaporirlo con un macinata di pepe. Coprire la terrina e lasciar riposare il composto in frigo per 30 minuti. Sciogliere metà del burro in una pentola antiaderente, versarvi il composto e cuocere la frittata per 7 minuti, fino a quando la parte inferiore sarà rappresa e dorata. Intanto sciogliere l'altra metà del burro in un'altra padella, versarlo sulla frittata e passarla immediatamente sotto il grill del forno ben caldo. Questo piatto è ottimo sia caldo che freddo.

Omelet with cheese and sopressa
Break 4 eggs into a bowl, add 100g of bread previously soaked in 50ml of whole milk and beat well to form almost a cream, then add a pinch of salt, 100g of grated Emmental or Gruviere cheese and 100g of sopressa Trevigiana cut into strips. Mix together until homogeneous and flavor with ground pepper as desired. Cover the bowl and leave the mixture in the fridge for 30 minutes. Melt 25g of butter in a non-stick pan, pour the mixture in and cook for 7 minutes until the underside is golden and soft. Meanwhile, dissolve another 25g of butter in another pan, pour it over the omelet and immediately place it under a hot grill. This dish is good either hot or cold.

Vino consigliato/*suggested wine:*
Verduzzo D.O.C.

PORCHETTA TREVIGIANA

La storia della porchetta inizia in Lazio ai tempi dell'Impero Romano e notizie sulle tecniche di preparazione di questo salume sono addirittura menzionate in scritti del 400 a.C. Sembra che l'Imperatore Nerone, famoso per il palato raffinato, la prediligesse per i suoi sontuosi banchetti. Certo è che ai tempi di Tiberio la porchetta venisse preparata come descrive il *De re coquinaria* che in una ricetta dice: "*pulisci il maiale, svuotalo della parte della gola, acconciane il collo prima che abbia da indurire, apri l'orecchio sotto la cute, metti della salvia tarantina [...] Ripeti con l'altro orecchio. Inserisci un ripieno in questo modo: trita del pepe, della maggiorana, poca radice di laser, bagna con salsa di Apicio, aggiungi delle cervella cotte, delle uova crude, del brodo di maiale, uccelletti se ne puoi disporre, pinocchi. Tura con la pergamena e lega; poi mettilo al forno lento. Quando è cotto ungi bene e servilo*". A Treviso la tradizione della porchetta nasce nel 1919 nella birreria Beltrame sotto il Palazzo dei Trecento, dove il proprietario Ermete Beltrame preparava deliziosi panini per accompagnare le sue birre. La porchetta è una specie di prosciutto ed è praticamente diffusa in tutto il territorio nazionale con varianti locali legate all'uso di particolari spezie o erbe; viene preparata arrostendo un maialino di un anno, di circa 50 kg, allevato a cruschello e succedanei del latte, la cui carne è stata aromatizzata con sale, rosmarino, pepe, aglio e vino bianco, sapientemente dosati. La si può trovare in osso o disossata, ha solitamente forma cilindrica e all'interno ha un colore bianchiccio, con delle parti in cui è evidente la speziatura, mentre è dorata esternamente. Fragrante, saporita e gustosa, la porchetta non è grassa come sembra, poiché nella fase di cottura, che dura circa 7 ore, i grassi vengono sciolti dal calore e raccolti in speciali vaschette. Nonostante sia priva di additivi e conservanti, la porchetta rimane saporita e fragrante almeno per due settimane se mantenuta in luogo refrigerato.

The history of porchetta *begins in Lazio in Roman times, and information on preparation techniques of this cured meat is even mentioned in the writings of 400 BC. It seems that the Emperor Nero, known for the refined palate, preferred it for his sumptuous banquets. What is certain is that at the time of Tiberius the* porchetta *was prepared as described in the book* De re coquinaria *in a recipe that says:* "clean the pig, emptying its insides through the throat, arranging the neck before it hardens, slice the ear open under the skin, insert sage tarantina [...] Repeat with the other ear. Insert a filling like this: minced pepper, marjoram, a little root of laser, soak with an Apicio sauce, add cooked brains, raw eggs, pork broth, little birds if you have them, pine nuts. Tie parchment to close the pig and put it in a slow oven. When it is cooked well, grease it well and serve". *In Treviso the tradition of* porchetta *arose in 1919 in the Beltrame brewery under the Palazzo dei Trecento, where the owner Ermete Beltrame prepared delicious sandwiches to accompany his beer. The suckling pig is a kind of ham, and it is spread virtually throughout the country with local variations related to the use of particular spices or herbs. It is basically prepared by roasting a year old pig, about 50 kg, raised on grain instead of milk, whose meat has been seasoned with salt, rosemary, pepper, garlic and white wine, carefully measured. It can be eaten on the bone or deboned, usually in a cylindrical shape and a whitish internal color that shows off the spices and a golden brown exterior. Fragrant, tasty and delicious, the porchetta is not greasy as it sounds, since during the cooking, which takes about 7 hours, the fat is melted by the heat and collected in special trays. Although it is free of additives and preservatives, the porchetta is tasty and fragrant for at least two weeks if kept refrigerated.*

Porchetta stuzzicante

1 cucchiaio di maionese
1 cucchiaio di senape
1 costa di sedano tenera
1-2 cucchiaini di succo di mela (facoltativo)
30 gr di burro
2 grosse fette di pane casereccio
qualche foglia di lattuga brasiliana o iceberg
4-6 fette sottili di porchetta
1 cipolla rossa
sale e pepe

In una scodella mescolare la maionese con la senape, il sedano tritato ed eventualmente il succo di mela. Salare e pepare. Imburrare le fette di pane e su ogni fetta sistemare nell'ordine: l'insalata, le fette di porchetta, la salsa di sedano e la cipolla rossa tagliata ad anelli (se non piace cruda, si può cucinare con un pò d'olio e sale). Coprire con l'altra fetta di pane, schiacciare leggermente e tagliare come piace. Guarnire con foglioline di sedano ed anelli di cipolla.

Porchetta appetizer
In a bowl mix 1 tablespoon mayonnaise with 1 tablespoon mustard, 1 stick of celery (chopped), and perhaps 1-2 teaspoons of apple juice, then add salt and pepper. Butter 2 thick slices of homemade bread, and then on each slice arrange in order: Brazilian or iceberg lettuce, 4-6 thin slices of suckling pig, the celery sauce, and 1 red onion cut in rings (if you do not like it raw, you can cook with a little oil and salt). Cover with another slice of bread, lightly press together, and cut it as desired. Garnish with celery leaves and onion rings.

Vino consigliato/*suggested wine:*
Prosecco spumante D.O.C.

Vol-au-vents quadrati con porchetta ai due funghi

400 gr di pasta sfoglia (per 12 vol-au-vents)
250 gr di porchetta trevigiana
200 gr di funghi chiodini
150 gr di funghi porcini
100 gr di Grana Padano
2 tuorli d'uovo
500 ml di besciamella
1 cipolla piccola
1 spicchio d'aglio
burro
sale e pepe

Con la pasta sfoglia formare dei vol-au-vents quadrati di 6 cm di lato e cucinarli in forno a 190-200°C. Preparare il ripieno con la porchetta trevigiana tagliata a cubetti piccoli mescolata ai chiodini trifolati con un poco di cipolla e aglio tritati. Unire metà del Grana, i tuorli d'uovo e 6 cucchiai di besciamella (la besciamella deve essere fluida pertanto per mezzo litro di latte usare 40 grammi di burro e 30 di farina). Per la copertura saltare i funghi porcini con poco burro, sale e pepe. Una volta cotti frullarli e incorporarli alla besciamella e al Grana rimasti. Poco prima di servirli, riempire i vol-au-vents con il composto di porchetta, nappare con la salsa di porcini e passare al forno per una lieve gratinatura.

Square Vol-au-vents with porchetta and two mushrooms
With 400g puff pastry form vol-au-vents in square shapes 6cm on each side and cook in oven at 190-200°C. Prepare the stuffing with 250g of porchetta Trevigiana cut into small cubes mixed with 200g chiodini mushrooms soaked in oil, 1 small chopped onion, and 1 clove of chopped garlic. Combine 50g of Grana Padano, 2 egg yolks and 6 tablespoons of besciamella sauce (the sauce should be smooth, therefore, for half a liter of milk use 40g of butter and 30g of flour). Sauté 150g of porcini mushrooms with a little butter, salt and pepper. Once cooked, blend together with 500ml of besciamella sauce and 50g of Grana Padano cheese. Just before serving, fill the vol-au-vents with the porchetta mixture, cover with the porcini sauce, and place in the oven with a little grated cheese on top.

Vino consigliato/*suggested wine:*
Prosecco Tranquillo D.O.C.

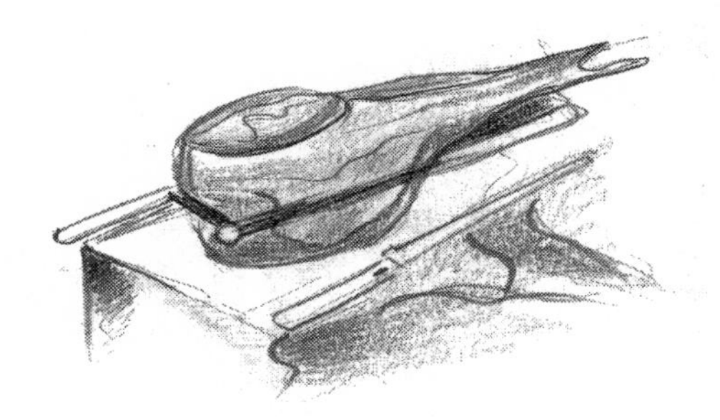

CASATELLA TREVIGIANA

Formaggio di antiche origini contadine, la Casatella in passato era prodotta dalle massaie direttamente nelle cucine delle case, utilizzando il poco latte appena munto e secondo le metodologie tradizionali. La stagione migliore era quella invernale, perché le vacche alimentate con foraggio secco producevano un latte più grasso e quindi più adatto alla produzione di formaggi molli. Con molta probabilità il nome "casatella" non deriva dal latino *caseus* (formaggio) ma proprio da "casa", in dialetto *casada.* Nella storia casearia trevigiana questo formaggio occupa da secoli un ruolo di primo piano, e conserva immutate le caratteristiche di gusto e finezza anche se la lavorazione casalinga o artigianale di un tempo è stata sostituita da quella tecnologica e industriale dei moderni caseifici. Formaggio fresco dal profumo lieve e delicato, la Casatella inizialmente ha una pasta compatta, che con la maturazione si fa morbida e cremosa, mantecata, fondente in bocca e dal colore bianco o lievemente paglierino. La crosta è appena percepibile, il sapore è dolce con caratteristiche venature acidule. Viene prodotta esclusivamente con latte vaccino intero proveniente da allevamenti bovini ubicati in Provincia di Treviso, e mantiene pertanto inalterate tutte le qualità nutrizionali del latte fresco: proteine, grassi, sali minerali, vitamine (A,D e B), confermandosi un prodotto sano, leggero e facilmente digeribile.

A cheese of ancient origins, the Casatella *was produced in the past by housewives directly in their kitchens using the little milk from a cow or two and traditional methods. The best season was winter because the cows were fed dry fodder that produced more milk fat and was therefore more suited to the production of soft cheeses. Most likely the name* Casatella *is not derived from the Latin* caseus *(cheese) but from "home", in dialect* casada. *In the history of Trevisan cheese the* Casatella *for centuries has occupied a prominent role, keeping unchanged the characteristics of taste and finesse, even if the home craft of the past has been replaced by technology and modern industrial dairies. It is a fresh cheese with a mild and delicate fragrance, it is initially compact, but with aging becomes soft and creamy. When whipped it melts in the mouth. It is white or slightly straw colored, with a barely perceptible crust, and a sweet flavor with sour highlights. Is produced exclusively from whole cow's milk from cattle farms located in the Province of Treviso, and thus keeps intact all the nutritional quality of fresh milk: proteins, fats, minerals, vitamins (A, B and D), a healthy product that is light and easily digestible.*

Casatella "abbracciata"

24 cappelle di funghi del Montello
60 gr di Casatella Trevigiana
1 spicchio d'aglio piccolissimo
2 cucchiai di prezzemolo tritato
pepe nero
2 uova
pan grattato
olio per friggere

Scegliere funghi con cappelle molto sane, grandi e profonde, in modo che possano ben contenere la farcitura. Mondare e lavare i funghi, staccare i gambi, tagliarli a fettine sottili e trifolarli con l'aglio tritato. Farli asciugare bene e quindi lasciarli raffreddare. Metterli in una ciotola e unirvi la Casatella, il prezzemolo, una macinata di pepe e il sale. Farcire le cappelle dei funghi premendo bene la crema , poi riunirle a coppie fermandole con uno stecchino. Sbattere le uova in una terrina, immergervi i funghi e passarli nel pane grattugiato. Ripetere l'operazione due volte, quindi lasciar raffreddare in frigo per un paio d'ore. Al momento del servizio, friggerli in olio per 5 minuti, scolandoli con cura e appoggiandoli su carta da cucina per assorbire l'olio in eccesso.

Casatella "embraced"
Choose 24 Montello mushrooms with very clean tops, large and deep, so that will contain the filling well. Peel and wash the mushrooms and remove the stems. Cut the stems into thin slices and soak them in hot oil with minced garlic. Let them dry, then leave to cool. Put them in a bowl and add 60g of Casatella, 2 tablespoons of minced parsley, black pepper and salt. Stuff the tops of the mushrooms with this mixture, pressing well, and then pair them firmly with sticks. Beat 2 eggs in a bowl, then dip the mushrooms and roll them in breadcrumbs. Repeat this twice, then let cool in the fridge for a couple of hours. Just before serving fry them in oil for 5 minutes, drain carefully and pat with kitchen paper to absorb excess oil.

Vino consigliato/*suggested wine:*
Pinot Bianco D.O.C.

Crema di zucchine al "casada"

350 gr di zucchine
3 patate piccole
1 cucchiaio di olio extravergine d'oliva
100 gr di Casatella Trevigiana
4 cucchiai di panna
sale e pepe

Spuntare le zucchine, lavarle e affettarle. Sbucciare le patate, lavarle, asciugarle e poi tagliarle a pezzi. Scaldare l'olio in un casseruola, versarvi le patate, le zucchine e un pizzico di sale, coprire con acqua e portare a bollore. Cuocere a fuoco moderato per 20 minuti, mescolando ogni tanto. Quindi spegnere e lasciare intiepidire. Aggiungere la casatella a pezzetti e con l'aiuto di un frullatore ad immersione frullare fino ad ottenere una crema morbida e omogenea. Se la crema dovesse essere troppo densa, diluirla con del brodo. Versarla in ciotole individuali, versarvi sopra la panna e servire subito, accompagnando a piacere con crostini di pane.

Cream of zucchini with "casada"
Take 350g of zucchini, wash and slice. Peel 3 small potatoes, wash them, dry them and then cut them in pieces. Heat 1 tablespoon extra virgin olive oil in a saucepan, add the potatoes, zucchini and a pinch of salt, cover with water and bring to a boil. Cook at moderate heat for 20 minutes, stirring occasionally, then turn off and let cool. Add 100g of Casatella Trevigiana in pieces, and with the help of an immersion blender whip the resulting into a smooth, homogeneous cream. If the cream appears to be too thick, dilute it with broth. Pour into individual bowls, cover with four tablespoons of cream and serve immediately, accompanied with croutons.

Vino consigliato/*suggested wine:*
Tocai di Lison D.O.C.

MORLACCO DEL GRAPPA

Murlak, Murlaco, Burlacco o Morlacco erano i nomi con i quali storicamente si indicava un formaggio di latte vaccino tenero, magro, a pasta cruda prodotto nell'area dell'altopiano del Grappa. I pastori e i boscaioli provenienti dai balcani e insediatisi sul massiccio del Grappa nel periodo della Repubblica di Venezia, gli avevano infatti dato il nome della loro terra d'origine: la Morlacchia. Era un formaggio povero, molto sapido, ideale accompagnamento della polenta dalla colazione alla cena, fatto con quel che restava del latte scremato per produrre il burro che era venduto in pianura. Il latte era quello delle vacche Burline, unica razza bovina autoctona del Veneto oggi a serio rischio di estinzione. Piccoline, dal manto bianco e nero, rustiche e adatte ai magri pascoli del Grappa, producevano un buon latte ma in quantità limitata, non paragonabile alle produzioni odierne delle Frisone o delle Bruno Alpine. Oggi di Burline ne sono rimaste poche, quasi totalmente in provincia di Treviso, ma il Morlacco si produce ancora: è lavorato in alpeggio con il latte scremato per affioramento della mungitura serale al quale si aggiunge quello intero munto il mattino. Le operazioni successive sono le medesime di secoli fa: si scalda fino a 38, 42°C e si coagula con caglio liquido di vitello. La cagliata è rotta in grani grandi come una noce. Dopo un breve riposo si trasferisce in ceste di vimini a spurgare il siero. Le forme si salano più volte al giorno per 12 giorni rivoltandole accuratamente a ogni salagione. Il Morlacco è un formaggio tenero ma non molle, netto al taglio, con occhiature gocciolanti, dal sapore molto salato. Quello fresco ha un aroma erbaceo e un profumo intenso, caratteristico, lievemente latteo. Quello stagionato invece, con maturazione da 30 a 90 giorni, ha una pasta dal colore lievemente paglierino e tende a mantecare, soprattutto nel sottocrosta; il sapore ed il profumo si fanno molto decisi, con accenti fortemente aromatici di pascolo e nocciola. Oggi, gli alpeggi che producono il Morlacco sono circa una ventina, e ognuno di loro può fornire al massimo trecento forme all'anno, ma spesso molte meno, con un peso che oscilla in genere tra i cinque e i sette chilogrammi.

Murlak, Murlaco, Burlacco *or* Morlacco *were the names that historically referred to a soft, lean cow milk cheese made from raw products in the area of the Grappa plateau. The shepherds and woodcutters from the Balkans that settled on the Grappa massif during the period of the Republic of Venice gave it the name of their homeland: Morlacchia. The cheese was poor with little flavor, ideal for accompanying polenta from breakfast to dinner, made with the skimmed milk that remained after the peasants produced butter to be sold down on the plains. The milk came from the cattle breed of Burlina, a unique breed native to the Veneto now at serious risk of extinction. Tiny with a black and white coat, it is hardy and suitable for the thin pastures of the Grappa. It produced good milk but in limited quantities, not comparable to today's productions of Frisian or Bruno Alpine. Today there are few Burlina, almost entirely in the province of Treviso, and they still produce Morlacco using the skim milk from the evening milking added to the whole milked in the morning. The subsequent operations have been the same for centuries: it is heated to 38 - 42°C and coagulated with liquid calf rennet. The curd is broken up to pieces the size of a walnut. After a short rest, they are moved in wicker baskets to drain the whey. The cheese forms are salted several times a day for 12 days, carefully turned after each salting.* Morlacco *is tender but not soft, and it cuts cleanly with pieces that have holes that drip and taste very salty. Fresh* Morlacco *has a fresh grassy aroma with an intense, distinctive, slightly milky scent. Ripened* Morlacco *is aged from 30 to 90 days, and has slightly straw-colored hue and tends to rise, especially right under the crust. The taste and smell are very strong, highly aromatic with accents of pasture and hazelnut. Today, there are only about twenty farms that still produce* Morlacco, *and each of them can provide a maximum or three hundred forms per year, but often much less, with a weight ranging generally between five and seven kilograms.*

Involtini di Morlacco a sorpresa

12 foglie di vite piccole e tenere
12 dadini di Morlacco
12 prugne secche snocciolate
6 fette di pancetta affumicata stufata
6 zucchini con il fiore
1 spicchio d'aglio
100 gr di luganega trevigiana
foglie di porro
olio extravergine d'oliva
prezzemolo
sale e pepe

Lavare ed asciugare le foglie di vite, farcirle con i dadini di morlacco e chiudere bene. Avvolgere ogni prugna con mezza fetta di pancetta e legare questi involtini a quelli di morlacco con delle striscioline ottenute dalle foglie di porro leggermete sbollentate. Lavare gli zucchini e tagliarne 3 a rondelle. Tritare l'aglio e farlo appassire in una padella con un goccio di olio, unire la salsiccia sbriciolata, poi le rondelle di zucchine e lasciar cuocere. Una volta intiepidito, farcire con questo composto i fiori di zucchina. Prendere le altre zucchine e tagliarle a rondelle leggermente oblique. Farle cuocere in acqua salata bollente per 3 minuti, raffreddare e condire con del buon olio extravergine d'oliva, sale , pepe e del prezzemolo tritato. Disporre tutti gli involtini in una pirofila oliata, regolare di sale e spennellare la superficie con l'olio. Infornare a 150°C per alcuni minuti. Servire mettendo su ogni piatto 2 foglie di vite, 2 prugne, un fiore di zucchino e l'insalatina di zucchine al centro.

Morlacco rolls with a surprise
Wash and dry 12 small young vine leaves, stuff with 12 Morlacco cubes and close well. Wrap 12 pitted prunes with a half slice of bacon and tie them to those of Morlacco vine rolls with strips of lightly boiled leek leaves. Wash 6 zucchini (with flowers) and cut 3 of them into thin rounds. Chop 1 clove of garlic and sauté it in a pan with a little oil, add 100g of crumbled luganega Trevigiana sausage, then the zucchini rounds and let cook. Once cooled, stuff with the zucchini flowers. Take another 3 zucchini and cut them into slightly oblique thin rounds. Cook them in boiling saòlted water for 3 minutes, cool and season with some good extra virgin olive oil, salt, pepper and chopped parsley. Place all the rolls in an oiled pan, add some salt and brush the surface with oil. Bake at 150°C for several minutes. Serve by placing on each plate 2 vine leaf rolls, 2 prune rolls, a zucchini flower, and zucchini salad in the center.

Vino consigliato/suggested wine:
Raboso D.O.C.

Pomi, morlacco e kren

2 mele Golden non troppo mature
succo di 1 limone
120 gr di formaggio Morlacco senza crosta
120 gr di wurstel
1 cucchiaino colmo di rafano (kren) grattugiato e conservato sott'aceto
100 gr di maionese
50 gr di panna liquida fresca
1 cespo di radicchio di Castelfranco
cerfoglio fresco
prezzemolo

Tagliare a dadini due belle mele e irrorarle con succo di limone per evitare l'ossidazione della polpa. Tagliare poi il morlacco e i wurstel in dadi altrettanto grandi e mescolare tutto assieme. Scolare il kren dall'aceto e unirlo alla maionese e alla panna. Con questa salsa coprire le mele, il morlacco e i wurstel. Preparare una coppa o delle coppette individuali, mettere all'interno una julienne di foglie di radicchio di Castelfranco e adagiarvi il composto di morlacco. Decorare infine con una fogliolina di cerfoglio o di prezzemolo.

Apple, Morlacco and Kren
Dice 2 beautiful golden apples, not too ripe, and sprinkle with the juice of 1 lemon to prevent oxidation of the pulp. Then dice 120g of sausage and 120g of Morlacco (without rind) into large cubes and mix with the apples. Drain 1 heaping tablespoon of horseradish, and add 100g of mayonnaise and 50g of fresh cream. With this sauce cover apples, Morlacco and sausage. Prepare a bowl or individual bowls, put in a julienne of leaves of Castelfranco radicchio and add the Morlacco mixture. Finally, decorate with a leaf of chervil or parsley.

Vino consigliato/*suggested wine:*
Prosecco Tranquillo D.O.C.

Morlacchi chi?

Il termine "morlacchi" (mauro-valacchi, morovalacchi o nigri latini) era usato per definire genericamente le popolazioni di origine romana presenti nelle Alpi Dinariche, a nord dell'attuale Albania, dopo la fine dell'Impero Romano d'Occidente. Con le invasioni turche questo popolo si ritirò sulle montagne dedicandosi principalmente alla pastorizia e solo nei secoli XVI e XVII si spinse di nuovo verso la costa dalmata, fino a Zara e Fiume. I morlacchi erano un popolo poco radicato al territorio, vivevano spesso in carovane avendo un loro importantissimo mercato più a sud, ad Ocrida, in Macedonia, pertanto Venezia ne favorì l'insediamento stabile con apposite leggi agrarie, come la legge Grimani del 1755 che assegnava gratuitamente due campi ad ogni famiglia morlacca. Mano a mano questi pastori si mescolarono alle genti che li ospitavano, istrorumeni, dalmati, veneti, perdendo le loro caratteristiche distintive: la loro lingua di origine neolatina si confuse con le altre senza lasciare alcuna traccia letteraria che potesse far luce sulla storia di questo popolo. Oggi è parlata solo da 22 persone in Istria, secondo il censimento croato del 1991.

The term Morlacchi *(mauro-Wallachia, morovalacchi or latin nigri) was used generically to define the populations of Roman origin in the Dinaric Alps, north of Albania, after the end of the Western Roman Empire. With the Turkish invasion these people withdrew to the mountains and dedicated their lives mainly to pasture, and only in the sixteenth and seventeenth went back to the Dalmatian coast, up to Zadar and Rijeka. The Morlacchi people were not closely rooted to the land, often living in caravans with their most important market in the south, Ohrid in Macedonia. The Republic of Venice preferred a more settled life and passed appropriate agrarian laws, such as the Grimani Act of 1755 that gave two acres to each Morlacco family. As these Morlacchi shepherds mixed with their neighbors, the Istrorumeni, Dalmatians, and Venetians, they started losing their distinctive features. Their language of Romance origin has become mixed with others without leaving any literary trace that could shed light on the history of this people. Today only 22 people in Istria, Croatia still speak it, according to the census of 1991.*

BASTARDO DEL GRAPPA

Sul Massiccio del Grappa l'attività casearia è stata sempre condotta dalle genti del fondovalle o della pedemontana che all'inizio della buona stagione risalivano i versanti con le mandrie per sfruttare le risorse naturali della montagna. Nel tempo i nuovi stili di vita hanno contribuito a rendere più faticosa e dunque rara quest'attività, tanto che negli ultimi anni il numero delle malghe si è drasticamente ridotto. Le poche che hanno resistito alla modernità producono ancor'oggi il famoso Bastardo del Grappa, il cui nome sembrerebbe derivare dal fatto che in passato si usavano nella lavorazione non solo il latte di vacca, ma anche di capra e pecora; oggi invece il Bastardo è fatto solo con latte vaccino e viene chiamato così perchè la sua lavorazione è intermedia fra quella dell'Asiago d'allevo e quella del Montasio. In malga, da giugno a settembre, il latte della mungitura serale viene posto in vasche di affioramento in un locale ventilato detto c*ason dell'aria.* Il mattino seguente viene quindi separato dalla materia grassa, posto in caldera di rame, mescolato al latte della nuova mungitura e riscaldato. Poi si aggiunge il caglio, che serve a separare il siero dalla pasta di formaggio, che si coagula in una grande e morbida palla. La cagliata viene lasciata riposare, quindi viene rotta finemente e nuovamente riscaldata. La si divide in porzioni di adeguata grandezza, che vengono estratte mediante tele e poste prima in fascere forate per permettere lo spurgo del siero, quindi in fascere di legno e sottoposte a lieve pressatura. La forma si lascia riposare in *cason del fogo* fin quando la pasta assume una consistenza morbida. Dopo una salatura breve, per non alterarne il sapore dolce e leggermente aromatico, il bastardo viene messo a maturare per almeno 25 giorni in un locale chiamato *casarin.* L'invecchiamento può superare l'anno e durante tutto questo periodo il formaggio viene rivoltato frequentemente per favorire l'asciugatura. Il risultato è' un formaggio dalla forma cilindrica, di peso variabile da 2,5 a 5 kg con crosta asciutta e pulita. La pasta è morbida, paglierina, con occhiature piccole. La stagionatura apporta variazioni al colore e alla consistenza della pasta che diventa progressivamente più granulosa ma assolutamente compatta. Anche il sapore dolce, sapido, lievemente aromatico e il profumo gradevole si fanno più intensi con l' invecchiamento.

The dairy industry on the Grappa Massif has always been conducted by people of the valley and foothills. At the beginning of the spring season they would lead their herds up the sides of the mountain to exploit the natural resources there. Over time, new lifestyles in the area made the herding life more difficult, so that in recent years the number of dairies has been drastically reduced. The few herders who have resisted modern ways still produce the famous Bastardo del Grappa, *whose name seems to derive from the fact that in the past they used not only cow milk but also that of goats and sheep. Today* Bastardo *is only made with cow milk, but it has kept the name because its processing is halfway between that of Asiago and Montasio. In the high pastures from June to September, the evening milking is placed in vats in a room ventilated with what is called "air shed". The next morning the fat is separated, and then it is placed in a copper cauldron, mixed with the new morning milking and heated. Then you add the rennet, used to separate the whey from the cheese curds, which coagulates in a large, soft ball. The curd is allowed to set, then broken up again and reheated. The resultant mass is divided into portions of appropriate size, which are extracted through cloth and put first in containers with holes to allow draining, then in wooden forms subjected to slight pressure. The form is left to stand in "fire shed" until the cheese becomes soft. After curing a short time, so as not to alter the taste of being slightly sweet and aromatic, the Bastard cheese is put to mature for at least 25 days in a room called "little shed". Aging may continue for over a year, during the entire time of which the cheese is turned frequently to encourage drying. The result is cheese in a cylindrical shape, weight ranging from 2.5 to 5 kg, with a dry and clean crust. The cheese is soft, straw colored, with small holes. Continued aging changes the color and consistency of the cheese so that it becomes progressively grainier and quite hard. The sweet, fruity, slightly aromatic and pleasant scent becomes more intense with aging.*

Crocchette di patate ed ortiche al Bastardo con mostarda di pere

4 patate abbastanza grosse
250 gr di formaggio Bastardo del Grappa
100 gr di cime d'ortica
farina bianca 00
pan grattato
2 uova
olio per friggere
sale e pepe

1 cucchiaio di mostarda di pere
insalatina

Lessare le patate, quindi scolarle e passarle allo schiacciapatate. Lessare anche le cimette di ortica, scolarle, raffreddarle con acqua ghiacciata, strizzarle bene, tritarle e unirle alle patate. Tagliare a dadini 150 gr di bastardo e aggiungerlo all'impasto insieme ad un uovo sbattuto. Regolare di sale e pepe quindi, aiutandovi con le mani, formare con l'impasto delle palline e passarle nella farina, nell'altro uovo sbattuto e nel pan grattato. Friggere quindi in olio caldo e una volta dorate scolarle e metterle su carta assorbente da cucina. Servirle insieme al restante formaggio bastardo tagliato a pezzetti, a dell'insalatina condita con aceto balsamico e ad una cucchiaiata di mostarda di pere.

Croquette potatoes and nettles with Bastardo cheese and pear mustard
Boil 4 large potatoes, then drain, and mash them. Boil 100g of nettle tops, drain, cool with ice water, wring well, cut and combine with potatoes. Cut into cubes 150g Bastardo cheese and add to the potato mixture together with 1 beaten egg. Add salt and pepper then, hand knead the mixture into dough balls and roll them in the flour, in 1 beaten egg and in breadcrumbs. Then fry in hot oil, and when golden drain and put them on absorbent kitchen paper. Serve with 100g of Bastardo cheese cut into pieces, salad seasoned with balsamic vinegar and a spoonful of pear mustard.

Vino consigliato/*suggested wine:*
Cabernet Colli Asolani D.O.C.

Mostarda di pere

1,3 kg di pere mature non trattate
250 gr di zucchero semolato
scorzette di limone non trattato
1 cucchiaino abbondante di senape in polvere

Lavare, sbucciare le pere e eliminare i torsoli. Metterle in una ciotola, cospargerle con lo zucchero, mescolare, coprire con pellicola da cucina e lasciar riposare in frigo per un giorno. Scolare quindi le pere mettendo il succo che si è formato a bollire per un paio di minuti. Versarlo così com'è sulle pere, coprire e lasciar riposare per un'altro giorno. Ripetere altre due volte questa operazione, lasciando sempre 24 ore di riposo tra una e l'altra. L'ultimo giorno, colare lo sciroppo in una casseruola e farlo bollire per restringerlo un poco. aggiungere le pere e cuocere per 5 minuti aggiungendo una scorzetta di limone. Se si preferisce si pùo frullare la frutta, ovviamente prima di aggiungere la scorza di limone. Spegnere il fuoco e lasciar raffreddare. Aggiungere la senape mescolando bene e facendo attenzione a non formare grumi (eventualmente scioglierla prima in qualche goccia d'acqua). Versare la mostarda in vasetti e conservarla almeno un mese in luogo fresco e buio prima di consumarla.

Pear mustard
Wash and peel 1,3 kg of pears and remove the cores. Put them in a bowl, sprinkle with 250g of sugar, mix, cover with kitchen foil and let rest in refrigerator for a day. Drain the pears and keep the juice, boiling it for a couple of minutes. Then pour it on the pears, cover and leave for another day. Repeat twice more, with 24 hours between sessions. The last day, put the syrup in a saucepan and boil it to reduce and thicken it a little. Then add the pears and cook for 5 minutes with a lemon peel. If you prefer, you can whip and mix the pears before you add the lemon rind. Turn off the fire and let cool. Add 1 abundant teaspoon of mustard powder, stirring well so as to avoid forming clumps (which may be dissolved within a first few drops of water). Pour the mustard in jars and keep at least a month in cool, dark place before you eat it.

BELLUNO

O de strame o de fen, el stomego g'ha da esser pien

L'omo che g'ha paura de magnar, g'ha paura de lavorar

O di erba secca o di fieno, lo stomaco deve essere pieno
Be it with dry grass or hay, the stomach has to be full

L'uomo che ha paura di mangiare, ha paura di lavorare
The man who fears food, fears work

da “La casa sulla Marteniga”

di Tina Merlin

Mi bruciò il cuore per lungo tempo un'ingiustizia di mia madre. Non avevo che sei anni ma ho ancora negli occhi lo svolgersi di quell'avvenimento, dall'inizio alla fine.
Quell'inverno fu freddissimo per la gran quantità di neve caduta, che di notte gelava. Dopo l'uccisione del maiale a dicembre fino a marzo quando iniziavano i lavori nei campi, appena alzati s'usava bere un caffè d'orzo e consumare un pasto sostanzioso verso le dieci del mattino. Mia madre confezionava una bella polenta che rovesciava in tavola, fumante. La mangiavamo con la luganega, fritta dentro lo scot, un sugo che era sempre polenta levata brodosa dal paiolo prima che s'indurisse. Era un magnifico mangiare: riscaldava lo stomaco e saziava. A mezzogiorno ci veniva distribuita qualche patata cotta al forno, qualche noce, un pomo. Il pasto serale, alle cinque di sera, consisteva in minestra di fagioli. Chi aveva fame c'inzuppava nuovamente la polenta avanzata il mattino.
Un pomeriggio di quell'inverno mia madre mi mandò a fare la spesa in cooperativa. Nella sporta di paglia collocò le uova che servivano da pagamento. Il conto che rimaneva veniva segnato in un libretto e concorreva notevolmente alle lamentele di mia madre sulle debite. M'infagottò in una sciarpa e zoccolando sul ghiaccio, con tenta d'essere utile, m'avviai verso il paese.
Giunta in cooperativa, allungai sopra il banco - m'arrivava appena alla testa - la sporta con le uova e la nota della spesa. Ernesta, la moglie del gestore, la ritirò. Conteneva anche due bottiglie per l'olio e l'aceto. Mi restituì la sporta vuota e mise sopra il banco, una alla volta, le bottiglie riempite. Le collocai nella sporta come le aveva messe mia madre, una per ogni estremità. Mancando le uova a sostenerle dritte s'inclinarono, sbattendosi contro, spaccandosi entrambe, spargendo il liquido per terra, prezioso quello dell' olio che pur essendo di semi costava molto per le nostre finanze.
Dovetti rimanere terrorizzata perché Ernesta cercò di rincuorarmi, sollecita: - Non è niente, non è niente, adesso ti cambio le bottiglie -. Come se i miei pensieri fossero sulle bottiglie e non sul loro

contenuto.
Me le cambiò, infatti. Non avendo capito il meccanismo le collocai nella sporta come prima. Si rovesciarono nuovamente. Pregai il Signore che si fosse rotta soltanto quella dell' aceto. Invece si ruppe l'altra e finalmente Ernesta capì che doveva fare tardivamente quello che avrebbe dovuto fare prima: aiutare una bambina. Sistemò le nuove bottiglie mettendoci nel mezzo l'altra merce. M'avviai verso casa con un tremendo groppo in gola, sentendomi responsabile d'aver fatto salire le *debite* nel libretto. Come avrei giustificato la mia sbadataggine a mia madre? Come avrebbe, lei, potuto perdonarmi?
Mia madre sferruzzava accanto alla stufa. Mi slanciai ai suoi piedi, ripetendo infinite volte: - Mamma perdonami ho rotto le bottiglie... Mamma perdonami ho rotto le bottiglie...
Non capì il mio tormento. In quel momento afferrò solo il conto in più da pagare. Senza neppure aprire la sporta, guardare il libretto, vedere o farsi raccontare cosa e come era successo, mi rovesciò a pedate sul pavimento facendomi ripetutamente rotolare, colpendomi a calci da tutte le parti con le zoccole, come una furia scatenata.
Era un lato di mia madre che non conoscevo. Ne rimasi sconvolta. Scappai a chiudermi in camera e non le rivolsi più la parola per molto tempo. Continuavo ad ubbidirle, come prima, a fare lé incombenze che mi ordinava. Ma evitavo di guardarla negli occhi anche se i suoi mi cercavano. Avevo subìto un'ingiustizia e non riuscivo a perdonarle. Durò fino a ottobre, con l'inizio della scuola e con la vendemmia: sotto un filare di vite, udii mia madre confessare il suo peccato a *jeja* Dosolina. Non s'era accorta della mia presenza e non seppe mai che l'avevo udita.

from "The House on Marteniga" by Tina Merlin

For a long time my heart burned because of an injustice my mother did to me. I was only six years old but I can still see in my mind that episode from beginning to end. The winter was very cold because of the all the snow, which at night would freeze. After the killing of the pig in December until March when we began working in the fields, when we woke up we used to drink barley coffee and eat a hefty meal at about ten in the morning. My mother would make a nice steaming polenta, which she would pour on the table. We would eat polenta with sausages fried in scot, a sauce that was also polenta but this time it had been taken from the pot when it was still very soft, almost like a broth. It was great to eat: it warmed the stomach and filled you up. At noon we were given a few baked potatoes, some nuts, an apple. The evening meal, at five in the afternoon, consisted of bean soup. Those who were still hungry would dunk the leftover polenta from breakfast.

One afternoon my mother sent me to the village communal store. In the straw bag she placed some eggs, which we used as payment. The difference that we owed was marked in a book and was the main reason of my mother's complaints about our debts. She wrapped me in a scarf and I headed towards the village, hoping to be helpful, my clogs clacking on the ice.

When I arrived at the communal store I reached up to the counter – I could barely see over it – and placed the bag with the eggs and the shopping list on it. Ernesta, the wife of the manager, took the bag. It also contained two bottles for oil and vinegar. She gave me the empty bag back and placed the filled bottles one at a time on the counter. I placed them in the bag like my mother had, one on each end. Without the eggs to support them, however, they fell over, hitting against each other, and they finally broke, spilling the liquid on the floor, the precious oil that was so hard on our budget.

I must have looked terrified because Ernesta quickly tried to comfort me: - It's nothing, absolutely nothing; I'll give you new bottles - As if I was worried about the bottles and not their content.

She changed them for me. Not understanding what had happened, I put them in the bag the same way. They fell over again. I prayed the Lord that only the vinegar bottle broke. Instead the other one did and finally Ernesta understood that she had to do what she should have done earlier: help a child. She arranged the bottles by placing the other goods in between. I started back home with an awful lump in my throat, our debts in that little book had gone up, and I felt responsible. How would I justify my carelessness to my mother? How could she, she, ever forgive me?

My mother was knitting beside the stove. I threw myself at her feet, repeating over and over: - Mother forgive me I broke the bottles...Mother forgive me I broke the bottles...

She did not understand my anguish. In that moment all she understood was that we had more to pay. Without even opening the bag, looking at the book, waiting to see or be told what had happened and how, she kicked me to the floor making me roll back and forth, kicking me on all sides with her clogs, her fury unleashed.

It was a side of my mother I did not know. I was shocked. I ran to shut myself in my room and did not talk to her for a long time. I continued to obey her as before and to do the chores that she ordered me to. But I avoided looking into her eyes even if she would search for mine. I had been victim of a wrongdoing and I could not forgive her. This lasted until October, when school and the harvest began: under a row of vines, I heard my mother confessing her sin to Dosolina. She did not notice my presence and never knew that I heard her.

PECORA ALPAGOTA

Nella conca di Alpago, nella parte sud orientale della Provincia di Belluno, la pastorizia ha avuto fino alla prima metà del secolo scorso un ruolo importante nell'economia rurale: fino agli anni '40 ogni famiglia aveva qualche decina di capi indispensabili per il sostentamento e il comune di Chies così tanti pascoli da inserire l'immagine di una pecora anche nello stemma comunale; nella fascia montana tra i 1000 e i 1600 metri fiorivano gli insediamenti pastorali , le così dette *malghe*, dove le greggi salivano a primi di maggio per scendere a metà ottobre. Dopo la seconda Guerra Mondiale divenne sempre più difficile trovare pastori per la stagione in alpeggio e, poco per volta, le greggi autoctone divennero sempre meno numerose, fino ad entrare oggi tra quelle minacciate d'estinzione. Piccola, con un mantello folto, fine, ondulato e dalla singolare maculatura scura, che la ricopre totalmente dal ginocchio e dal garretto fino all'osso frontale, la pecora Alpagota, o *pagota*, è caratterizzata dalle orecchie minute, a volte quasi inesistenti, e dal curioso profilo montonino. E' una razza rustica, adatta all'ambiente alpino, ma altrettanto idonea all'allevamento in stalla; è ottima per la lana, per il latte ma soprattutto per la carne, saporita, tenera e compatta allo stesso tempo, con un giusto equilibrio di grasso-magro e sensazioni che non sanno mai di selvatico, ma al limite di erbe aromatiche.

In the basin of Alpago, in the southeastern part of the province of Belluno, herding had an important role in the rural economy until the first half of last century: up until the 1940s each family had a few dozen animals which were essential to their sustenance. The town of Chies had so many pastures that it included the image of a sheep in the municipal coat of arms. Between 1000 and 1600 meters there were many pastoral settlements, the so-called malghe *(huts), where the flocks would go in early May and return from in mid October. After the Second World War it became increasingly difficult to find shepherds for the alpine season and, little by little, the native flocks became less numerous; they are now threatened with extinction. The sheep of Alpago, or* Pagota, *is small, with a thick, fine, wavy and peculiarly dark spotted coat that covers it completely, and has minute ears, sometimes almost non-existent, and a curious profile. It is a rustic breed, adapted to the alpine climate, but equally suitable for farming, and it is good for its wool and milk, but mainly for its meat, which is tasty, tender and firm at the same time, with a balance of fat and lean. It does not have a wild taste but of herbs*

Carré di agnello di pecora Alpagota al forno in crosta di pane alle erbe e salsa alla birra Pedavena

1 carrè di agnello di pecora Alpagota
100 gr di pancarrè
1 uovo
25 gr di Grana Padano grattugiato
1 scalogno tritato
100 gr di sugo d'arrosto
4 cucchiai di birra Pedavena
50 gr di burro
50 gr di olio extra vergine d'oliva
prezzemolo, aneto, erba cipollina, maggiorana
sale e pepe

Pulire il carré, scarnire le costolette, legarlo con lo spago, salarlo e peparlo. Scaldare una placca da forno, rosolare il carré da tutte le parti con l'olio e metà del burro e continuare la cottura in forno a 180°C per circa 15 minuti bagnandolo, di tanto in tanto, con il grasso di cottura. Togliere dal forno e lasciare riposare. Preparare un impasto con il pancarrè sbriciolato, le erbe tritate, lo scalogno, il Grana grattugiato e l'uovo. Lavorarlo fino a renderlo omogeneo e morbido. Spalmarlo sul carré ormai freddo e gratinare in forno. A cottura ultimata, deglassare con la birra chiara Pedavena, aggiungere il sugo d'arrosto, filtrare la salsa e aggiungere il restante burro. Tagliare il carré a costolette, disporlo nei piatti, irrorarlo con la salsa e accompagnare con patate arrosto.

Alpago lamb carré baked in a crust of herbed bread with Pedavena beer sauce. Clean 1 lamb roast loin, bare the ribs, tie it with string, add salt and pepper. Heat an ovenproof plate, brown the loin on all sides with 50g oil and 25g butter. Continue cooking in the oven at 180°C for about 15 minutes and keep moist by occasionally spooning the cooking fat on the meat. Remove from oven and let sit. Prepare a dough with the 100g breadcrumbs, chopped parsley, dill, chives and marjoram, 1 shallot, grated Grana and 1 egg. Work until it becomes uniform and smooth. Spread on the cold lamb loin and broil in the oven. When cooked, remove film using 4 tablespoons of Pedevena light beer, add 100g gravy, filter the sauce and add 25g butter. Carve the roast into chops, place on plates, cover with sauce and serve with roasted potatoes.

Vino consigliato/*suggested wine:*
Merlot dei Colli Asolani

Agnello di pecora Alpagota e funghi di bosco

600 gr di agnello di pecora Alpagota tagliato a pezzi
600 gr di funghi freschi
4 patate medie
2 cipollotti freschi o ½ cipolla
300 gr di passata di pomodoro
1 cucchiaino di maggiorana secca
1 foglia tritata di alloro
3-4 steli tritati di erba cipollina
2 cucchiai di prezzemolo tritato
1 bicchiere di vino bianco
5 cucchiai di olio extra vergine di oliva
sale e pepe

Mondare i funghi, raschiandoli con un coltellino per eliminare le impurità e gli eventuali residui di terra. Inumidire della carta da cucina, (tipo scottex) e passarla sui funghi, che non vanno lavati sotto l'acqua corrente altrimenti perdono il loro delicato aroma. Tagliarli a fette. Lavare e asciugare i pezzi di agnello. Disporli in un tegame piuttosto capace, dopo averli salati e conditi con l'olio, le erbe, il prezzemolo e la cipolla affettata finemente. Farli rosolare a medio calore e poi aggiungere il vino. Farlo evaporare per qualche minuto, girando i pezzi di carne, e poi aggiungere un bicchiere d'acqua, la passata di pomodoro, i funghi e le patate sbucciate e ridotte a pezzi. Regolare di sale e proseguire la cottura a pentola coperta e a calore medio, girando di tanto in tanto delicatamente con un cucchiaio di legno. Eventualmente aggiungere altra acqua tiepida. Servire caldo, assieme ad una bella polentina fumante.

Alpago lamb and mushrooms
Peel 600g fresh mushrooms, scraping with a small knife to remove impurities and any residual earth. Moisten paper towel and pass it on mushrooms, which must not be washed under running water otherwise they lose their delicate flavor. Slice them. Wash and dry the lamb (600g), cut into pieces. Cover with salt, oil, 1 teaspoon dried marjoram, 1 chopped bay leaf, 3-4 stalks chopped chives, two tablespoons minced parsley and half an onion, finely chopped, and place in a rather large pan. Brown the pieces over medium heat and then add 1 glass white wine. Let evaporate for a few minutes, turning the pieces of meat, then add a glass of water, 300g tomato sauce, the mushrooms and 4 medium potatoes that have been peeled and cut into large pieces. Taste for salt and continue cooking covered on medium heat, gently turning occasionally with a wooden spoon. If desired, add other warm water. Serve hot, with a nice steaming polenta.

Vino consigliato/*suggested wine:*
Cabernet Sauvignon del Piave D.O.C.

CARNE DE FEA AFUMEGADA

L'allevamento ovino è da sempre legato alla storia dell'Alpago, dove, soprattutto in passato, ha rappresentato l'attività fondamentale e determinante per il permanere delle popolazioni. L'importanza di questo animale è testimoniata dalla sua raffigurazione sul gonfalone del Comune di Chies il paese che vanta al riguardo le maggiori tradizioni. Nonostante oggi la pastorizia abbia assunto un ruolo marginale, grazie al patrimonio culturale tramandato dai pastori ai loro figli, a loro volta pastori, si è mantenuta la conoscenza del metodo tradizionale di preparazione di uno speciale prodotto tipico dei pastori lamonesi, la *carne de féa 'nfurmigàa* (carne di pecora affumicata), che *"l era al magnar de i pastor che i n dea a pascolar"*. Si tratta di carne di pecora, in particolare di agnello, agnellone o di castrato della razza autoctona locale Lamon o di agnelloni derivati da incroci tra la pecora autoctona e arieti di razza Bergamasca o Biellese. Il prodotto finito si presenta esternamente di consistenza compatta, di colore bruno scuro, con un profumo intenso di ginepro. Il colore al taglio è rosaceo. Il gusto è caratteristico, di sapore deciso e salato. La carcassa dell'animale viene frollata per 10-15 giorni in cella frigo, macellata e messa quindi in vasche di vetro a macerare con la concia, preparata con sale e pepe per almeno 48 ore. La carne conciata viene successivamente collocata su griglie e posta nel locale di affumicatura dove viene esposta ad un fumo freddo generato da segatura di legni duri e bianchi, come il faggio e il carpino, a cui vengono frapposte fronde di ginepro. Il processo di affumicatura dura dalle 4 alle 5 ore, durante le quali la carne viene girata più volte fino ad ottenere un'affumicatura completa.

The sheep has always been tied to the history of Alpago, where, especially in the past, it was the main activity and it allowed the population to thrive there. The importance of this animal is confirmed by the fact that it is included in the Chies city emblem. Chies is namely the town which most boasts of the sheep herding tradition. Although this activity has slowly assumed a marginal role, the traditional preparation of smoked sheep meat has been preserved thanks to the cultural heritage handed down by shepherds to their children, who in turn became shepherds. This food was considered "the food of the shepherds who would tend the sheep." *The smoked meat was either sheep, lamb, mutton, hogget of Lamon or lamb derived from crosses between the local sheep and the breed from Bergamo. The cooked meat is very compact, dark brown with an intense smell of juniper. The flesh when cut is rosy pink. The taste is strong and salty. The remaining bones sits for ten to fifteen days in a refrigerator, it is then ground and placed in glass tubs in salt and pepper for 48 hours. The meat thus prepared is placed on the grill and smoked with cold juniper scented smoke. This process lasts four to five hours during which the meat is turned.*

Zuppa d'orzo con carne de fea afumegada

200 gr di orzo
3 l di acqua
carne de fea affumicata
1 carota
1 patata
poca panna liquida freschissima
aromi freschi (prezzemolo, erba cipollina a piacere)
Grana Padano

Far cuocere lentamente per 2 ore, in acqua inizialmente fredda, l'orzo insieme con la carne, aggiungendo una carota e una patata tagliate in bastoncini. Poi levare la carne, tagliarla in dadi e rimetterla nella minestra. Condire leggermente con aromi freschi tritati e insaporire con un po' di panna e del formaggio Grana grattugiato.

Barley soup with smoked sheep meat
Cook in cold water 200g barley, smoked sheep meat, 1 carrot, and 1 sliced potato for 2 hours. Remove the meat, cut in cubes and return to soup. Season with parsley and chives. Add some fresh cream and Grana Padano.

Vino consigliato/*suggested wine:*
Cabernet di Pramaggiore Lison D.O.C.

Il sacrificio delle pecore

Mansueta, semplice ed obbediente, la pecora (*Ovis aries*) è insieme alla capra (*Capra hircus*) una delle prime specie addomesticate dall'uomo. Nella Bibbia si narra che Abele, il secondo figlio della prima coppia di esseri umani, Adamo ed Eva, era per l'appunto un pastore di pecore e che venne ucciso dal fratello Caino, che era agricoltore, perchè il suo sacrificio dell'agnello più grasso era stato accettato da Dio, mentre quello di Caino no. Con la sua offerta Abele, aveva riconosciuto la necessità dell'espiazione per il peccato, e consacrato così l'agnello a simbolo sacrificale per eccellenza. Abramo infatti immolò un agnello in luogo del figlio Isacco, e fu con il sangue dell'agnello sacrificato durante la pasqua che gli ebrei contrassegnarono gli stipiti delle loro porte la notte prima di fuggire dall'Egitto, per permettere a *Jahvè* di riconoscere le case ebraiche, e uccidere così soltanto i primogeniti degli egiziani. Nel Nuovo Testamento, l'agnello diventa quindi simbolo di Cristo: Giovanni Battista lo chiama "Agnello di Dio", ed infatti egli, morendo in croce, diventa l'agnello sacrificato per la salvezza di tutti gli uomini. Sorte meno gloriosa è capitata alla parente più stretta della pecora, la capra, dagli antichi considerata simbolo di forza e virilità, nella cultura cristiana è diventata l'incarnazione del diavolo e pare che il giorno dell'apocalisse , quando il signore dividerà gli uomini come il pastore separa le pecore dalle capre, le prime staranno a destra con i giusti, e le seconde, poverine, a sinistra con i dannati!

Being docile, simple and obedient, the sheep (Ovis Aries) *along with the goat* (Capra hircus) *was one of the first species to be domesticated by humans. In the Bible it is told that Abel, the second son of the first couple, Adam and Eve, was in fact a shepherd who was killed by his brother Cain, a farmer. This was because God had accepted Abel's sacrificial lamb, whereas Cain's sacrifice had not been accepted. By offering the lamb Abel had recognized the need to expiate sin, making the lamb the ultimate sacrificial symbol. In fact, Abraham sacrificed a lamb in place of his son Isaac. Also, the Jews marked their doorframes with the blood of a sacrificial lamb during Passover the night before the biblical flight from Egypt to allow Yahweh to recognize the Jewish homes and only kill the firstborn of the Egyptians. In the New Testament, the lamb became a symbol of Christ: John the Baptist called him "Lamb of God", and by dying on the cross, he himself became the sacrificial lamb for the salvation of mankind. The goat, although a close relative of the sheep, had a less glorious fate: the ancients regarded it as a symbol of strength and virility, but in Christian culture it became the incarnation of the devil and it seems that on the day of Revelation, when the Lord will separate men as the shepherd separates sheep from goats, sheep will be on the right with the righteous, while goats, the poor things, will be on the left with the damned!*

PENDOLE

Le Pendole sono strisce di carne affumicata che un tempo costituivano, assieme al formaggio, il cibo usuale di tutti quelli che dovevano mangiare fuori casa per lunghi periodi come i boscaioli e i pastori transumanti . Tradizionali dello Zoldano e del Longaronese, originariamente erano prodotte con carni di grandi animali selvatici, come cervi, caprioli, daini oppure ovini e caprini, allo scopo di sfruttare tutto l'animale e di conservare delle scorte anche per i periodi di magra. Oggi invece sono utilizzate quasi esclusivamente carni bovine e suine, ma la tecnica di preparazione artigianale è rimasta la stessa: si selezionano strisce di carne alte un centimetro e lunghe anche 15-20 centimetri e si condiscono con sale, pepe, alloro, rosmarino, salvia, aglio e vino bianco; dopo una settimana di macerazione, le carni vengono distese su-un bastone ad asciugare penzoloni, da cui il nome "Pendole". A questo punto vengono esposte ad un fumo freddo generato da segatura di legni duri e bianchi, come il faggio e il carpino; sul pavimento del locale di affumicazione si frappone tra due strati di segatura uno di fronde di ginepro e, in uno dei lati, si accende un fuocherello che brucia lentamente, quasi senza fiamma, generando corpose volute di fumo e aroma che avvolgono il prodotto, donandogli il caratteristico aroma affumicato.

Pendole *are strips of smoked meat that were once the typical meal (together with cheese) of lumberjacks and shepherds. They were originally made with meat from wild animals such as deer, roe deer, sheep or goats. Today pendole are made with beef and pork but the process is the same: strips one centimeter thick and 15 to 20 long are seasoned with salt, pepper, laurel, rosemary, sage, garlic and white wine. After one week the meat is hung and dried, thus the name* Pendole, *which in Italian means hangers. Then they are smoked with beech, hornbeam and juniper wood.*

Melanzane alle Pendole

4 melanzane
1 cipolla
poco olio extra vergine d'oliva

1 noce di burro
200 gr di Pendole
4 pomodori
200 gr di formaggio Busche
100 gr di piselli lessati
1 uovo
sale epepe
salsa Worcester

Dimezzare le melanzane per il lungo e svuotarle. Salare sia le melanzane scavate, sia la polpa, dopo averla tagliata a cubetti, per far si che entrambe rilascino l'acqua amarognola che contengono. Tagliare a cubetti minuti anche la cipolla e le pendole. Rosolare il tutto nel burro, comprese le melanzane a cubetti, aggiungere i piselli e i pomodori sbollentati, pelati e tagliati a dadini. Regolare di sale e pepe. Riempire con questo composto le melanzane. Imburrare una pirofila, sistemarvi le melanzane e coprire con il formaggio sminuzzato mescolato all'uovo e alla salsa Worcester. Infornare a 180°C per 25-30 minuti circa.

Meat jerky eggplant
Halve 4 eggplants lengthwise and scoop out the inside. Cube the pulp. Salt the eggplant and the cubed pulp to remove excess water. Cube 1 onion and 200g jerky. Brown the eggplant cubes, the onion and the jerky in butter, add 100g boiled peas, 4 previously boiled and cubed tomatoes, add salt and pepper to taste. Fill the eggplants with this stuffing. Butter a casserole dish, place the eggplants in it, cover with 200g Busche cheese which has been cubed and mixed with 1 egg and Worcester sauce. Bake at 180°C for 25 to 30 minutes.

Vino consigliato/*suggested wine:*
Pinot nero di Breganze D.O.C.

PASTIN

In auge fin dagli albori del Medioevo, il Pastin somiglia ad una salsiccia veneta arricchita di spezie e aromi, o all'impasto del salame non ancora stagionato:è infatti un macinato di carne suina e bovina, con aggiunta di grasso (lardo), e speziata con sale, pepe, chiodi di garofano, aglio, cannella, salvia e vino bianco a seconda delle zone di produzione. Cibo invernale, veniva un tempo consumato al momento dell'abbattimento del maiale, uno dei più importanti momenti di festa per le comunità contadine che abitavano i paesi della Provincia. Il Pastin infatti si può consumare crudo subito dopo la preparazione come un patè spalmato sul pane, o cuocere ai ferri e alla griglia. Spesso è abbinato alla classica polenta o a del formaggio alla piastra, come nel famoso panino *pastin e formai* (formaggio), tipica pietanza servita nelle sagre paesane del bellunese.

In vogue since the Middle Ages Pastìn *is like a sausage enriched with spices and flavors, somewhat similar to the ground meat used in sausages. It is ground beef and pork to which lard has been added, spiced with salt, pepper, cloves, garlic, cinnamon, sage and white wine, depending on where it is produced. It is a winter specialty and used to be eaten when the pig was slaughtered. This slaughter was the most important farm celebration. The* Pastìn *can be eaten raw as a paté on bread or it can be grilled. It is often served with polenta or with grilled cheese. The* Pastìn *cheese sandwich is a famous typical dish of country fests in Belluno.*

Risotto con il Pastin

300 gr di riso Vialone Nano
300 gr di Pastin
1 l di brodo di carne
50 gr di burro
50 gr di Grana Padano
1 cipolla piccola
1 spicchio di aglio
1 bicchiere di vino bianco secco
pepe

Rosolare nel burro la cipolla tritata e lo spicchio d'aglio schiacciato, aggiungere il vino e lasciar evaporare. Aggiungere il pastin, sbriciolarlo e cuocerlo lentamente. Unire anche il riso lasciandolo ben intridire nel condimento, aggiungere il brodo bollente un po' alla volta, fino a cottura completa. Mantecare con il formaggio grattato e il pepe macinato finemente.

Pastin risotto
In 50g butter brown 1 chopped onion and 1 crushed garlic clove. Add 1 glass white wine and let evaporate. Add 300g pastìn, break it with a wooden spoon and cook slowly. Add 300g Vialone Nano rice and let it absorb the flavor. Gradually add 1 lt boiling broth until the rice is done. Add 50g grated Grana and ground pepper.

Vino consigliato/*suggested wine:*
Merlot rosato Pramaggiore D.O.C.

Pastin casalingo

1 chilo di maiale macinato
500 gr di manzo macinato
200 gr di lardo
30 gr di sale
5 gr di pepe nero macinato
una presa di cannella in polvere
uno spicchio d'aglio

Macinate tutto assieme piuttosto grosso, mescolate e formate delle polpette. Possono essere consumate crude spalmate sul pane o scottate alla brace e mangiate con l'accompagnamento di polenta gtigliata.

Homemade Pastin
Coarsely grind 1 kilo ground pork, 500g ground beef, 200g lard, 30g salt, 5g black ground pepper, a pinch of cinnamon and 1 clove. Form patties. You can eat them raw by spreading on bread or you can grill them and eat with grilled polenta.

SPECK DEL CADORE

Nell'Agordino, come in tutte le vallate montane del Veneto, si tramanda da secoli la tradizione della produzione dello speck, salume tipico dell'area asburgica, che in queste zone è caratterizzato da un gusto più mite, grazie all'aria frizzante e al clima tipico del versante meridionale delle Alpi, ma soprattutto grazie alla speciale lavorazione, che prevede una moderata affumicatura e una stagionatura più prolungata rispetto agli speck carinziani. La materia prima è la coscia del maiale, che viene pulita di tutto il grasso molle e delle venature di sangue, tagliata a "scudo", salata e aromatizzata secondo la tradizione di famiglia (sale, pepe, alloro, rosmarino, aglio, bacche di ginepro); messa in questa salamoia arricchita con del cabernet, la coscia dopo circa tre settimane è pronta per essere affumicata. Nella camera d'affumicatura viene acceso un fuoco, utilizzando legna non resinosa, segatura d'abete rosso, larice o faggio e rami e bacche di ginepro; la fiamma è lenta o inesistente, perché soffocata dalla segatura, e la temperatura del fumo non supera i 20°C. In questa fase le *baffe* vengono sottoposte alternativamente al fumo e all'aria pura dei monti, per cui si ottiene, alla fine, un sapore delicato e piacevolissimo. Quindi vengono stagionate in cantina per alcuni mesi, sino a quando la cotenna non si ricopre di muffa. A questo punto la muffa esterna viene spazzolata ed il prodotto è pronto per il consumo. Apprezzato per la ricchezza dei suoi sapori, lo speck è un salume moderatamente calorico, è ricco di fosforo, calcio e vitamine del gruppo B; ma presenta un'alta percentuale di colesterolo.

In the Agordino region, as in many valleys of the Veneto, speck is a traditional product. It is a typical cured meat of the Hapsburgs. In the Veneto, it has a milder flavor because of the air quality, a peculiar processing technique which includes a moderate smoke bath and a longer maturation period. Pig thigh is its main ingredient. The softer fat is removed and the meat carved, salted, and flavored according to family tradition (salt, pepper, bay leaves, rosemary, garlic, juniper). The meat sits in this marinade, to which Cabernet wine is added, for 3 weeks and then it is ready to be smoked. It is smoked using non-resinous wood, red spruce sawdust, larch and beech as well as juniper. The flame is very low or even non-existent because it is choked by the sawdust. The temperature of the some should not be more than 20C. The speck is exposed alternatively to the smoke and to the pure mountain air. The flavor is thus delicate and pleasant. The meat must then sit in the cellar for a couple of months until it is covered with mold. This outer layer of mold is brushed off ad the product can be eaten. It is appreciated for its taste, does not have very many calories, is rich in phosphorus, calcium and vitamin B. It has a high level of cholesterol.

Carpaccio di Speck del Cadore con funghi porcini

240 gr di Speck del Cadore
100 gr di funghi porcini freschi (o sott'olio)
80 gr di insalatina
50 gr di formaggio Montemagro stagionato in scaglie
40 gr di noci grattugiate
5 cucchiai di vinaigrette (olio d'oliva, aceto di vino bianco o succo di limone, sale e pepe)

Disporre su un piatto le fette di Speck in forma circolare, tagliate sottili, lunghe circa l0 cm e senza crosta. Cospargerle con le scaglie di formaggio Montemagro. Aggiungere le noci grattugiate, poi i funghi porcini freschi o sott'olio tagliati sottili. Guarnire con l'insalatina. Infine, condire leggermente con la vinaigrette.

Cadore speck with porcini mushrooms
Arrange slices of speck (200g) in a circle on a plate. The slices should be approximately 10 cm long but very thin and without the crust. Sprinkle with 50g Montemagro cheese flakes. Add 40g grated nuts and 100g fresh porcini mushrooms. Garnish with 80g of lettuce. Season lightly with vinaigrette (5 tablespoons of olive oil, white wine vinegar or lemon juice, salt and pepper).

Vino consigliato/*suggested wine:*
Piave Merlot D.O.C.

FORMAGGIO FODOM

Il Fodom è un formaggio tipico del Comune di Livinallongo del Col di Lana, paese che in lingua ladina viene chiamato appunto Fodom. La sua produzione è certificata dal 1983 grazie ai documenti di vendita della locale latteria cooperativa, che comunque operava già dal 1932. Formaggio vaccino a pasta semicotta, da consumare tra i 60 e i 90 giorni, il Fodom si presenta in forme cilindriche alte 7-8 cm, ha pasta moderatamente compatta di colore paglierino che vira al nocciola chiaro verso la crosta, occhiatura uniforme e diffusa, consistenza semimolle ed elastica. Prodotto con latte in parte intero, in parte scremato proveniente da tre diverse mungitore di vacche della razza "bruno alpina", ha un profumo dolce e latteo, con lieve sentore di erba specialmente nel periodo estivo; il sapore invece è dolce e leggermente acidulo, con un aromatico retrogusto di erbe alpine.

Fodom is a typical cheese of the City of Livinallongo del Col di Lana, which in the Ladin dialect is called Fodom. *Its production has been certified since 1983 and the dairy farm has operated since 1932. This cheese is made from cow milk, is partially cooked, and should be consumed between 60 to 90 days after production. It comes in cylindrical forms 7-8 cm high. It is slightly compact and of straw color which turns light brown toward the crust. It is spread evenly with holes. Its texture is somewhat soft and elastic. It is produced partly with the whole and with partly skimmed milk which comes from three different milking sessions. It has a sweet and milky aroma with a slight hint of grass especially in summer. It tastes sweet and slightly sour, with a hint of alpine herbs.*

Gnocchi di formaggio Fodom

500 gr di pane bianco leggermente raffermo tagliato a dadini
100 gr di formaggio Fodom
100 gr di formaggio caprino fresco
50 gr di farina
250 ml di latte
1 cipolla tritata
4 uova

2 porri
burro per condire
poco olio extra vergine d'oliva

Aggiungere al pane la cipolla rosolata con poco olio extra vergine d'oliva e lasciata raffreddare, le uova sbattute con il latte e i dadini di formaggio Fodom; quindi spolverare con la farina, mescolare bene e formare gli gnocchi che vanno poi bolliti per 10 minuti nell'acqua salata. In una padella glassare i porri con il burro e il formaggio caprino e condire con questa salsa gli gnocchi che vanno serviti belli fumanti.

Fodom cheese gnocchi
Sauté 1 onion in a little oil. Add to 500g slightly stale white bread (diced). Beat 4 eggs with 250ml milk and 100g cubed Fodom cheese. Add to the bread mixture. Sprinkle with 50g flour, mix well and form the gnocchi. Boil them for 10 minutes in salted water. In a frying pan sauté 2 leeks with butter and 100g of goat cheese. Spoon sauce over gnocchi and serve hot.

Vino consigliato/*suggested wine:*
Pinot bianco Breganze D.O.C.

FORMAGGIO ZIGHER

Tipico della tradizione Agordina, che storicamente trova nei formaggi non solo uno dei pilastri dell'alimentazione, ma anche dell'economia della zona, lo Zigher prende il nome dalla parola celtica *tsigros* (formaggio) o forse, più semplicemente dal tedesco *ziege*, che significa capra. E' infatti un formaggio a pasta cruda, morbida e lievemente granulosa prodotto con latte inacidito di vacca o capra. Ha forma conica irregolare o a pera ed è privo di crosta, avendo solo una pellicina di colore bianco sporco tendente al rosa. Consumato sia fresco che leggermente stagionato, è classificato come formaggio leggero dal sapore piccante: infatti, quando la cagliata ha sgrondato tutto il siero viene impastata con il sale, con pepe e con erba cipollina, che contribuiscono a conferirgli un profumo latteo e fragrante e un sapore lievemente acidulo e salato, tendente all'amarognolo con la maturazione.

This cheese is typical of Agordina. Cheese is not only the staple food of the zone, but also very important in the local economy. The name Zigher *derives from the celtic* tsigros *(cheese) or maybe, more likely, from the German* Ziege *(goat). It is a raw, soft and slightly grainy cheese made from acidy cow or goat milk. It has an irregular cone or pear shape. It has no crust, instead it has a whitish pink skin. It can be consumed fresh or aged. It is considered a light cheese with a spicy flavor: it is made with salt, pepper and chives.*

Sformato di Zigher

200 gr di formaggio Zigher fresco
80 gr di ricotta
50 gr di olive nere snocciolate
1 peperone
2 pomodori maturi
1 scalogno
olio extravergine di oliva
basilico
sale e pepe

Lavare e tritare il basilico e le olive snocciolate; foderare uno stampo con pellicola trasparente e distribuire sul fondo le olive tritate. In una ciotola lavorare bene il formaggio di capra e la ricotta per amalgamarli. Unire il basilico, un pizzico di sale ed uno di pepe; amalgamare bene versando a filo l'olio. Versare nello stampo il composto ottenuto, premendo bene con un cucchiaio e mettere in frigorifero per almeno 40 minuti. Intanto preparare la salsa: lavare e mondare lo scalogno e il peperone e ridurli separatamente a dadini. Soffriggere lo scalogno in una casseruola, unire il pomodoro ed il peperone, un pizzico di sale, uno di pepe e mezzo bicchiere d'acqua. Cuocere a fuoco lento e coperto per circa 20 minuti. Al momento di servire capovolgere lo stampo sul piatto da portata e sformare il composto di formaggio. Staccare la pellicola e servire accompagnando con la salsa, passata al setaccio.

Zigher surprise
Wash and chop basil leaves and 50g pitted black olives; cover a small baking dish with cling wrap and spread olives on bottom. In a bowl mix 200g Zigher cheese and 80g ricotta, mixing them thoroughly. Add basil, a pinch of salt and a pinch of pepper; mix with a couple drops of olive oil. Pour the mixture into the dish, pressing with a spoon and placing in the refrigerator for at least 40 minutes. In the meantime, prepare the sauce: wash and clean 1 shallot, 1 bell pepper and chop into cubes. Sauté the shallot in a casserole, add 2 tomatoes and the bell pepper, salt, pepper and half a glass water. Cook covered over low flame for 20 minutes. When ready to serve, turn dish upside down on the serving platter to release the cheese. Remove the cling wrap and serve with the sauce passed through a sieve.

Vino consigliato/*suggested wine:*
Chiaretto del Garda D.O.C.

El Mazaròl

Un giorno una ragazza ebbe l'avventura di mettere il piede sull'orma del Mazaròl. Mossa da uno strano ordine, camminò per prati e boschi tutto il giorno e tutta la notte. Al chiarore della luna, vide davanti a sè un uomo rosso che la chiamava. La sventurata, impaurita, voleva fuggire ma non potè e dovette seguirlo finchè, sul fare del giorno, ella si trovò sul limitare di una grande caverna. L'uomo rosso l'aspettava, mentre una capra gli leccava dalla mano del sale rosso. Il Mazaròl le porse uno zoccolo di mucca pieno di latte e la ragazza, sedutasi, bevve e si ristorò. Il Mazaròl , così, le confidò di voler insegnare agli uomini la manipolazione del latte ed esortò la fanciulla a prestare attenzione al fine di riferire poi il suo metodo anche alla gente del villaggio. Davanti alla fanciulla, il Mazaròl munse il latte delle sue bestie e lo versò in larghe scodelle di legno a fondo piatto, dopo un periodo di riposo, scremò il latte e con la panna versata nella pigna o nel burcio, fece il burro. Successivamente egli scaldò il latte scremato in una cagliera di rame e poi, toltolo dal fuoco, vi aggiunse il caglio per far coagulare il latte; lo lasciò raffreddare, ruppe la cagliata e, riscaldatolo nuovamente ad una temperatura più alta, ottenne una massa immersa nel latticello che raccolse con una tela di canapa e mise in uno stampo di legno... aveva fatto il formaggio! L'ingegnoso folletto prese poi il latticello e lo bollì facendolo nuovamente cagliare per mezzo di un miscuglio di siero e di latte lasciato acidificare... aveva ottenuto la puina, la ricotta, cioè cotta due volte! Quando il Mazaròl si apprestò a porre di nuovo sul fuoco il siero del latte, la fanciulla fuggì via. Egli la richiamò invano e, indispettito, gridò: "Se tu tardavi ancora un istante, t'insegnavo a estrarre la cera dal siero!".

Once upon time a young girl put her foot in the footprint of Mazarol. She was moved by a strange force to walk through meadows and woods all day and all night. By the moonlight she saw a red man who was calling her. The wretched, frightened girl wanted to flee but was not able to. Instead she had to follow him until, at dawn, she found herself at the entrance of a large cave. The red man was waiting for her, while a goat was licking salt from his hand. Mazaròl gave milk in a hoof and the girl sat, drank and was restored. Mazaròl told her that he wanted to teach mankind how to work milk and urged the girl to pay attention so that she could report this method to the villagers. As the girl watched, Mazaròl milked its cattle and poured the milk into large wooden bowls with flat bottom. After letting it sit he skimmed the milk and made butter with the cream. Then he heated the skimmed in a copper pot. He then removed it from the fire, added rennet so the milk would coagulate. He then let it cool, broke the curd and heating it again at a higher temperature obtained gained a mass immersed in buttermilk which he gathered in a canvas and placed in a wooden... He had made cheese! The ingenious elf took the buttermilk and brought it to a boil making it curdle again using a mixture of serum and acid milk. He had obtained the puina, also known as ricotta, which means cooked twice! When Mazaròl was getting ready to put the serum on the fire, she ran away. He called out to her in vain, and upset, shouted: "If you had waited another minute, I would have taught you how to get the wax from the serum."

FORMAGGIO RENAZ

Nel comune dolomitico di Livinallongo del Col di Lana in provincia di Belluno c'è la frazione di Renaz, dove si produce un formaggio che dal 1983 porta lo stesso nome del luogo. Espressione di una antichissima tradizione dei valligiani, il Renaz viene prodotto solo dalla Latteria cooperativa del paese e solo nei mesi invernali, pertanto è molto difficile reperirlo lontano dalla sua zona di produzione. La base per la lavorazione è il latte, in parte intero e in parte scremato, prodotto dalle mucche tipiche della zona, di razza Bruno-alpina. Considerato un formaggio semigrasso, può essere consumato fresco, dopo 60 giorni, oppure invecchiato dopo un anno. Una forma di Renaz pesa circa 5,5 kg, ha la crosta liscia, regolare e sottile di colore nocciola chiaro. La pasta, di colore paglierino chiaro finchè è fresca, con la stagionatura diventa dura e friabile, e anche il sapore inizialmente dolce, con l'invecchiamento si fa più marcato, quasi piccante; il profumo pieno e persistente ha sentore di latte e fieno, con note di bosco, fungo e nocciola.

In the town of Livinallongo del Col di Lana (in the province of Belluno) there is a fraction known as Renaz, *which produces a peculiar cheese that since 1983 has taken the name of the location. It is almost impossible to find this cheese outside of the area where it is produced because it is only made in the local dairy farm and only in winter. It is made of whole and partially skimmed milk of the local cows. It is a semi-fat cheese which can be consumed fresh, after 60 days, or after it has aged one year. One wheel of this cheese weighs 5.5 kg, and has a smooth, regular and thin brownish crust. The flesh of the cheese is initially yellow as hay; after it ages it becomes hard and crumbly, and the flavor which initially was sweet becomes more pungent, almost spicy. It has a full, persistent smell of hay and milk with touches of woods, mushroom and hazelnuts.*

Fesa di vitello "da lat" ripiena al Renaz

una larga fetta di fesa di circa 600 gr
½ chilo di spinaci
100 gr di pancetta magra a fettine

100 gr di Renaz
50 gr di burro
2 uova
½ bicchiere di vino bianco secco
poco brodo
olio extra vergine di oliva
sale e pepe

Lessare gli spinaci per due minuti in acqua bollente salata, scolarli e raffreddarli in acqua fredda. Strizzarli e insaporirli con un pezzetto di burro e un pizzico di sale. Sbattere le uova con il formaggio, sale e pepe; ungere di burro una padella e preparare una frittata sottile. Farcire la fetta di carne con gli spinaci, le fettine di pancetta e la frittata, arrotolarla su se stessa e cucirla, legandola poi con spago da cucina. Far rosolare il rotolo farcito con il rimanente burro e qualche cucchiaio di olio, spruzzarlo di vino, lasciarlo evaporare, quindi salare, pepare e portare a termine la cottura in forno caldo irrorandolo ogni tanto con un po' di brodo e con il sughetto raccolto sul fondo del recipiente.

Veal stuffed with Renaz cheese
Boil half a kilo spinach for 2 minutes in salted water. Drain and cool in cold water. Press to remove excess water and flavor with a pat of butter and a pinch of salt. Beat 2 eggs with 100g Renaz cheese, salt and pepper. Prepare a thin omelet in a pan that has been greased with butter. Stuff a large slice of meat (600g) with spinach, 100g of bacon and the omelet; roll the meat and pinch it closed on the side. Tie with kitchen string. Brown the rolled meat in butter and a couple of tablespoons oil, add half a glass white wine, let evaporate, add salt and pepper. Place in oven adding broth occasionally.

Vino consigliato/*suggested wine:*
Colli di Conegliano Rosso D.O.C.

NOCI DI FELTRE

Nella zona del feltrino fino a 20-30 anni fa, quando nasceva una femmina in famiglia era tradizione degli agricoltori mettere a dimora una pianta di noce vicino a casa, in genere nei pressi della concimaia che è molto ricca di sostanza organica, come buon auspicio e simbolo di fecondità. Tuttavia la produzione di noci rivestiva un ruolo secondario nell'economia domestica, e tutt'oggi, nonostante il noce di Feltre produca un legno pregiato ottimo per lavori di ebanisteria e ottimi frutti di grande pezzatura, non esistono coltivazioni specializzate e le piante si trovano sparse nei frutteti e nei prati delle aziende agricole. Apprezzata per le ottime qualità organolettiche la noce di Feltre ha una forma ovoidale con base arrotondata ed apice appuntito, il guscio è chiaro, sottile, poco rugoso e ha la caratteristica della "premicità" ovvero si può schiacciare con le sole dita ed è piuttosto facile staccare il gheriglio. Il frutto, composto da due gusci di legno avvolti da un involucro verde detto mallo, matura in autunno: la raccolta si effettua mediante bacchiatura e raccattatura manuali, i frutti vengono privati del mallo che li riveste, e consumati freschi oppure secchi, dopo un'accurata essicazione che consenta di stabilizzare i grassi insaturi presenti nel gheriglio, evitando l'irrancidimento. Come tutta la frutta secca, la noce ha un alto valore energetico, ed è fonte di vitamine, zuccheri, proteine e sali minerali; per questo secondo alcuni studi ha la funzione di rafforzare le difese immunitarie dell'organismo. Inoltre è considerato tonico del sistema nervoso, antisettico , emolliente della pelle, e se assunta quotidianamente aiuta a prevenire alcune delle cause di malattie cardiovascolari, grazie alla ricchezza di grassi insaturi Omega-3.

In Feltre area up to 20-30 years ago when a daughter was born it was tradition for farmers to plant a walnut tree close to the house, usually near the manure pit, which is very rich in organic matter. This was a good omen and symbol of fertility. In the local economy the production of nuts had a minor role. The wood, although it was very appreciated and of great quality for cabinetmaking, was not intentionally planted. In fact, there are no specialized crops and the plants are scattered throughout the countryside. The nut itself, however has excellent organoleptic qualities and is oval with a rounded base and a pointed apex. The shell is light, thin, slightly wrinkled and it can be squashed with fingers. It is easy to remove the nut from the shell. The fruit matures in autumn, and the harvest is done by shaking the tree and picking the nuts manually. The fruit is deprived of the husk and eaten fresh or dried. Drying the fruit avoids rancidity. Like all dried fruits, nuts have a high energy value, and is a source of vitamins, sugars, proteins and minerals. According to some studies, they strengthen the immune system. It is also good for your nervous system, antiseptic, a skin emollient, and if taken daily helps to prevent some of the causes of cardiovascular disease, thanks to the presence of unsaturated fat Omega-3.

Pane alle noci

300 gr di farina
400 gr di gherigli di noci di Feltre
300 gr di miele
4 uova
750 ml scarsi di latte
25 gr di lievito d birra fresco o secco
la scorza grattugiata di un limone
olio e sale

Mescolare tra loro tutti gli ingredienti e lavorarli fino a ottenere un impasto omogeneo. Dividere la massa in tanti panini che vanno disposti sulla placca del forno leggermente unta di olio e infarinata; lasciare riposare in luogo riparato per 30 minuti circa, in modo che completino la lievitazione. Infornare i pani in forno ben caldo (200°C), lasciando cuocere per 40 minuti circa.

Nut bread
Mix 300g of flour, 400g of walnuts, 300g honey, 4 eggs, 750ml milk, 25g of yeast, lemon zest, oil and salt. Work to obtain a homogeneous mixture. Divide the dough

in small slices and arrange them on a lightly greased cookie sheet. Let sit for 30 minutes. Let rise. Bake the loaves in a very hot oven (200°C), letting cook for 40 minutes.

Vino consigliato/*suggested wine:*
Verduzzo Dorato dolce D.O.C.

Lasagne dolci alla bellunese

400 gr di lasagne
50 gr di margarina vegetale
2 mele renette
4 fichi secchi (o più a seconda del gusto)
50 gr di gherigli di noci di Feltre
1 cucchiaio di uvetta sultanina
scorza di limone e di arancia
1 cucchiaino di semi di papavero
1 cucchiaio di sciroppo d'acero a testa per guarnire
sale e pepe

Lessare le lasagne in acqua salata con 2 cucchiai d'olio. Sbucciare e grattugiare le mele e far rinvenire l'uvetta in acqua tiepida. Far sciogliere la margarina in un pentolino, aggiungendo le mele grattugiate, i fichi secchi tritati e lasciar cuocere dolcemente per alcuni minuti. Unire i semi di papavero, un pizzico di pepe e la scorza di arancia e limone. Scolare le lasagne, disporle a strati alternati in una pirofila unta di margarina: lasagne, sugo allle mele, lasagne, sugo e così via fino ad esaurimento degli ingredienti. Metterle in forno pochi minuti a 200°C per gratinare. Servire guarnendo con un cucchiaio di sciroppo d'acero a testa. Sono ottime tiepide, ma si possono mangiare anche fredde.

Sweet lasagne of Belluno
Boil 400g lasagna in salted water with 2 tablespoons of oil. Peel and grate 2 apples and place 1 tablespoon raisins in warm water. Melt 50g vegetable margarine in a

small pan, add grated apples, 4 chopped dried figs and cook gently for several minutes. Combine 1 teaspoon poppy seeds, a pinch of pepper and orange and lemon zest. Drain the lasagne, place them in alternating layers in a greased baking dish like this: lasagna, apple sauce, lasagna, sauce and so on. Put in oven a few minutes at 200°C to gratin. Garnish with a spoonful of maple syrup and serve warm or cold.

Vino consigliato/*suggested wine:*
Recioto di Gambellara D.O.C.

Torta di noci

Per la pasta frolla
400 gr di farina bianca
200 gr di burro
200 gr di zucchero
2 uova (un tuorlo più uno intero)
la scorza di un limone grattugiata

Per il ripieno
150 gr di zucchero
2 cucchiai di miele
2 cucchiai di latte
200 gr di gherigli di noci di Feltre

Con la farina, il burro, lo zucchero, le uova e la scorza di limone preparare una normale pasta frolla che, divisa in due parti, va lasciata riposare per mezzora in frigorifero. Quindi, con una parte della pasta ricoprite il fondo di una teglia. Intanto far sciogliere in un tegame sul fuoco lo zucchero, aggiungendo il miele, il latte, i gherigli di noci grossolanamente tritati e mescolando di tanto in tanto. Lasciare raffreddare, e poi stendere il ripieno nell'interno della teglia già rivestita di pasta frolla; ricoprire con un altro disco di pasta, aggiustandone i bordi. Infornare a 200 °C per quaranta minuti circa, dopo aver bucherellato la superficie della pasta con una forchetta.

Walnut cake
With 400g flour, 200g butter, 200g sugar, 2 eggs (1 yolk and 1 whole) and lemon zest, prepare short pastry and divide into 2 parts. Let sit for half an hour in the refrigerator. Then, cover the bottom of a baking dish with part of the dough. Meanwhile, in a pan dissolve 150g sugar, 2 tablespoons honey, 2 tablespoons milk, and 200g coarsely chopped walnuts, stirring occasionally. Let cool, then spread the filling inside the pan already lined with short pastry, cover with another disc of dough, tucking in the edges. Pierce the cover dough with a fork and bake at 200°C for 40 minutes.

Vino consigliato/*suggested wine:*
Torcolato di Breganze D.O.C.

Il noce stregato

Il noce (*Juglans regia*) è un albero di origini antichissime, proveniente dalle regioni dell'Asia sud-occidentale, dove cresce spontaneo. Alto, solitario e longevo, nell'antica Grecia era dedicato ad Artemide, dea della caccia e della luna. Secondo il mito Dioniso, ospite di Dione, re della Laconia, s'invaghì della figlia minore Caria, scatenando la gelosia delle sorelle Orfe e Lico. Nonostante avessero promesso ad Apollo di non tradir mai gli dei, cercando di sapere quel che non le riguardava, le due sorelle si misero a spiare Dionisio, il quale, dopo averle ammonite più volte s'infuriò, le fece impazzire e le trasformò in rocce. Caria, per la gran tristezza, morì poco dopo e il dio che l'aveva tanto desiderata la trasformò in un albero di noce dai frutti fecondi. Spettò ad Artemide, sorella di Apollo, raccontare questa storia ai Laconi che eressero in onore di Artemide Cariatide un tempio dalle colonne scolpite in legno di noce modellato in sembianze femminili, dette appunto cariatidi. Questo legame tra il noce e le divinità femminili si tramandò anche nella cultura medioevale, ma sotto una luce nuova poichè il cristianesimo iniziò a considerare gli antichi dei pagani creature demoniache: da quel momento Diana diventò la regina delle streghe, che vennero soprannominate *Janare*, corruzione popolare di Dianare, e il noce divenne l'albero demoniaco sotto cui esse si radunavano per il loro annuale sabba nella notte solstiziale di San Giovanni. Si chiamano infatti noci di San Giovanni quelle che le donne colgono tutt'oggi il

24 giugno, ritrovandosi come da tradizione sotto le fronde dell'albero, senza calze, né scarpe ne metalli, per percuotere delicatamente i rami con un bastone di legno e far scendere così le noci con il mallo ancora verde e carico di succhi vitali, perfette per preparare infusi dai poteri quasi medicinali, come il famoso Nocino. Nelle campagne si dice anche che non conviene riposare o dormire all'ombra di un noce perché è facile risvegliarsi con una forte emicrania se non addirittura con la febbre; si crede che se le radici dell'albero penetrano nelle stalle, faranno deperire il bestiame. Ma forse non è colpa delle streghe: effettivamente le radici del noce, come le foglie, contengono una sostanza tossica, la iuglandina, capace di provocare la morte delle piante che crescono nelle vicinanze.

The walnut tree (Juglans regia) *has ancient origins. It comes from parts of south-west Asia, where it grows naturally. It is tall, long living and solitary, and in ancient Greece was dedicated to Artemis, goddess of hunting and of the moon. According to myth, Dionysus, guest the Laconian Dione, became enamored with his youngest daughter Caria, causing jealousy of her sisters Orfeo and Lico. Although they had promised Apollo not to ever betray the gods by trying to know what did not concerned them, the two sisters began to spy on Dionysus, who, after having warned them several times became furious, made them go crazy and turned them into rocks. Caria, due to this great sorrow, died shortly after and the god who had so much desired her, transformed her into a walnut tree with fruitful ruits. Artemis, sister of Apollo, told this story to the Laconians who erected a temple with columns carved in walnut wood in honor of Artemis Caryatid. The columns were shaped as women and called caryatids. This link between the walnut tree and female deities existed also in medieval culture, but under a radically light. Christianity began to consider the ancient pagan as demonic creatures. Diana became the queen of witches, who were nicknamed* Janare, *and the nut tree became the demonic tree par excellence under which they would assemble for there annual solstice sabba in the night of San Giovanni. The nuts that women gather today on 24 June are still called nuts of San Giovanni. The women gather under the tree branches; they don't wear shoes, socks or metal objects and lightly hit the branches with a wooden stick. The nuts fall in their green husk, which is full of vital juices, perfect for preparing herbal medicines, like the famous Nocino. In the countryside it is said that you should not rest or sleep in the shade of a walnut tree because you could wake up with a strong headache or even with a fever. If the roots of the tree reach the stables, the cattle will die. Perhaps it is not the witches' fault: the roots of the walnut, as its leaves, contain a toxic substance, iuglandina, capable of killing plants that grow nearby.*

Liquori Veneti

Quando uno xe imbriago, tuti ghe vol dar da bever.

L'ultimo goto l'è quelo che imbriaga.

Quando uno è sbronzo tutti vogliono dargli da bere.
When you are drunk everybody offers you drinks

L'ultimo bicchiere è quello che ubriaca.
Last glass is the one that make you drunk

Acqua di Melissa

Provincia di Verona

Le proprietà curative della Melissa, comunemente chiamata anche cedronella, sono note fin dalle antiche civiltà. Il nome, della stessa radice di 'miele', veniva usato dai Greci anche per l'Ape, e l'appellativo Melissa veniva dato alle donne considerate particolarmente sagge e ricche di virtù; anche le Sacerdotesse dei misteri di Eleusi e di Efeso venivano chiamate Melisse. La usarono anche Romani ed Arabi, ed ebbe un periodo di grande fama come erba medicinale durante il Medioevo. Carlo Magno ne ordinò la coltivazione nei giardini medicinali del regno, in modo da averne sempre in abbondanza e l'Acqua di Melissa delle Carmelitane francesi era rinomata per la sua efficacia contro un vasto numero di disturbi, sia fisici, sia nervosi. Le virtù medicinali della melissa sono contenute nelle sommità fiorite, oppure nelle foglie dove scorre uno speciale olio essenziale, che dà alla pianta un grato odore ed un gustoso sapore di limone. La melissa è sempre stata consigliata nei postumi delle paralisi, nelle debolezze muscolari, nei tremori dei vecchi, nei languori fisici e morali susseguenti a lunghi patimenti. E' molto indicata nelle convulsioni, nelle nevrosi, nell'isterismo ed in ogni forma patologica afferente il sistema nervoso. Stimola l'appetito, rinforza lo stomaco in caso di indigestioni, aiuta ad espellere gli eccessivi e noiosi gas intestinali. L'Acqua di Melissa è un alcool a 80° aromatizzato con essenze in sospensione di Mellica Turca/Moldavica, cedro, garofano, cannella e acqua distillata. Si presenta con un profumo forte, alcolico, con flessioni speziate, mentre il gusto è ricco e intenso. Per ottenere l'infuso va fatta bollire la melissa, fresca o secca, in acqua assieme a buccia di limone grattuggiata, cannella, chiodi di garofano, polvere di noce moscata, radice di angelica e coriandolo. A bollitura avvenuta si aggiunge della grappa in quantità pari a quella dell'acqua e l'infusione va mantenuta per almeno 6 mesi, mescolando periodicamente, prima che il prodotto venga imbottigliato e messo in commercio. L'acqua di melissa dei Carmelitani scalzi, tutt'oggi prodotta a Venezia, si prepara con 150 grammi di melissa fresca o 60 di secca, 30 grammi di buccia di limone grattugiata, 15 grammi di cannella, 15 di chiodi di garofano, 15 di polvere di nocimoscate, 5 grammi di radice di angelica e 5 di coriandoli. Il tutto viene bollito per cinque minuti in mezzo litro di acqua, vi si aggiunge mezzo litro di grappa e si espone al sole in un vaso ermeticamente chiuso per circa tre settimane. Alla fine si filtra e si conserva il liquido così ottenuto in bottiglie ben chiuse. L'Acqua di Melissa si prende nella misura di un cucchiaino di caffè diluito in un po' d'acqua prima dei pasti principali. L'acqua di melissa dà gli stessi risultati se presa nella misura di trenta o quaranta gocce su di una zolla di zucchero. E' un ottimo calmante, facilita le digestioni difficili, combatte le nausee ed il vomito, ridà colore alla faccia nei frequenti mal d'auto o di mare. E' reperibile tutto l'anno presso alcuni rivenditori del veronese e del Veneto centro meridionale.

Melissa Extract (lemon balm) - Province of Verona
The healing powers of Melissa, also commonly called cedronella, have been known since ancient civilization. The name, which derives from the same root as 'miele' (honey), was used by the Greeks for 'bee', and Melissa was the nickname given to women considered to be particularly rich in wisdom and virtue; even the High Priestess of the Eleusian mysteries and Ephesus were called Melissa. The Romans also used it, as well as the Arabs, and it had a great reputation as a medicinal herb during the Middle Ages. Charlemagne ordered it to be grown in the kingdom's medicine garden, so as always to have plenty of it. The French Carmelite's water of Melissa was renowned for its effectiveness against a wide range of disorders both physical and nervous. The medicinal properties of lemon balm are contained in the flowery top, or in the leaves flowing with a special essential oil, which gives the plants a pleasant smell and flavor of a juicy lemon. Melissa has always been recommended after paralysis, for muscle weakness, for tremors that accompany aging, and to remedy physical and moral languor subsequent to long suffering. It is very indicated for convulsions, neurosis, hysteria and all pathologies of the nervous system. It stimulates the appetite, strengthens the stomach in cases of indigestion, and helps expel excessive intestinal gas. Water Melissa is 80° alcohol flavored with essences of Turkish Mellica / Moldova, cedar, cloves, cinnamon and water. It has a strong perfume of alcohol with hints of spices, while the taste is rich and intense. To obtain the infusion either fresh or dried Melissa is brought to a boil in water with grated lemon peel, cinnamon, cloves, nutmeg powder, angelica root and coriander. After boiling, you add grappa in the same amount as the water. Then the infusion must sit for at least 6 months and must be stirred regularly, before the product is bottled and sold. The Carmelites' Melissa Extract, which is still produced in Venice, is prepared with 150 grams of fresh lemon balm (or 60 grams of dry lemon balm), 30 grams of grated lemon peel, 15 grams of cinnamon, 15 cloves, 15 grams of nutmeg powder, 5 grams of angelica roots, and 5 of coriander. Everything is boiled for five minutes in half a liter of water, then you add half a liter of brandy and expose the concoction to sunlight in a tightly closed jar for about three weeks. At the end you filter it and retain the liquid in well-closed bottles. You take a teaspoon of Melissa diluted in a little water before main meals.

Melissa water has the same results if you take thirty or forty drops on a sugar cube. It has calming effects, facilitates difficult digestion, fights nausea and vomiting, restores color to the face in the event of car- or seasickness. It is available all year round in certain retailers in Verona and in the south-central part of the Veneto.

Amaro al Radicchio rosso di Treviso
Provincia di Treviso

L'Amaro al radicchio rosso di Treviso è il risultato di lunghe ricerche e sperimentazioni. La sua ricetta viene tramandata da generazioni, la sua qualità deriva dall'infuso e dalla distillazione del radicchio rosso, conosciuto e apprezzato in tutto il mondo. Questo amaro è a base di alcool, zucchero, e radicchio rosso di Treviso (varietà "Tardivo" I.G.P.) messo in infusione. Le sue caratteristiche sensoriali riportano sia all'olfatto che al gusto il classico sapore del radicchio di Treviso, con profumo erbaceo, gusto pieno e retrogusto amarognolo. Per ottenere l'Amaro il radicchio rosso di Treviso I.G.P viene pulito, lavato accuratamente e tagliato in piccoli pezzi; questi vengono messi in infusione idroalcolica a 50° per almeno sessanta giorni. Trascorso questo periodo si estrae l'infuso, si distilla la parte solida residua e si imbottiglia il prodotto. Questo prodotto va consumato in piccole dosi solitamente dopo i pasti come amaro e digestivo. E' un liquore tradizionale della Marca Trevigiana, l'Amaro al Radicchio Rosso ed è reperibile anche presso alcuni rivenditori specializzati nelle altre province venete e specialmente in quelle di Venezia e Padova.

Red chicory "amaro" (bitter liqueur) of Treviso - Province of Treviso
Red chicory "amaro" of Treviso is the result of lengthy research and trials. The recipe has been handed down for generations, its quality derives from the infusion and the distillation of red radicchio, known and appreciated throughout the world. This bitter liqueur is made bt infusing alcohol, sugar, and Treviso red chicory (variety "Tardivo" IGP). It smells and tastes like the classic flavor of radicchio di Treviso, a herbaceous aroma, full flavor and bitter aftertaste. To produce the liqueur, the red chicory of Treviso IGP is cleaned, washed thoroughly and cut into small pieces, and these are put into a 50° water and alcohol mixture for at least sixty days. After this period you distill the solid residue and bottle the product. This product should be consumed in small doses usually after meals as a digestive bitter. It is a traditional liquor of Treviso, which can also be found at some specialty retailers in other provinces in the Veneto, especially in Venice and Padua.

Grappa Veneta

La fascia collinare delle provincie di Verona, Vicenza, Treviso

Si dice che la distillazione delle vinacce sia incominciata nel Veneto tra il 1200 e il 1300, quando Venezia era un importante mercato di acquavite di vino e di vinaccia che esportava in Germania e Oriente, come rimedio contro la peste e la gotta. Già all'inizio del 1400 l'opera "De arte confetionis acquae vitae", del medico padovano Michele Savonarola, era considerata un importante punto di riferimento per i distillatori che volevano perfezionare la loro tecnica. L'uso della grappa era essenzialmente terapeutico, per casi di soffocamento ed intossicazione, per sfregamenti contro il congelamento o come aiuto per un'azione più efficace di altri medicamenti da ingerire. Proprio perché doveva servire esclusivamente a scopi terapeutici, la produzione della grappa era riservata ai farmacisti e ai medici: per questo, nel 1601, sempre a Venezia, nacque la "Congrega dell'Università degli Acquavitai". Nel 1876, a Conegliano, nasce la "Regia Scuola di Viticoltura ed Enologia" dove lavorò il ricercatore enologico Emilio Comboni, che tanto contribuì al miglioramento qualitativo di questo distillato (l'alambicco a fuoco diretto che lui perfezionò e divulgò è diventato il simbolo della grappa veneta). Nel secondo dopoguerra il prodotto fece un balzo sostanziale e di immagine che gli consentì di emanciparsi definitivamente da un retaggio di "rusticità", per puntare verso il perfezionamento qualitativo all'insegna della leggerezza. Il termine "grappa" viene comunemente usato per l'acquavite ottenuta attraverso la distillazione delle vinacce, ricca di profumi e di sapori. I vitigni da cui più comunemente derivano le vinacce da sottoporre a distillazione sono i Pinot, lo Chardonnay, il Prosecco, il Verduzzo, il Tocai, il Merlot, il Cabernet, il Raboso, il Friularo, il Moscato, il Cruvajo, il Tocai rosso, il Vespaiolo, il Sauvignon e il Riesling. L'apparecchio tuttora utilizzato per produrre la grappa "artigianale" è un alambicco (o "lambicco"), ovvero una caldaia in cui si pongono le vinacce da distillare: il vapore che se ne sprigiona viene raccolto e portato allo stato liquido in una tubatura dove si condensa. Questo procedimento, apparentemente semplice, richiede molta attenzione (perché non si brucino le vinacce). Attualmente la grappa è stata rinnovata nel suo gusto attraverso tecnologie che consentono alle vinacce una fermentazione "controllata", così come avviene per l'uva. Con questi procedimenti è nata una nuova generazione di grappe leggere e fruttate, in grado di soddisfare i gusti più moderni che cercano naturalità e finezza. La grappa è un ottimo distillato per concludere un pasto, ma viene anche utilizzata per le preparazioni di pasticceria. Liquore tradizionale del Veneto, la Grappa Veneta è reperibile presso i rivenditori specializzati nelle province venete.

Grappa Veneta - The hills in the provinces of Verona, Vicenza, Treviso
It is said that the distillation of grapeskins was begun in the Veneto region between 1200 and 1300, when Venice was an important market for wine and grape skins, exporting them to Germany and the East as a remedy against fever and gout. By early 1400 the work "De arte confetionis Acquae vitae", written by the Paduan physician Michele Savonarola, was seen as an important reference point for the distillers who wanted to improve their technique. The use of grappa was essentially therapeutic, used in cases of suffocation and poisoning, in cases of hypothermia (it was rubbed on the skin), and in cases when it would be more effective than other drugs which needed to be swallowed. Precisely because it was used only for therapeutic purposes, the production of grappa was reserved to pharmacists and doctors for this reason in 1601, again in Venice, the "Congregation of the Acquavitai" was founded. In 1876, Conegliano, the "Royal School of Viticulture and Enology" was founded where the enology researcher Emilio Comboni worked. He contributed much to improving the quality of the distillation (the alembic used on direct heat that he perfected and popularized has become the symbol of grappa veneta). After the Second World War the product underwent an image change that finally allowed it to break free from a legacy of "hardiness." The term "grappa" is commonly used for spirits obtained by distilling grape skins, rich aromas and flavors. The grape skins most commonly used are Pinot, Chardonnay, Prosecco, Verduzzo, Tocai, Merlot, Cabernet, the Raboso, the Friularo, Muscat, the Cruvajo, Tocai rosso The Vespaiolo, Sauvignon and Riesling. The unit still used to produce grappa is an alembic (or "Lambiccato"), or a boiler in which you put the pomace to be distilled: the steam it gives off is collected and then liquefied in a pipe where it condenses. This process, which seems simple, requires much attention to avoid burning the skins. Currently, grappa has renewed its taste through technologies that enable controlled pomace fermentation. With these procedures a new generation of fruity and light grappa has come into existence and these are able to satisfy modern tastes who seek subtlety and naturalness. Grappa is a very good brandy to finish a meal, but it is also used in the manufacture of confectionery. The traditional Veneto Grappa can be found at specialty retailers in the provinces of the Veneto.

Liquore Barancino
Provincia di Belluno

Il liquore Barancino è una produzione tradizionale del bellunese, confezionato partendo dalla Grappa addizionata con infusi tipici delle zone montane. È prodotto sin dal 1895 e viene nominato anche nel libro “L’Italia della Grappa” di G. Bonacina. La tradizionale ricetta continua ad essere usata ancor oggi anche da piccoli distillatori della zona. Il Barancino è composto da una soluzione idroalcolica cui vengono aggiunti Pino Mugo, Ginepro e zucchero. Si presenta con una colorazione brunita, un sapore intenso e un gusto amarognolo e una gradazione finale di 38° Vol. La produzione di questo liquore è molto semplice: ad una base di Grappa si aggiungono infusi e oli essenziali di Pino Mugo e Ginepro, il tutto ben miscelato e addizionato con lo zucchero. Il prodotto è lasciato riposare per alcuni mesi e poi imbottigliato e commercializzato. Consumato in modiche quantità il Barancino è un ottimo digestivo. Tipico del bellunese, questo liquore è diffuso anche nelle altre province venete, dove può essere trovato presso alcuni rivenditori specializzati.

Liquore Barancino - Province of Belluno
The liquor Barancino is a traditional production of Belluno, made from grappa to which infusions typical of the mountains are added. It has been produced since 1895 and was also named in the book "L'Italia della Grappa" by G. Bonacina. The traditional recipe is still used today by small distillers in the area. The Barancino consists of a water and alcohlo solution to which Mugo Pine, Juniper and sugar are added. It has a brown color, intense flavor and a bitter taste and a final grading of 38°. The production of this liqueur is very simple: to a grappa base you add infusions and essential oils of Juniper and Pine Mugo, which are well mixed and to which sugar is added. The product is allowed to stand for a few months and then bottled and marketed. Consumed in moderate quantities Barancino is an excellent digestive Typical of Belluno, this liquor is widespread in other provinces of the Veneto, where it can be found at some dealers.

Liquore del Cansiglio

Provincia di Treviso

Il liquore del Cansiglio prende il nome dall'omonima zona ai piedi delle Alpi Orientali, a cavallo tra le province di Treviso, Vicenza e Belluno, caratterizzata da zone boschive sviluppate e poco antropizzate. Il prodotto nasce nel secondo dopoguerra e da allora la sua ricetta (tipica) è stata mantenuta inalterata nel tempo. Questo liquore è ottenuto dall'infusione di bacche ed erbe tipiche del bosco, diluito con acqua e zucchero. Viene prodotto alla gradazione di 25% di alcool. Si presenta di colore bruno ed è caratterizzato da un'aroma molto fragrante e marcato, da un gusto rotondo e pulito grazie all'utilizzo esclusivo di aromi naturali e all'assenza di coloranti artificiali. Il prodotto si ottiene dall'infusione di bacche ed erbe in acqua e alcool, che deve essere mantenuta per 3-4 settimane. Poi l'infuso viene distillato in piccoli alambicchi di rame e miscelato con acqua, alcool e zucchero senza aggiunta di altri aromi. Va mantenuto in appositi contenitori per circa 2 mesi prima di venire imbottigliato. Consumato in quantità modiche il Liquore del Cansiglio è un ottimo dopo pasto e si può consumare tanto a temperatura ambiente quanto più freddo, specie nei mesi caldi.Liquore tipico della zona del Cansiglio, questo prodotto può essere trovato presso alcuni rivenditori specializzati nelle province di Treviso, Vicenza e Belluno.

Liqueur of Cansiglio - Province of Treviso

The liqueur of Cansiglio takes its name from the area at the foot of the Eastern Alps, straddling the provinces of Treviso, Vicenza and Belluno, which is characterized by wooded areas and relatively untouched by man. The product was born after the Second World War and then this typical recipe was kept unchanged over time. This liqueur is obtained from the infusion of berries and herbs typical of the forest, diluted with water and sugar. It is produced in 25% alcohol. It has a brown color and is characterized by a very fragrant aroma as well as a round and clean taste due to the use of exclusive natural flavors and no artificial coloring. The product is produced from the infusion of berries and herbs in water and alcohol, which must sit for 3-4 weeks. Then the infusion is distilled in small copper stills and mixed with water, alcohol and sugar without other flavorings. It should be kept in appropriate containers for about 2 months before being bottled. Consumed in small quantities Cansiglio liqueur is good after a meal and can be consumed both at room temperature and cold, especially in warm months. The liqueur is typical of the area of Cansiglio, and can be found at some specialty retailers in the provinces of Treviso, Vicenza and Belluno.

Liquore Fragolino

Pincara, provincia di Rovigo

La produzione del Liquore Fragolino è sviluppata dalla ditta di Pincara, nata cinque generazioni or sono. La ricetta del prodotto è stata trovata in uno dei vecchi ricettari manoscritti patrimonio delle Antiche distillerie Mantovani e a tutt'oggi è custodito nel museo " Il futuro della memoria" ubicato all'interno dell'azienda. La zona di produzione è il comune di Pincara in provincia di Rovigo, territorio particolarmente adatto alla coltivazione della fragola. Oltre che a numerose manifestazioni promozionali, il prodotto è presentato in primavera alla "Festa della fragola" di Salara (RO), evento che promuove ogni anno questo frutto. Il Fragolino è un infuso idroalcolico di fragole, portato alla gradazione alcolica di 30% vol. Per produrlo si utilizzano: alcool puro di cereali, fragole, succo di fragola e zucchero. Il liquore ha colore rosso intenso e aspetto "torbido". All'olfatto il profumo delle fragole dona una piacevole sensazione avvolgente. Il prodotto necessita di alcuni giorni di infusione, dopodiché viene miscelato allo zucchero sciolto in acqua demineralizzata. Una volta prodotto e miscelato viene lasciato riposare in cisterne di acciaio fino a piena maturazione. Successivamente viene imbottigliato, sigillato e conservato nell'apposito magazzino per poi essere messo in commercio. Il distillato va degustato ghiacciato liscio, ideale per la preparazione di aperitivi, ma è anche adatto per impreziosire macedonie, gelati e dolci. Il prodotto è reperibile durante tutto l'anno sia nelle distillerie di Pincara, sia durante fiere e manifestazioni legate alla promozione dei prodotti tipici.

Fragolino liqueur - Pincara, province of Rovigo
The production of Fragolino was developed by Pincara company, founded five generations ago. The recipe of the product was found in an old recipe manuscript inherited from the ancient distillery Mantovani and still to be found in the museum "The Future of memory" located within the company. The production area is the town of Pincara in the province of Rovigo, a territory particularly suitable for the cultivation of strawberry. In addition to numerous promotional events, the product is presented at the "Strawberry Festival" in Salara (RO), an event that promotes

this fruit every year. The Fragolino is a water and alcohol infusion of strawberries, with an alcoholic content of 30%. Pure grain alcohol, strawberries, strawberry juice and sugar are needed to produce it. The liqueur has an intense red color and looks "cloudy." The scent of strawberries is all-enveloping. The product requires several days of infusion, and then it is mixed with sugar dissolved in de-mineralized water. Once the product is mixed, it sits in steel tanks up to full maturity. Then it is bottled, sealed and stored in the warehouse and finally put on the market. The distillate should be consumed iced; it is ideal for aperitifs, but it is also suitable for precious fruit salads, ice creams and cakes. The product is available throughout the year in Pincara distilleries, and during fairs and events related to the promotion of local products.

Liquore Prugna

Viene prodotto in molte zone del Veneto, in particolare nelle province di Padova e Venezia

Il liquore Prugna fa parte della tradizione veneta di bevande alcoliche ottenute dai distillati di frutta. Esiste addirittura un formulario relativo alle metodiche di preparazione, risalente al 1908 che è stato tramandato nei suoi contenuti sino ad oggi. Il liquore Prugna è un succo di prugna distillato, a cui si aggiunge alcool o grappa veneta, acqua demineralizzata, zucchero, aromi e caramello. È contraddistinto da una moderata gradazione alcolica e da un profumo intenso tipico del frutto "prunus domestica". A livello retrolfattivo la carica aromatica si amplifica e diversifica facendo emergere sentori di albicocca, mandorla e altra frutta secca. Per quanto attiene alle metodiche di lavorazione va sottolineato il processo di selezione del succo di prugna impiegato e del distillato di prugna che deriva dalla distillazione di prugne macerate e fermentate. Nella fase di preparazione si pone particolare attenzione alla ricerca del mantenimento della costanza d'intensità aromatica, che costituisce l'elemento decisivo per il successo del prodotto. La verifica finale dell'intensità e dell'equilibrio del profumo avviene dopo alcuni giorni, necessari per permettere la perfetta combinazione e la formazione degli aromi definitivi. Al termine di quest'ultima verifica, se non sono necessarie eventuali correzioni, si procede all'imbottigliamento e confezionamento. E' un liquore che va degustato liscio ma è anche adatto ad impreziosire le produzioni di pasticceria. Prodotto molto diffuso, il liquore Prugna è reperibile facilmente presso punti vendita al dettaglio in gran parte del territorio regionale.

Plum liqueur - It is produced in many areas of the Veneto region, in particular in the provinces of Padua and Venice.
Plum liqueur is part of the Venetian tradition of alcohol derived from distilled fruit. There is even a form on the methods of preparation dating back to 1908 which is passed on to this date. Plum liqueur is distilled plum juice, plus alcohol or grappa, de-mineralized water, sugar, spices and caramel. It is characterized by a moderate alcohol content and an intense aroma of the typical fruit "prunus domestica." The aftertaste brings out hints of apricot, almond and other nuts. Particularly noteworthy of the method of production is the process of selecting the plum juice and plum distillate, which results from the distillation of fermented and macerated plums. The preparation is particularly careful to maintain a constant intensity of aroma, which is the key to the success of the product. The final assessment of balance and intensity of the smell takes place after a few days to allow the perfect combination of the definitive aroma. After the test, if no corrections are necessary, the product is bottled and packaged. It can be consumed straight but it is also suitable to enrich the production of confectionery. Plum liqueur is easily available at retail outlets in most of the region.

Liquore all'Uovo

Veneto

La crema marsala figurava già negli anni '30 tra i liquori commercializzati. La validità della sua composizione si conferma immutata negli anni, grazie all'impiego di materie prime semplici e naturali. Il liquore all'uovo viene preparato usando torlo d'uovo fresco sbattuto, zucchero, aromi naturali e marsala fine DOC. Si presenta con uno spiccato aroma di crema, un gusto dolce e delicato; ha una gradazione alcolica moderata (16° VOL) e assume un colorito giallognolo. I tuorli delle uova fresche spaccate a mano vengono sbattuti in alcol buongusto puro e zucchero. La crema così ottenuta viene refrigerata e filtrata; si ottiene un liquido limpido a 75° circa, a cui viene aggiunto il marsala, gli aromi naturali e altro zucchero per ottenere il prodotto finito. Il grado finale del prodotto viene controllato ed eventualmente corretto con piccole aggiunte di marsala o di alcol buongusto. Il prodotto viene stagionato in apposite cisterne per un periodo medio di 9 mesi o comunque mai inferiore ai tre. Solitamente viene filtrato

2-3 mesi dopo la preparazione, preferibilmente nei mesi freddi dell'anno. Dopo il periodo di stagionatura, il prodotto viene imbottigliato. Data la gradazione alcolica contenuta di questo liquore e la carica energetica dovuta all'uovo, si adatta bene ad essere consumato come rigenerante e riscaldante dopo la pratica di sport invernali. Ampiamente diffuso in tutto il Veneto, il prodotto si trova facilmente presso qualsiasi rivendita al dettaglio.

Egg liqueur - Veneto
Marsala cream was on the liqueur market as early as the 30s. Its composition has remained unchanged over the years, thanks to the use of simple and natural materials. Egg liqueur is prepared using fresh beaten egg yolks, sugar, natural flavors and fine Marsala DOC. It has a strong aroma of cream, a sweet and delicate taste, a moderate alcohol content (16 ° VOL) and a yellowish color. The yolks are beaten by hand in pure alcohol and sugar. The mixture is cooled and filtered, which gives a clear liquid at 75° or so, to which the marsala, natural flavors, and more sugar is added. The alcohol content of the product is checked and possibly adjusted with small additions of marsala or of alcohol. The product is aged in special tanks for an average period of 9 months but never less than three. It is usually filtered 2-3 months after preparation, preferably in the cold months of the year. After having aged, the product is bottled. Given the alcohol content contained in this liquor and the charging energy due to the egg, it is perfect as a regenerative and warming drink after winter sports. Widespread throughout the Veneto, the product can be found easily at any retail.

Maraschino

Torreglia, provincia di Padova

Il liquore Maraschino trae origine dalle amarene marasca, un frutto meraviglioso e assai benefico, che cresce molto bene nelle coste istriane. Già nei secoli XVII e XVIII il prodotto era conosciuto e apprezzato in modo particolare nella Corte inglese che mandava su ordine di Re Giorgio IV, le proprie navi da guerra a prendere a Zara (Dalmazia) le casse di questo liquore. Anche Napoleone Bonaparte e i suoi generali festeggiavano le loro vittorie militari brindando con il Maraschino. In provincia di Padova viene prodotto, da decenni, da una famiglia di Torreglia, originaria della Dalmazia ed esule in Italia dopo la Prima Guerra Mondiale. Il liquore Maraschino si presenta incolore, con una gradazione alcolica di 32° vol, un sapore deciso di marasche e un gusto dolce e marcato. Il Maraschino è un liquore ottenuto dall'infusione alcolica della marasca prodotta nei colli Euganei. L'infuso viene poi distillato con alambicchi di rame e affinato in tini di frassino per mantenere il prodotto incolore. Dopo la maturazione viene trasformato in liquore con aggiunta di acqua e zucchero fino al raggiungimento della gradazione alcolica voluta e viene quindi imbottigliato in tipiche bottiglie impagliate a mano. E' un liquore molto apprezzato soprattutto nella preparazione dei dolci. Il prodotto è reperibile presso la piccola distribuzione nella maggior parte del territorio regionale.

Maraschino - Torreglia, province of Padua
Maraschino liqueur stems from maraschino cherries, a wonderful and extremely beneficial fruit, which grows very well on the Istrian coast. Already in the seventeenth and eighteenth centuries, the product was known and appreciated in particular at the English Court which sent its warships to Zadar (Dalmatia) to bring bag this liqueur. Even Napoleon Bonaparte and his generals celebrated their military victories toasting with Maraschino. In the province of Padua it has been produced for decades by a family of Torreglia, originally from Dalmatia but living in Italy since the end of the First World War. Maraschino liqueur is colorless, with an alcohol content of 32 vol and a sweet, strong cherry flavor. Maraschino is a liqueur derived from the infusion of cherries produced in the Euganei hills. The infusion is then distilled in copper stills and aged in vats of ash to maintain the colorless product. After having aged it is turned into liquor by adding water and sugar until the desired alcohol content is reached. Then it is bottled. It is greatly appreciated especially in the preparation of desserts. The product is available in most of the region.

Sangue Morlacco

Torreglia, provincia di Padova

Il Sangue Morlacco ha un'antica storia, legata a quella della famiglia produttrice; croati costretti a emigrare in Italia dopo la Prima Guerra Mondiale. La produzione inizia nel 1830, utilizzando le amarene marasca che crescono abbondanti lungo la costa slava. Denominato inizialmente "Visna" e poi "Cherry Brandy", nel 1919 fu rinominato "Sangue Morlacco" da Gabriele D'Annunzio, durante la sua impresa di Fiume. Il Poeta era innamorato della Dalmazia e volle sottolineare l'originalità e la bontà dello Cherry Brandy con un nome destinato a ricordare nel tempo un liquore tipico degli italiani di Dalmazia. La famiglia produttrice si è trasferita a

Torreglia, sui Colli Euganei, dove ha continuato la tradizionale produzione, e ha fatto conoscere il Sangue Morlacco ad un numero sempre maggiore di estimatori. Il Sangue Morlacco è il liquore ottenuto dall'infusione di ciliegie marasche. Si presenta di colore rosso scuro, con un forte aroma di marasche e dal gusto deciso e gradevole. Dalla spremitura delle ciliegie marasche si ottiene un succo parzialmente fermentato che viene messo in botti di legno dopo essere stato addizionato con alcool al fine di evitare la totale fermentazione. Dopo un invecchiamento di sei mesi viene aggiunto alcol, zucchero ed acqua e si ottiene il prodotto finito. Ottimo liquore da sorseggiare, il Sangue Morlacco viene anche utilizzato per le preparazioni di pasticceria. Il prodotto è reperibile presso la piccola distribuzione nella maggior parte del territorio regionale.

Morlacco Blood - Torreglia, province of Padua
Morlacco Blood has an ancient history linked to the family who produces it. They are Croats forced to emigrate to Italy after the First World War. Production began in 1830, using maraschino cherries that grow abundantly along the Slavic coast. Originally called "Visna" and "Cherry Brandy" in 1919 it was renamed "Blood Morlacco" by Gabriele D'Annunzio during his military exploit in Fiume. The poet was in love with Dalmatia and wanted to emphasize the uniqueness and goodness of Cherry Brandy. The family moved to Torreglia, in the Euganean Hills, where it continued the traditional production, and has offered Blood Morlacco to a growing number of admirers. Blood Morlacco is a liqueur produced from the infusion of maraschino cherries. It has a dark red color, with a strong aroma and pleasant taste of cherry. Maraschino cherry juice is partially fermented in barrels made of wood after being spiked with alcohol in order to avoid complete fermentation. After aging for six months alcohol, sugar and water are added. It is an excellent liqueur to drink and is also used in the production of confectionery. The product is available in most of the region.

BIBLIOGRAFIA

Ferasin, M., Candian, A., Sisto, S., Scudeller, A., Causin, L. , Ormenese, N., Burigana, E., Zuanetto, S., *Atlante dei prodotti tradizionali agroalimentari del Veneto,* Veneto Agricoltura, 2006

Mondo Agricolo Veneto - settimanale d'informazione agricola, cultura e tradizioni della Giunta regionale del Veneto (internet). Venezia, 1988 (consultato nel maggio 2009) http://www.regione.veneto.it/MondoAgricolo/

Taccuini Storici.it - Rivista multimediale di alimentazione e tradizioni (internet). testata di Alex Revelli Sorini, 2002-2008 (consultato nel maggio 2009) http://www.taccuinistorici.it/

Ars-Alimentaria.it- Identità, qualità e sicurezza degli alimenti (internet). (consultato nel maggio 2009) http://www.ars-alimentaria.it/

Alimentipedia.it - Enciclopedia degli alimenti (internet). 2007-2009 (consultato nel maggio 2009) http://www.alimentipedia.it/

Agraria.org- Rivista online di agraria (internet). Firenze, 2000 (consultato nel maggio 2009) http://www.agraria.org/

Biodiversita del Veneto.it (internet). Vicenza: Istituto di Genetica e Sperimentazione Agraria "N. Strampelli", 2005 (consultato nel maggio 2009) http://www.biodiversitaveneto.it/

Agrislove.net- Agriturismo, territorio, cultura, Slovenia-Venezia (internet). 2005 (consultato nel maggio 2009) http://www.agrislove.net/

MaisMarano.it - Consorzio di tutela del Mais Marano (internet). 2009 (consultato nel maggio 2009) http://www.maismarano.it/

Delta del Po.it -Il Portale del Delta del Po (internet). 2001, agg. 2009 (consultato nel maggio 2009) http://www.deltadelpo.it/

Raffaella Ponzio, *Le risare delle monache - Nel Vicentino, il prezioso Vialone Nano di Grumolo* (internet).
http://www.ventinpoppa.it/image/Lerisaredellemonache.pdf

Antonio Di Lorenzo, *Il Broccolo fiolaro da Goethe ad internet* in *Il broccolo fiolaro di Creazzo - le ricette dei ristoratori vicentini*, Terraferma, 2001.

TESTI

Romano Pascutto, *L'acqua, la piera, la tera*, Venezia, Marsilio Editori, 2000.
Gino Piva, *Cante d'Adese e Po*, Aquileia, Udine Editrice, 1930.
Giuliano Scabia, *Farsa di Orlando e del suo scudiero Gaína alla ricerca della porta del Paradiso* in *Teatro con Bosco e Animali*, Torino, Einaudi, 1987.
Dino Coltro, *La nostra polenta quotidiana,* Verona, Cierre Edizioni, 2002.
Luigi Meneghello, *Piccoli Maestri,* Milano, Rizzoli, 1976.
Andrea Zanzotto, *Poesie (1938-1986),* Milano, Mondadori, 1993.
Tina Merlin, *La Casa sulla Marteniga,*Verona, Cierre Edizioni, 2004.
Carlo Goldoni, *Le Baruffe Chiozzotte*, Milano Mondadori, 1993 (atto I, scena II).
Francesco Cavasin, *Riçeta*, (internet). 2007(consultato nel maggio 2009) http://cavasin.blogspot.com/2007/01/sembra-che-il-nostro-paese-sia.html
Gian Antonio Cibotto, *L'uomo del rimorchiatore* in *La coda del parroco*, Marsilio editori,1983.
Omero, *Odissea*, Mondadori, 2007 (canto XX)
Androvinci Melisone (Alessandro Tassoni) *La secchia rapita - Poema eroicomico*, Parigi, Tusson du Bray, 1622 (Canto VII, stanza 26).
Giorgio Gioco, *El Radecio de Verona*, (internet). 2007(consultato nel maggio 2009) http://www.radicchiomania.it/ita/radicchio/poesie/poesie.html
Berto Barbarani, *Tutte le poesie*, Milano, Mondatori, 1984.
Tolo da Re, *Poesia par Verona*, (internet). La rena Domila, 1999, (consultato nel maggio 2009),
http://www.larenadomila.it/barbarani/poeti/tolo1.htm#verona
Mario Rigoni Stern, *Sentieri sotto la neve*, Einaudi, 2006.

INDICE

PADOVA

VERONA

VICENZA

TREVISO

BELLUNO

Made in the USA
Lexington, KY
20 February 2016